# Дарья Донцова

## Кулинарная книга лентяйки-2
## Вкусное путешествие

# Читайте романы примадонны иронического детектива Дарьи Донцовой

## Сериал «Евлампия Романова. Следствие ведет дилетант»:

1. Маникюр для покойника
2. Покер с акулой
3. Сволочь ненаглядная
4. Гадюка в сиропе
5. Обед у людоеда
6. Созвездие жадных псов
7. Канкан на поминках
8. Прогноз гадостей на завтра
9. Хождение под мухой
10. Фиговый листочек от кутюр
11. Камасутра для Микки-Мауса
12. Квазимодо на шпильках
13. Но-шпа на троих
14. Синий мопс счастья
15. Принцесса на Кириешках
16. Лампа разыскивает Алладина
17. Любовь-морковь и третий лишний
18. Безумная кепка Мономаха
19. Фигура легкого эпатажа
20. Бутик ежовых рукавиц
21. Золушка в шоколаде
22. Нежный супруг олигарха
23. Фанера Милосская

## Сериал «Виола Тараканова. В мире преступных страстей»:

1. Черт из табакерки
2. Три мешка хитростей
3. Чудовище без красавицы
4. Урожай ядовитых ягодок
5. Чудеса в кастрюльке
6. Скелет из пробирки
7. Микстура от косоглазия
8. Филе из Золотого Петушка
9. Главбух и полцарства в придачу
10. Концерт для Колобка с оркестром
11. Фокус-покус от Василисы Ужасной
12. Любимые забавы папы Карло
13. Муха в самолете
14. Кекс в большом городе
15. Билет на ковер-вертолет
16. Монстры из хорошей семьи
17. Каникулы в Простофилино
18. Зимнее лето весны
19. Хеппи-энд для Дездемоны

## Сериал «Джентльмен сыска Иван Подушкин»:

1. Букет прекрасных дам
2. Бриллиант мутной воды
3. Инстинкт Бабы-Яги
4. 13 несчастий Геракла
5. Али-Баба и сорок разбойниц
6. Надувная женщина для Казановы
7. Тушканчик в бигудях
8. Рыбка по имени Зайка
9. Две невесты на одно место
10. Сафари на черепашку
11. Яблоко Монте-Кристо
12. Пикник на острове сокровищ
13. Мачо чужой мечты
14. Верхом на «Титанике»
15. Ангел на метле

## Сериал «Любительница частного сыска Даша Васильева»:

1. Крутые наследнички
2. За всеми зайцами
3. Дама с коготками
4. Дантисты тоже плачут
5. Эта горькая сладкая месть
6. Жена моего мужа
7. Несекретные материалы
8. Контрольный поцелуй
9. Бассейн с крокодилами
10. Спят усталые игрушки
11. Вынос дела
12. Хобби гадкого утенка
13. Домик тетушки лжи
14. Привидение в кроссовках
15. Улыбка 45–го калибра
16. Бенефис мартовской кошки
17. Полет над гнездом Индюшки
18. Уха из золотой рыбки
19. Жаба с кошельком
20. Гарпия с пропеллером
21. Доллары царя Гороха
22. Камин для Снегурочки
23. Экстрим на сером волке
24. Стилист для снежного человека
25. Компот из запретного плода
26. Небо в рублях
27. Досье на Крошку Че
28. Ромео с большой дороги
29. Лягушка Баскервилей
30. Личное дело Женщины–кошки
31. Метро до Африки

## Сериал «Татьяна Сергеева. Детектив на диете»:

1. Старуха Кристи – отдыхает!

## А также:

Кулинарная книга лентяйки

Кулинарная книга лентяйки–2. Вкусное путешествие

Записки безумной оптимистки. Три года спустя. Автобиография

Дарья Донцова

# Метро до Африки

роман

# Фанера Милосская

главы из нового романа

# Советы

от безумной оптимистки Дарьи Донцовой

советы

Москва
ЭКСМО
2007

ИРОНИЧЕСКИЙ ДЕТЕКТИВ

## МОЙ ДОРОГОЙ ЧИТАТЕЛЬ!

Знаете ли Вы, чем отличается детектив от криминального романа?

В детективе всегда есть загадка, которую можно разгадать самому.

А чем отличается хороший детектив от детектива?

В хорошем детективе есть загадка, которую сложно разгадать самому.

Теперь в каждом моем детективе в течение всего 2007 года Вас ждет загадка, которую нужно разгадать самому.

Разумеется, самые активные и смекалистые участники получат призы. Их (призов) у меня припасено в количестве 1001 шт. Нет, я не сказочница Шахерезада — призы самые настоящие: тысяча плюшевых собак породы МОПС (кстати, сделанных по моим эскизам) и **принадлежащий лично мне золотой кулон**. Кулон дарю в единственном экземпляре — как говорится, от сердца отрываю!

## Что нужно сделать для победы? – спросите Вы. Отвечаю по порядку.

1. Внимательно читайте мой роман. Одна из его тайн так и останется нераскрытой. А на последней странице Вас ждет вопрос, касающийся этой самой тайны.

2. До появления в продаже моей следующей книги, «Фанера Милосская» (т.е. до 26 декабря 2007 г.), позвоните по телефону горячей линии **(495) 967-90-77**. Сообщите свое имя, фамилию, город и контактный телефон (проще говоря, зарегистрируйтесь). Назовите Вашу версию ответа на загадку.

3. Дождитесь выхода книги в твердом переплете «Фанера Милосская». В ней Вас будут ждать: правильный ответ, новая загадка, а также дата выхода моего следующего романа (ответ на новую загадку нужно дать именно до этой даты).

4. И так далее, и так далее, и так далее — вплоть до романа, который появится в продаже в декабре 2007 г.

В зависимости от точности ответа Вам будут начисляться баллы, суммирующиеся раз за разом. Сыщики, набравшие к концу года наибольшее количество баллов, получат обещанные призы. Самому-самому — мой золотой кулон в награду!

Я желаю Вам удачи и с нетерпением жду того момента, когда смогу поздравить победителей! Итак, загадка ждет! Ее нужно разгадать самому!

*Всегда Ваша — Дарья Донцова*

* * *

**Советы, напутствия и ответы на вопросы, которые у Вас могут возникнуть:**

- Загадки находятся только в новых романах Д. Донцовой в твердом переплете, вышедших в 2007 г.
- Для Вашего удобства на обложках книг с загадками размещен ярко-красный «флажок» с надписью «Загадки года от Дарьи Донцовой».
- Принять участие в борьбе за призы может каждый желающий. Предлагайте Ваши варианты ответов на загадки, даже если Вы проживаете в ЮАР.
- При звонках на горячую линию всегда называйте один и тот же контактный номер телефона, иначе оператор может ошибиться и не просуммировать Вам баллы.
- Операторы горячей линии не смогут ответить ни на один из Ваших вопросов — они лишь регистрируют Ваши звонки и ответы и не обладают интересующей Вас информацией.
- Операторы горячей линии подсказок и правильных ответов Вам не дадут — и не просите. Пусть все будет по-честному!
- Ваш ответ на каждую из загадок принимается только один раз.
- Если данный Вами ответ оказался неправильным, то это не значит, что Вы сошли с дистанции претендентов на призы. Продолжайте разгадывать другие загадки, звоните — у Вас все получится!
- Плюшевые мопсы действительно уникальны — таких больше ни у кого нет и не будет.
- Список призеров мы разместим в твердой новинке Д. Донцовой, которая выйдет в начале 2008 г., а также на сайте www.dontsova.ru. Кроме того, в случае Вашего выигрыша с Вами свяжутся по указанному Вами контактному телефону и доставят приз туда, куда Вы пожелаете.

***С уважением,***
***сотрудники издательства «Эксмо»***

# Метро до Африки

*роман*

## Глава 1

Враги приходят и уходят, а друзья остаются. Иногда можно десять лет не вспоминать про человека, но потом он вдруг тебе позвонит, и ты сразу переносишься на много лет назад, превращаешься в беззаботную девицу и начинаешь совершать глупости...

Нынешний июньский денек я решила провести в Ложкине, и на то имелись веские причины. Во-первых, сегодня пятница, следовательно, уже после трех часов дня караваны машин с дачниками потянутся по шоссе, и на дорогах возникнут километровые пробки, а во-вторых, на дворе стоит солнечная, теплая, не по-московски погожая погода, и глупо не воспользоваться улыбкой природы.

Вдыхая аромат цветущей сирени, я прошла через сад и плюхнулась на раскладушку, предусмотрительно поставленную в самом глухом уголке. Здесь меня никто не тронет, можно преспокойно читать книгу и грызть орешки кешью. Увы, я обожаю вредную еду. Говорят, что люди, которые правильно питаются и не имеют дурных привычек, живут дольше, но мне отчего-то кажется, что существование тех, кто лопает вкусное и позволяет себе некоторые излишества, например курит, неизмеримо приятнее. Впрочем, лично у меня просто не хватает силы воли отказаться от вредных привычек, скажем, завязать с курением.

Я наклонилась, чтобы вытащить из-под раскладушки пепельницу и пачку сигарет...

Если в большой семье есть только один любитель табака, его участь незавидна. Мне запрещено вносить курево в столовую, кухню, гостиную, библиотеку, баню... Легче сказать, где госпоже Васильевой позволено сидеть с сигаретой. Коротко говоря, нигде. Если я попытаюсь предаться невинной забаве в своей спальне, стоя у раскрытого окна, то непременно услышу чей-нибудь недовольный голос, доносящийся из расположенной на первом этаже гостиной:

— Откуда дымом несет? Ирка, тащи огнетушитель! Горим! Пожар!

Ну и так далее. Поэтому курить я предпочитаю в саду или в собственной машине. И вот что интересно, если Зайка или Аркадий случайно унюхают аромат табака в салоне моего — подчеркиваю, моего! — автомобиля, они мигом закатывают истерику, не забывая добавить:

— Мы желаем тебе добра, ведь даже младенец знает, что курение вызывает рак легких.

Спорить с детьми столь же бесполезно, как вычерпывать дуршлагом океан. Конечно, на язык так и просятся справедливые возражения типа: «Посмотрите вокруг, понюхайте московский воздух, этот жуткий коктейль из автомобильных выхлопов, выбросов предприятий и ядовитых испарений от строек! Неужели сигарета самый страшный зверь в такой ситуации?» Но я молчу. Мне просто не хочется раздувать скандал.

Впрочем, минуты радости бывают у всех. И вот сейчас, когда ни в доме, ни на участке никого нет — домашние разъехались по делам, а Ирка с Иваном отправились на рынок, — я со смаком затянусь...

Не успела я чиркнуть зажигалкой, как раздался звонок телефона. Пришлось временно изменить планы и взять трубку.

— Дашка! — завизжал чей-то голос. — Клево! Это же ты?

У меня отнюдь не редкое имя. Крикните в метро: «Даша», и непременно отзовется пять-шесть женщин. Вот назови меня родители Физдипёклой, тут уж сомнений не было бы — обращаются именно ко мне, а с

«Дашкой» возможны разные варианты. Поэтому я осторожно ответила:

— Васильева слушает.

Но тут же про себя усмехнулась: согласитесь, людей с такой фамилией тоже немало.

— Как официально! — еще громче заорали из трубки. — Хорошо хоть дворецкий к телефону не подошел. Слышь, у тебя есть мажордом?

— Простите, с кем я разговариваю? — спросила я.

— Не узнала? — огорчилась звонившая.

— Извините, порой меня подводит память, — почему-то начала я оправдываться. — Да и со слухом... э... у меня не особо... То есть, конечно, я слышу, но порой...

— Вот народ! — возмутилась незнакомка. — Лучших друзей забывают! Стоит на пару дней исчезнуть, и все! Тебя беспокоит Дина.

— Кто? — Я пришла в еще большее изумление.

— Дина, — рявкнули мне в ухо.

Я легла на раскладушку. Все понятно: женщина ошиблась номером, ей нужна другая Даша Васильева. Никакой Дины я не знаю. Надо сейчас же сказать об этом даме, которая продолжает возмущаться моей плохой памятью.

— Видите ли, — завела я, стараясь сохранить дружелюбный тон, — очевидно, вы неаккуратно нажимали на кнопки, вот и...

Договорить не удалось — меня перебили:

— Умереть не встать! Склероз прогрессирует, но его еще можно остановить. Лекарства пить не пробовала? Каждый день появляются новые препараты — наука несется вперед в бешеном темпе!

— Короче, вы ошиблись номером! — теперь рявкнула я. — До свидания. Мы не знакомы.

— Ага, — не смутилась собеседница, — еще скажи, что не училась в группе сто семь и никогда не списывала задачи по логике у Петьки Распутина!

Я вздрогнула. Действительно, номер моей студенческой группы был именно сто семь, и в наше, будущих преподавателей иностранного языка и переводчиков, расписание зачем-то включили такой непонятный предмет, как логика. Я, помнится, ходила сдавать его семнадцать раз. Теоретическая часть была мною вызубрена назубок, разбудите ночью, и отчеканю нужную главу, проблемы были с решением задач. Честно говоря, они казались мне идиотскими. «Все птицы умеют летать, пингвин птица, следовательно, он легко поднимется в воздух. В чем ошибочность данного заключения?» Неужели не понятно? Пингвин ни за какие коврижки не сможет взлететь, потому что у него практически нет крыльев! Но преподаватель, услышав абсолютно верный, на мой взгляд, ответ, тут же поставил в ведомости «неуд». Приблизительно то же самое происходило при следующих попытках сдать зачет. Слава богу, Петька Распутин сжалился надо мной, и на семнадцатую пересдачу мы пошли вместе...

— Ну, просветлело в башке? — засмеялась незнакомка. — Давай начнем сначала. Я Дина Емельянова, твоя бывшая одногруппница...

— Емеля! — заорала я, вспомнив ее прозвище.

— Дотумкала наконец, — обрадовалась Динка. — Уж как я искала твой телефон! Еле-еле нарыла. Шифруешься почище Билла Гейтса, хотя с твоим невероятным богатством это понятно. Небось народ звонит безостановочно и бабки откусить хочет. Слышь, Дашк, у меня к тебе просьба...

Я вздохнула. Понятно, Емельяновой понадобились рубли, ей не хватает на квартиру или автомобиль. Ну с какой еще просьбой может обратиться человек, с которым последний раз я разговаривала сто лет назад? Долгие годы Дина не звонила мне, и я начисто забыла про знакомую юношеских лет. И сейчас Емеля на меня смертельно обидится, потому что услышит отказ. Дело в том, что деньги в нашей семье принадлежат Аркадию и Маше, именно такое завещание оставил барон Макмайер[1]. Девочка пока не имеет права распоряжаться основной долей своего капитала, сначала Маша должна достичь совершеннолетия, поэтому финансами единолично заправляет Кеша. Ясное дело, мы спокойно тратим средства на одежду, еду и всякие нужды, имеем кредитные карточки и не стесняемся в расходах. Но стоит мне заныть: «Давай дадим N в долг денег на машину», — как Аркадий жестко отвечает: «Нет. Сейчас не прежние времена, можно взять кредит в банке. Клянчить у знакомых нет необходимости».

Если же я настаиваю, наш адвокат говорит: «Вспомни Малышкиных. Они вернули нам нехилые бабки, полученные на ремонт дачи? А Галина Андреева... Попросила пару тысяч долларов на три дня и вот уже шесть лет несет их назад. А все ты! Вынудила меня съездить в банк, и что получилось?»

Крыть мне нечем, остается только молчать.

— Надеюсь, не откажешь мне, — ныла сейчас Динка.

— Сын Дегтярева отделывает новый дом, — решительно сказала я, — все средства уходят туда, нам пришлось потуже затянуть пояса.

— Кто такой Дегтярев? — изумилась Дина. — И при чем тут его сын?

Я опять вздохнула. Ну как объяснить ситуацию Емеле? В двух словах всю свою жизнь не перескажешь.

— Непременно приходи, — продолжала Динка, — Андрюха будет ждать.

— Куда идти и зачем? — изумилась я.

Воцарилась тишина, потом подруга студенческих лет осторожно поинтересовалась:

— Я что, не сказала?

— Нет.

---

[1] История получения наследства описана в книге Дарьи Донцовой «Крутые наследнички» и «За всеми зайцами», издательство «Эксмо».

Из трубки послышался протяжный стон.

— Кажется, у меня крышу повело, — призналась Дина, — накануне презентации полно хлопот. Мой брат гениальный художник! Помнишь Андрея?

— Извини, я ничего не знала о твоих близких родственниках, — честно призналась я.

— Вообще-то он мне двоюродный, но мы ближе, чем двойняшки, — уточнила Дина.

— А-а-а, — протянула я, так и не вспомнив Андрея.

— Андрюха завтра представляет публике эпическое полотно «Русь Великая», — зачастила Емеля. — Очень прошу, приди на презентацию, твое имя заявлено в списке гостей, а журналисты клюют на знаменитостей.

Последняя фраза полностью прояснила дело. Москва огромна, по размеру территории она сравнима с небольшим европейским государством, но одновременно — вот парадокс! — и очень мала. Если вы возьмете подшивку глянцевых журналов за месяц и пересчитаете тех, о ком постоянно пишет пресса, то не наберете и ста человек. Борзописцы обожают сообщать подробности только о богатых и знаменитых, другие люди их не интересуют. Если у газетчиков будет выбор: поместить материал о том, как певичка N сломала один из своих дорогостоящих гелевых ногтей, или напечатать заметку о геройском поступке никому не известного фермера Петрова, который спас во время пожара сто детдомовских детей, то можно не сомневаться — выбор сделают в пользу поп-звезды. Ясное дело, испорченный коготь важнее. И потом, в конце статьи можно дать адрес салона, где звезда сделала маникюр, и получить определенную мзду за рекламу. Одним словом, если вы не медийное лицо, шансов увидеть свою фамилию на страницах изданий у вас просто нет. Поэтому большинство малоизвестных деятелей культуры устраивает презентации собственных произведений.

Думаете, тусовка созывается ради показа народу картины, скульптуры или книги? Да, такое бывает, но... обычно дело затевается для журналистов. Удачная презентация непременно включает в себя банкет: если не потратитесь на выпивку с закуской, благосклонных статей о себе вам не видать. А еще полагается раздать подарки. Так, ничего ценного. Содержимое пакетика, который вам всучат при выходе, зависит от профессии главного действующего лица. Издательства дарят книги, художественная галерея — открытки, консервный завод — банки с зеленым горошком... Пустячок, а приятно и в хозяйстве пригодится. Однако хорошего буфета и сувениров мало, бесспорно удавшимся мероприятие делает присутствие так называемых випов, или, говоря по-русски, особо важных персон: политиков, артистов, писателей, спортсменов. Випы делятся на две категории: тусовщики, жизнь которых состоит из посещений различных мероприятий, и те, кто выходит в свет крайне редко. Появление на вашем мероприятии последних приманивает огромное количество людей с камерами и диктофонами.

Каждый день почта доставляет к нам в Ложкино ворох приглашений, но конверты отправляются нераспечатанными в мусорную корзину. Зачем мне шляться по вечеринкам? Чтобы увидеть собственное фото в журнале? Ну уж нет, на снимках чаще всего я выгляжу жутко, а возможность поесть на дармовщинку меня не прельщает. Честно говоря, я не понимаю, отчего журналисты пытаются взять у меня интервью — я не пишу романов, не снимаюсь в кино и никогда не полезу петь на сцену, потому что медведь не только наступил мне на ухо, он сел на него целиком.

— Очень прошу, — ныла Динка, — ну что тебе стоит!

— Хорошо, — неохотно пообещала я, — присылай приглашение. Если оно успеет прийти, то я приеду.

Последняя моя фраза была не чем иным, как вежливым отказом, и Динка поняла это.

— Погоди минутку, — велела она.

В трубке зашуршало, зачавкало, захрустело, потом неожиданно раздался другой голос:

— Привет, Дашуль. Думаю, ты меня не узнала, поэтому представлюсь сразу — Таисия Волкова.

— Тася! — обрадовалась я. — Господи, я так рада снова тебя слышать! Как дела?

— Отлично! — воскликнула Таиска. — А твои? Кеша небось совсем большой?

— Уже почти старый, — засмеялась я. — Давно женат, двое детей...

Тася принялась ахать и расспрашивать меня. В отличие от Динки, она делала это с искренним интересом. Волкова замечательный человек, из той редкой породы людей, которые всегда кидаются на выручку, забывая о собственных проблемах. Мне она в свое время здорово помогла. Когда маленький Аркадий начал терять в весе и у него появились кашель и слабость — симптомы, свидетельствовавшие о серьезном заболевании, — я повела его в детскую поликлинику. Врач с бухты-барахты ляпнула: «У него рак легких, вот вам, мамаша, направление к онкологу».

Мало того, что горе-доктор поставила диагноз без всяких анализов, так еще и сообщила его при Аркашке. Несмотря на малый возраст, тот живо понял, что к чему, и дико перепугался.

Уж и не знаю, чем бы все завершилось, но об этом услышала Тася и начала активно действовать. Волкова нашла отличного доктора, который пришел в ужас, узнав о диагнозе, поставленном коллегой, и воскликнул:

— На онкологию это не похоже! У ребенка, вероятно, аллергия, бронхит и начинающийся гастрит. Ничего приятного в данном «букете» нет, но мы справимся.

И через пару месяцев Аркашка начал поправляться в прямом и переносном смысле слова, а я на всю жизнь сохранила благодарность Тасе.

Кстати, у нее есть еще одна замечательная черта. Она появлялась в вашей жизни словно добрая фея, взмахивала волшебной палочкой, улаживала любые проблемы и исчезала. В близкие друзья Тася не набивалась, она просто подставляла плечо в трудную минуту, и все. Я было попыталась отблагодарить ее, позвала Волкову к себе на чай, но она ответила: «Не ерунди, тебе сейчас не до гостей, лучше лечи мальчишку, а деньги, отложенные на торт, потрать ему на игрушки. Потом как-нибудь почаевничаем, жизнь длинная, еще представится случай».

Но мне так и не удалось отблагодарить Таисию. После окончания института наши пути разошлись и более никогда не пересекались.

— Дашута, очень прошу, — сказала Тася, — сделай одолжение, приди к Андрею Корундову на презентацию. Ей-богу, мне это очень надо.

— Если речь идет о тебе, — живо отозвалась я, — то без вопросов. Говори, куда и когда являться.

— Ну спасибо! — с явным облегчением воскликнула она. — Завтра, в семнадцать ноль-ноль, галерея Мусы Джанибекова. Сейчас объясню, как проехать...

## Глава 2

Без пятнадцати пять я припарковала свою машину около галереи и посмотрела в зеркало, чтобы проверить, не стекла ли с ресниц тушь и не размазалась ли губная помада. Так и есть, под глазами красуются черные круги, губы бледные, зато подбородок покрыт розовыми пятнами. Ну почему у меня всегда беда с макияжем? Каким образом другие женщины ухитряются выглядеть роскошно даже в самом конце мероприятия и по какой причине я, еще до его начала, превращаюсь в чучело?

Не найдя ответа на этот вопрос, я полезла в сумку и пришла в ужас: косметичка осталась дома. Думаю, большинство женщин поймет меня. Забыть в ванной губную помаду — настоящая трагедия даже в обычный день, а уж если вам предстоит присутствовать на тусовке, то масштаб несчастья оценить невозможно.

В отчаянии я огляделась по сторонам и увидела большой торговый центр. Из врожденной пунктуальности я всегда приезжаю на мероприятия точно в указанный срок и попадаю в идиотское положение: никто, кроме госпожи Васильевой, вовремя не является, и мне приходится с дурацкой улыбкой на лице шляться по пустому залу, мешая официантам наводить последний блеск на фуршетные столы. Оказавшись несколько раз в подобной ситуации, я изменила манеру поведения. Нет, приезжаю-то я все равно заранее, но не спешу на место встречи, а тихо сижу в машине, дожидаюсь, когда пройдет минут тридцать-сорок, и только потом чинно вступаю в зал. Но сегодня дурацкая привычка выручала меня — можно успеть купить косметику и привести себя в порядок.

Ярко освещенный зал с витринами, уставленными флаконами и тюбиками, был у самого входа. Я приблизилась к одной из откровенно скучающих продавщиц и спросила:

— Где можно купить губную помаду?

Девица встрепенулась и указала на большой стенд:

— Выбирайте любую, тут вся гамма.

Приободрившись, я подошла к пластиковым ячейкам и прочитала название фирмы: «Квинк»[1].

Легкое сомнение царапнуло душу — я никогда не слышала этого названия.

— Простите, — снова обратилась я к консультанту, — а кто производит косметику?

— Франция! — гордо ответила девчонка. — Берите, не волнуйтесь, помада замечательного качества.

Я стала без особого энтузиазма изучать тестеры. Франция большая, и на ее территории много фабрик, производящих замечательные духи и прочую парфю-

---

[1] Название выдумано автором, любое совпадение случайно.

мерию с косметикой. Я знаю все великие французские брэнды, но вот «Квинк»... Ей-богу, ничего не слышала о такой фирме, хотя частенько бываю в Париже. Впрочем, есть в стране трех мушкетеров секреты, известные лишь своим. В глубине одной из узких улочек старого Парижа спрятана лаборатория «Оржев». Ее продукцию вы не найдете в универмагах, потому что она поставляется только в клиники или продается врачам-косметологам. Скромные баночки, бутылочки и ампулы стоят очень дорого, но зато вы платите за содержимое, а не за хрустальный флакон, куда налит обычный лосьон. Коренные француженки редко пользуются раскрученными марками. Обитая в столице моды, они не хотят переплачивать за упаковку и за рекламные кампании, поэтому приобретают продукцию лабораторий, которые делают свое дело без особой шумихи. Основной потребитель средств, представленных, так сказать, в глянце, — подростки и наивные иностранки, искренне полагающие, что лучше раскрученных имен ничего нет.

— «Квинк» просто не раскручен, — словно подслушав мои мысли, заявила продавщица.

Но я продолжала колебаться. Лицо-то у меня одно, второго, если я его испорчу, не дадут...

— Суперская косметика, — соблазняла меня девушка.

Я глянула на бейджик продавщицы и спросила:

— Скажите, Алёна, «Квинк» давно на российском рынке?

— Они только начали осваивать Россию, но вообще-то фирма уже отметила сорокалетие. Хотите почитать буклет?

— Спасибо, не надо. Дайте вон ту помаду, розовую, — решилась я и, получив тюбик, аккуратно намазала губы.

Следует признать, помада легла ровно и ничем противным не пахла.

— Крем прибыл? — завопил с порога женский голос.

Я отвела взгляд от зеркала и увидела тетку, более всего напоминающую мешок с арбузами. Растрепанная голова лежала прямо на квадратных плечах. Никаких плавных изгибов у дамы не имелось — сразу же от белого лакового пояса начиналась попа, при взгляде на которую тут же становилось понятно, отчего врачи называют данное место «таз». У вошедшей был именно он — здоровенный, круглый аксессуар для замачивания белья.

— Здрассти, Татьяна Сергеевна, — расцвела Алена. Очевидно, дама была тут постоянной выгодной клиенткой.

— Давай без церемоний, — отмахнулась посетительница. — Где чудо-крем?

— Вот, — Алена выставила на прилавок две ярко-розовые банки.

— Так мало? — возмутилась дама.

— Есть еще.

— Сколько?

— Ну... ящик... В нем, наверное, упаковок двадцать.

— Неси все! — приказала тетка.

Алена шмыгнула в подсобное помещение, я, заинтригованная происходящим, не утерпела и обратилась к вошедшей:

— Простите, а чем так замечателен этот крем?

Татьяна Сергеевна всплеснула руками.

— Вы не слышали?

— Нет.

— О нем все журналы писали!

— Увы, я не читаю глянец, — призналась я. — Не потому, что презираю его, просто времени нет.

— А зря! — покачала головой женщина. — Ладно, так и быть, расскажу. Фирма «Квинк» придумала восхитительную новинку... Что у нас, женщин, самое большое? Я имею в виду, в организме?

— Душа, наверное, — предположила я. — Или ум, хотя мужчины считают иначе.

Дамочка с жалостью посмотрела на меня.

— Вот уж ум нам совсем ни к чему. Замуж выходить надо, а не диссертации писать. Самое большое у нас, у баб, задница. Слишком жирная!

— Это у кого как, — хихикнула я. — Лично мне приходится покупать джинсы в детском отделе.

Татьяна Сергеевна склонила голову и уставилась на меня.

— Верно, выглядите вы недокормышем, некрасиво. Слава богу, у меня есть попа, и я ею довольна. Дженифер Лопес отдыхает! Я могу гордиться своей задницей, но вот грудь... Увы, всего лишь второй размер.

— Другим и первого не досталось, — протянула я, мельком посмотрев на себя в зеркало.

— Некрасивый бюст мешает удачному замужеству, — вздохнула собеседница. — Я столько попыток делала, и все мимо! Понимаете?

Я кивнула. Большинство женщин по непонятной для меня причине спешат надеть на шею ярмо брака. Лично я многократно бегала в загс, но потом поняла, что лучше одиночества ничего нет. А вот Татьяна, видимо, принадлежит к другой категории.

— Если нарастить вверху, — бойко вещала она, — тут же женихи набегут.

Может, оно и так, с сомнением прокомментировала я мысленно, но армия потенциальных супругов с той же скоростью унесется прочь, если поймет, что к шикарной груди ничего, кроме шикарной же попы, не прилагается.

— Вставлять силикон мне страшно, — поежилась невеста-соискательница, — говорят, импланты взрываются в самолетах. Спасибо фирме «Квинк»! Вот оно, спасение, — крем «попа-грудь».

— Простите? — не поняла я.

— «Попа-грудь», — повторила Татьяна. — Мажешь

им, так сказать, булки внизу, и жир из них перетекает в верхний этаж. Задница худеет, бюст полнеет. Сказка!

— Что-то мне не верится в это, — пробормотала я. — Как же крем действует?

— Очень просто! — оживилась собеседница. — Накладываешь крем на седалище и ждешь эффекта.

— Жировой запас поползет вверх?

— Да.

— Надо будет стоять вниз головой? — растерялась я.

— Зачем? — напряглась Татьяна.

— Но по закону всемирного тяготения любое тело стремится вниз, — сказала я, — жир не исключение, вверх он только при помощи насоса может подняться. Хотя я не особо разбираюсь в физике. В химии, кстати, тоже.

— Ничего качать не надо, — пояснила запыхавшаяся Алена, втаскивая в зал ящик, — все очень просто. Крем разогревает целлюлит, а тот, спасаясь от жары, бежит в грудь.

— Не уверена, что целлюлитный бюст — это красиво, — промямлила я.

— Грудь будет выглядеть шикарно, — заверила Татьяна.

— Все равно не понимаю, каким образом часть филея может переместится к шее, — уперлась я.

Продавщица и покупательница переглянулись.

— Ну просто поползет, — не очень убедительным тоном сказала Алена, — медленно, но верно.

— А если он в районе талии осядет? — поежилась я. — Представляете катастрофу? Снизу ушло, до верха не добрело, а посередине образовался «бублик». Начнется жуткая проблема с одеждой.

Татьяна фыркнула и отвернулась.

— Ну не знаю... — протянула Алена. — Может, конечно, всякое случиться, только на этот крем очередь стоит. Будете брать?

Я не успела ей ответить, потому что в сумочке зазвонил мобильный.

— Послушай, — зачастила Зайка, — мы с Тёмой стоим у плитки, скажи, какую брать: зеленую или синюю?

— Куда вы ее класть собираетесь? — разумно поинтересовалась я.

— Без разницы! — отбрила Ольга. — Назови цвет.

— Послушай, но это же глупо, — попыталась я сопротивляться. — Вдруг Тёме не понравится мой выбор? Думаю, решение должен принимать хозяин. Кто, в конце концов, будет любоваться на кафель?

— С чего ты взяла, что речь идет о покрытии для стен, — изумилась Зайка. — Мы пытаемся выбрать электроплиту.

— Ты же сказала «плитку»...

— Ну! А как ее надо было назвать?

— Плита, — ответила я.

— Еще скажи очаг или кострище! — обозлилась Ольга. — Тёма хочет двухконфорочную, а это натуральная плитка.

Я вздохнула. Ну какого черта взялась спорить с Зайкой?

— Теперь технику делают разноцветной, — тараторила Ольга, — вот мы и мучаемся. Красный очень агрессивный, так?

— Да, — покорно ответила я.

— Оранжевый цвет тупой!

— Да.

— Белый слишком традиционный.

— Да, — тупо твердила я.

— Черный мрачный.

— Да.

— Розовый идиотский.

— Да.

— И что остается?

— Да, — привычно заявила я, — да, да, да...

— Что «да»? — разъярилась Зайка. — Какие цвета я не назвала?

— Ну... синий и зеленый, — опомнилась я.

— Так какую плитку брать? — недовольно произнесла Ольга. — Сама я не хочу ему советовать.

— Почему? — осторожно осведомилась я.

— Не желаю, чтобы следующие десять лет Тёма попрекал меня неправильно выбранным колером, — заявила Ольга. — Придется тебе брать ответственность на себя.

— С какой стати? — возмутилась я.

— Дегтярев на совещании, Кеша в суде, Машка в клинике, Оксана на операции. Осталась только ты, вот и решай.

Представляете, в каком положении я оказалась? Теперь, если что, в течение десяти лет Тёма будет попрекать меня «неправильно выбранным колером». Надо срочно что-то предпринять!

— К сожалению, я сейчас занята, — завела я, — нахожусь в... э... э...

Фантазия иссякла. Увы, я не работаю и не могу, как все, соврать, что сижу на совещании.

— Интересное дело! — возмутилась Зайка.

И тут продавщица Алена заорала так, словно потолок торгового центра обрушился на ее голову:

— Так вы берете бюстопопный крем? Осталось всего две банки.

Я прикрыла ладонью трубку и прошипела:

— Тише, не вопите.

Но поздно! Чуткие уши Зайки уже услышали вопль Алены.

— Так ты в магазине! — пришла в негодование Ольга. — В косметике! Неужели не стыдно? Мы мучаемся на стройрынке, прыгаем возле плитки, а ты нам даже помочь не хочешь! Отложи сейчас же румяна и подумай о серьезной проблеме: синяя или зеленая?

— Я даже смотреть на румяна не собиралась! Мне предлагают купить некий крем, но, похоже, тут очередной обман. Представляешь, производители обещают, что при регулярном его использовании жировой запас нижнего этажа переползет вверх и превратит нулевой размер бюста в пятый, — опрометчиво разоткровенничалась я.

В трубке повисла тишина, потом Зайка взвизгнула:

— А если поподробнее?

Страшно довольная тем, что она забыла о плите, я начала рассказывать про косметическое средство.

— Бери сколько дадут, — занервничала Зайка. — Похоже, это замечательная вещь.

— Покупаете? — вновь заголосила Алена.

— Да, да, — закивала я, — возьму. Несите.

— Ты в джинсах? — неожиданно спросила Зайка.

— Нет, в платье.

— В каком? — Ольга проявила странное любопытство.

— В красном, его Кеша из Парижа привез, — не почуяв подвоха, сообщила я.

— Тёма, Дашута велит брать красную, — незамедлительно отреагировала Зайка. — Она только что сказала: красную и никакую другую.

У меня отвисла челюсть.

— С вас три тысячи рублей, — сообщила Алена.

— Так дорого?

— Из попы в грудь задешево не добраться, — отрезала продавщица. — Средство молекулярное, значит, стоит того. Вы только подумайте, что силикон вставлять намного дороже, и вам сразу станет легче! Впрочем, я настаивать не буду. Уже говорила — у нас на этот крем очередь стоит, вы мне просто понравились, потому я и предложила.

Я молча достала из кошелька кредитку, очень хорошо понимая, что стала жертвой надувательства. Но явиться домой без чудо-средства нельзя, Заюшка тогда попросту загрызет меня — Ольга верит рекламе...

В зал, где брат Дины презентовал свою картину «Русь Великая», я вошла через час после назначенного времени и сразу угодила в лапы людей с диктофонами.

— Газета «Желтуха», — кинулась ко мне женщина лет сорока, держа наперевес фотоаппарат. — Вы же Дарья Васильева, так? Почему вы пришли на презентацию?

— Посмотреть на эпическое полотно господина Корундова, — смиренно ответила я. — Зачем же еще?

Но корреспондентке, похоже, не нужны были ответы, ей хотелось задать вопросы, что она и сделала.

— Вы без сопровождающего? Плохие отношения в семье? Сколько стоит ваша сумка? Назовите марку автомобиля, на котором прибыли. Правда ли, что у вас дома живут верблюд и пони? Кто за ними ухаживает? Какое количество денег вы еженедельно тратите на брильянты? Вас с Корундовым связывают интимные отношения?

— Нет, — быстро сказала я, съежившись под лавиной вопросов, — я даже не знакома с Андреем.

— Врете! — радостно отметила журналистка. — Если не водите дружбу, то откуда знаете имя художника?

— Я никогда не пила чая вместе с Пушкиным, но знаю, что он — Александр Сергеевич, — огрызнулась я.

— Ага, ага, — закивала тетка. — Так у вас был роман с Корундовым?

Я прищурилась.

— После моей свадьбы с Пушкиным! Я изменяла поэту с художником!

— Прикольно, — кивнула баба с фотоаппаратом и, пару раз помигав вспышкой, исчезла.

Я стала продираться сквозь довольно густую толпу к стене, на которой висела картина — виновница торжества.

## Глава 3

Увы, я плохо знаю живопись и не принадлежу к тем, кто понимает современное искусство. Не так давно я с лучшей подругой Оксаной отправилась на выставку молодых гениев, и мы ушли оттуда в глубоком шоке. Посередине зала, около массивной собачьей будки, раскрашенной в желто-черной гамме, сидел на привязи абсолютно голый мужчина в наморднике. Дядька выглядел мерзко, до Аполлона ему — как мне до Майи Плисецкой. Я тогда подумала: уж если решился предстать перед людьми обнаженным, то хоть вывел бы прыщи на спине и подкачал пресс. Но человек-собака явно не собирался работать над своим телом, очевидно, сам себе он казался неотразимым. Иногда «экспонат» начинал материться, и тогда собравшаяся у будки толпа фраков хлопала в ладоши. Да, забыла сказать: экспозиция называлась «Закат цивилизации». Кроме шедевра в виде мужика с конурой, сильное впечатление на меня произвела гора смятых пакетов из-под сока, вина, молока и прочих жидких продуктов. Из кучи мусора торчала табличка «У мамы день рождения». Оставалось лишь пожалеть несчастную женщину, которая выпила столько разнообразной жидкости. Интересно, она дожила до утра или скончалась от отравления в токсикологическом отделении больницы вечером после банкета?

Прогнав это воспоминание, я протолкалась к картине и обомлела. Холст, размером примерно три метра в длину и два в высоту, выглядел очень мрачно. В центре композиции красовалась фигура крестьянина в грязном рубище — он лежал на спине, подняв вверх ноги, обутые в лапти, а руками прижимал к груди большой батон белого хлеба. Слева высилась здоровенная лошадь, на которой восседал воин, явно представитель татаро-монгольских захватчиков, справа с копьем в руке стоял рыцарь в железных доспехах, около его ног сидела маленькая девочка с куклой, за ее спиной виднелся стол, заставленный едой — в плошках зеленели яблоки, краснели помидоры, синели баклажаны...

Несколько минут я пребывала в ступоре, потом в голову полезли вполне уместные вопросы. Отчего татаро-монгольский захватчик одет в шелковые, расшитые бисером шаровары и почему он обут в домашние туфли с загнутыми вверх носами? Да и у воина не конь, а кобыла (никаких признаков мужского пола у животины нет). Теперь обратимся к крестьянину. Где он раздобыл длинный французский багет? Очень сомневаюсь, что во времена лаптей караваи выглядели подобным образом. Ладно, не буду придираться к хлебу, но вот новая несуразица: откуда появились помидоры с баклажанами? Когда Чингисхан пытался подмять под себя Русь, о диковинных овощах никто среди русичей и не слышал! И с какого боку тут средневековый рыцарь? Каким образом он оказался в Москве? Откуда я узнала, что действие происходит на месте теперешней столицы России? Ну это просто: в правом верхнем углу картины изображена Красная площадь с Мавзолеем, возведенным в тридцатых годах прошлого века (похоже, крестьянин валяется как раз там, где сейчас стоит ГУМ). И уж совсем неясно, отчего сей компот называется «Русь Великая». К этническим россиянам на нем относится лишь селянин с багетом, да и тот не в самом выигрышном положении. Вот дай художник полотну имя «Русь вороватая», хоть часть вопросов отпала бы (по крайней мере, в отношении батона). Где его раздобыл пращур фермера? Да спер со стола у барина, причем, похоже, парижанина, родившегося в конце двадцатого века...

— Замечательно, да? — зазвенел чей-то голос сбоку. — Великая картина!

— Вы абсолютно правы, — согласилась я (в конце концов, если вы приняли приглашение и явились на презентацию, то не следует ругать того, кто затеял фуршет, вас звали не для справедливой оценки творения, а для похвал).

— Хоть он и мой брат, — продолжал тот же голосок, — но я не постесняюсь признать: Андрей гений!

Я обернулась и увидела невысокую полную женщину в излишне обтягивающем ее телеса ярко-голубом платье в мелкий розовый цветочек. Незнакомка явно хотела выглядеть девочкой, поэтому и выбрала трогательный наряд — весь в оборочках, воланчиках и фестончиках. Одеяние было милым, его портила лишь владелица. Даме надо потерять килограммов пятнадцать либо прикрыть жирные складки, нависавшие над коленями.

— Тебе нравится? — фамильярно спросила она меня.

— Оригинальное произведение, — кивнула я.

— Андрей работал над ним со студенческих лет, — вздохнула «девочка». — Вчера позвонил мне и заплакал: «Милая, что же делать? Великий труд завершен, жизнь потеряла смысл!» У брата сейчас тяжелый период.

— Я всегда считала, что, закончив картину, живописец испытывает положительные эмоции, — покачала я головой, сообразив наконец, что разговариваю с Диной.

— Это ремесленник, а не настоящий художник! — возмутилась та. — Вот он счастлив — предвкушает гонорар и потирает липкие ручонки. А подлинный творец вроде Андрюши полон печали, ведь он как бы отпускает от себя свое дитя. Тяжелый, мучительный процесс... Ты когда-нибудь жила с гением?

— Слава богу, нет! — вырвалось у меня.

— Надо немедленно познакомить тебя с Андрюшей, — возбудилась Дина, — стой тут, не двигайся.

Не успела я возразить, как собеседница ринулась в толпу. Чья-то рука опустилась на мое плечо, я вздрогнула, обернулась и увидела Таисию Волкову, слегка пополневшую, но вполне узнаваемую.

— Спасибо, что пришла, — заулыбалась бывшая однокурсница. — Андрюше надо помочь, он яркий талант, а, как известно, в нашем мире способна пробиться только бездарность. Не откажи в любезности, скажи пару слов для программы «Искусство», вон там камера стоит.

— Можно через десять минут? — спросила я.

На лицо Волковой набежала легкая тень.

— Хочешь сначала закусить? Давай поступим так: я наберу тебе полную тарелку всего самого вкусного, а ты уж сделай милость, подойди к телевизионщикам. А то они уже собрались уезжать.

— Пару минут назад ко мне обратилась Дина, — объяснила я, — очень смешная, в детском платьице... Она побежала за братом. Мне велела стоять на месте, вот я и маячу тут. Боюсь, неудобно получится — приведут художника для знакомства, а я ушла!

— Ох уж эта Динка... — покачала головой Тася. — Не беспокойся, она Андрюшу не сможет притащить, Корундов сейчас с Селезневым разговаривает, тот хочет выставить его полотно. Андрюша святой человек, никаких бытовых претензий. Есть обед? Замечательно, он слопает любое блюдо. Нету еды? Прекрасно, выпьет кефира, или чая, или даже, в конце концов, водой из-под крана обойдется. Всегда приветливый, веселый, воспитанный, интеллигентный, начитанный. Он свою бывшую жену буквально боготворил, ни разу с ней не поспорил, а та ему скандалы закатывала. Андрюша молчал-молчал, но затем даже у него терпелка лопнула — собрал шмотки (все в одну крохотную сумку уместились!) и съехал на дачу. Живет теперь в курятнике, без воды, отопления и канализации. Летом хорошо — лес, цветы, птички, а зимой жутко и холодно. Динка ему, конечно, помогает. Вот взялась презентацию устроить, Корундов же абсолютно беспомощен. Давай поторопимся, а то камера уедет...

Словно загипнотизированный коброй кролик, я покорно двинулась туда, куда меня тащила Тася, и сказала в объектив все приличествующие случаю слова. Когда теледеятели утащили аппаратуру, я спросила у Волковой:

— Теперь все?

— Огромное спасибо, — кивнула Тася. — А вот и Андрюша...

Через зал, смущенно улыбаясь, шел милый человек с растрепанными светло-русыми волосами.

— Здравствуйте, — приятным баритоном сказал он, подходя вплотную, — рад встрече.

— Вот и здорово! — обрадовалась невесть откуда появившаяся Динка. — Сейчас оттянемся, закусим... Дашута, водочки?

Меня передернуло от перспективы пить теплый алкоголь в жару.

— Нет, — быстро отреагировала я.

— Тогда коньячку, — наседала Динка. — Я отличный напиток купила. Недорогой, но замечательный.

Я подавила вздох. Не хотелось разочаровывать Дину, но мне-то хорошо известно, что качество спиртного напрямую зависит от его цены. Настоящий коньяк дешевым не бывает!

Перед моим носом появился пластиковый стаканчик, наполненный темно-коричневой жидкостью.

— Держи, — напирала Дина. — А вот и тарталетка с салатом на закуску.

Теперь понимаете, отчего я ненавижу тусовки? Мало того, что вас насильно пытаются напоить отвратительным спиртным, так еще заставляют слопать нечто, утопленное в майонезе.

— Спасибо, но я за рулем, — попыталась я решительно отбиться от Емельяновой.

— Граммулька не помешает, — не дрогнула Дина, — от чайной ложки тебя не развезет.

— Запах останется, — сопротивлялась я.

— Лучше возьмите стаканчик, — шепнул кто-то мне в самое ухо, — иначе она не отстанет. Жуткая прилипала!

Не зная, кто является добрым советчиком, я послушно протянула руку.

— Пей до дна... — затянула Динка.

Пришлось поднести стаканчик ко рту и глотнуть пойло, которое походило на благородный коньяк, как наш мопс Хучик на горного козла.

— А теперь тарталеточку — ам! — насела Динка. — Ну, открывай ротик!

От тарталетки нестерпимо несло самым любимым соусом россиян, который я просто не переношу. Ну скажите на милость, зачем заливать салат майонезом? Исчезает оригинальный вкус продуктов. Если тебе так нравится «Провансаль», то купи его себе и съешь с восторгом. При чем здесь ветчина, яйца, картошка и прочие ингредиенты?

— Давай, давай... — торопила меня Динка. — Нельзя ходить голодной.

Тарелочка с тарталеткой очутилась у моего носа.

— Ой, на улице, кажется, гроза началась! — воскликнул все тот же незнакомый голос, ранее посоветовавший мне взять емкость с бурдой.

Почти все присутствующие повернули головы к большому окну, но Динка не собиралась бросать свою жертву.

— Дашута, жри тарталетку! — приказала она. — Я считаю, что человек должен регулярно подкрепляться. Или ты из тех дур, что сидят на диете? Постоянно считаешь калории и боишься даже посмотреть на хороший кусок хлеба с маслом? Если так, ты довела себя до крайней точки, похожа на скелетину. Страдаешь булемией? Анорексией?

Ошеломленная яростным напором Динки, я помотала головой.

— Нет, просто не хочу есть.

— Так не бывает, — авторитетно заявила бывшая подруга, — человек всегда способен сожрать вкусненькое.

Я окинула взглядом фигуру Динки, состоящую из сплошных валиков жира, и еле удержалась от комментариев.

— Ну... за маму! — зудела Емельянова. — Впрочем, может, тебе, девушке богатой, эта пища кажется слишком простецкой? Или считаешь, что мы выставили тут тухлую дрянь, а? Презираешь нас, живущих от аванса до получки?

В голосе Дины зазвучали истеричные нотки. Присутствующие в зале люди, в том числе один фотокорреспондент, с неподдельным интересом посмотрели в нашу сторону.

— Полагаешь, что я сэкономила на фуршете? — перешла на визг Дина. — Андрюша дал мне деньги, а я дерьма накупила, потому что хотела новые туфли приобрести? Намекаешь на мою вороватость?

И как поступить в данном случае? Швырнуть картонную тарелку со злосчастной тарталеткой на пол и уйти с гордо поднятой головой? Но мне совсем не хотелось затевать скандал, а он неминуемо возник бы — Дина буквально закусила удила. Но почему остальные участники малоприятной сцены усиленно делают вид, что ничего не замечают? Тася и Андрей как ни в чем не бывало беседуют о правильном освещении картины, а около них, постоянно кивая, стоит незнакомая брюнетка. Похоже, это она дала мне совет не перечить Дине.

— Ешь! — топнула ногой Емельянова. — Хватит выеживаться!

Брюнетка исподлобья глянула на меня, потом, пользуясь тем, что истеричка стоит к ней спиной, быстро повертела пальцем у виска. Я взяла тарталетку и запихнула ее в рот. Все понятно — бывшая однокурсница не совсем нормальна, можно было и самой разобраться в ситуации. Разве адекватный человек устроит бучу из-за отказа пробовать угощение?

Жирный майонез растекся по языку, потом проявился вкус холодной картошки, крутого яйца и чего-то очень противного, давно мною не пробованного. Я на секунду замерла, попыталась не жуя проглотить тарталетку и в то же мгновение сообразила: салат сделан из печени трески, а у меня на нее аллергия. Не успела я осознать размеры бедствия, как в носу засвербило, в горле будто кошки зацарапали острыми когтями, к глазам подкатили слезы.

Забыв о приличиях, я оттолкнула Дину, которая с нескрываемой радостью протягивала мне вторую тарталетку, и кинулась к выходу. Где здесь туалет?

Выплюнув непроглоченное угощенье, я принялась тщательно полоскать рот, начисто забыв о макияже. Печень трески для меня — страшная вещь. О своей аллергии я узнала в раннем детстве, когда оказалась на дне рождения у одноклассницы Виты Березиной. Моя бабушка не любила консервы и никогда их не употребляла для готовки, а мама Виты соорудила самый обычный салат: печень трески, яйца, картошка, лук. Мне, семилетней, никогда не пробовавшей ничего подобного, он показался невероятно вкусным, я съела почти всю плошку и... очутилась в реанимации детской больницы...

— Как вы? Ничего? — тихо спросил кто-то.

Я подняла голову, увидела в зеркале отражение брюнетки и ответила:

— Успела добежать. Понимаете, мой организм не воспринимает печень трески.

Незнакомка кивнула.

— Неприятно. Дину когда-нибудь пристрелят. Ужасный характер! Авторитарна до абсурда, все должно быть так, как она хочет. Если человек начинает оказывать ей сопротивление, она устраивает скандал. Бедный Андрюша! Говорят, он мечтал избавиться от своей напористой женушки и сумел развестись, но Дина-то его не бросила, постоянно находится рядом и доканывает несчастного. У нее это называется: «заботиться о самом близком и родном человеке». Все удивляются, как Корундов терпит Емельянову. Кстати, простите, я забыла представиться: Инна. Вот, держите визитку.

— Очень приятно, — пробормотала я и стала рыться в сумке в поисках своей карточки, — рада знакомству.

Право, смешно соблюдать светские церемонии в одном шаге от унитаза, но, если тебе протягивают бумажку с телефоном, элементарная вежливость требует сделать ответный жест.

— Хотите, сбегаю в аптеку и принесу вам лекарство? — заботливо предложила Инна.

— Спасибо, в этом нет необходимости.

— Мне не трудно.

— Не стоит, я в порядке.

— Вы очень побледнели.

— Это от злости.

Инна засмеялась.

— Честно говоря, я удивлена вашим терпением. Обычно люди, к которым Динка пристает подобным образом, не выдерживают и посылают Емельянову куда подальше. Знаете, с каким количеством народа она испортила отношения? Из хороших подруг только Тася осталась, но та святая, и...

Договорить Инна не успела — из моей сумочки понесся звон мобильного. Я взяла аппарат, а собеседница, продемонстрировав хорошее воспитание, тут же вышла из туалета.

## Глава 4

— Ты где? — спросил Дегтярев.

— На выставке, — обтекаемо ответила я. — А что?

Полковник кашлянул.

— Ничего. Скажи, какой сегодня день недели?

— Суббота, — изумилась я. — Забыл?

— Ну... в общем... да, — признался приятель, — жарко очень.

— Душно, — согласилась я.

— Голова болит. Кружится, — неожиданно пожаловался Александр Михайлович. — И подташнивает.

— У тебя поднялось давление! Немедленно иди в медпункт, пусть врач даст таблетку.

— Я не на работе.

— Тогда загляни в аптеку и купи, что тебе было прописано, — велела я. — Только не забудь: дозировка пять миллиграммов, и съесть надо полтаблетки.

— Ноги дрожат, — протянул приятель, — в глазах двоится.

Я прислонилась спиной к рукомойнику. Главное сейчас — не показать полковнику своего волнения. Наш бравый боец с преступностью крайне внушаем, и он панически боится врачей. Вероятно, у Дегтярева гипертонический криз, но, если я выскажу свое предположение вслух, он перепугается, и ему станет еще хуже.

— Ерунда, — стараясь казаться беспечной, завела я, — погода меняется, у меня тоже голова раскалывается, скорей всего, идет более жуткая жара или холод наступает. Кстати, ты где?

— Дома, — протянул Дегтярев.

— Замечательно! — обрадовалась я. — Возьми в аптечке лекарства и на диван. Я звякну Оксане, она приедет...

— Я не в Ложкине, — промямлил полковник.

— А где? — изумилась я. — Какое еще место ты называешь домом?

— В смысле, я не дома, а в доме, — начал путано объяснять полковник. — В чужой квартире. Очень прошу, приезжай, мне нужна твоя помощь!

Вот тут я перепугалась до паники. Обычно Александр Михайлович отстраняется от моей заботы и страшно злится, когда я пытаюсь облегчить ему жизнь. Если уж он обратился ко мне с подобной просьбой, дело совсем плохо.

— Милый, ты где? — заорала я.

Вместо того чтобы, как обычно, недовольно вздохнуть и заявить: «Прекрати кричать, слушай внимательно», Александр Михайлович тоном потерявшегося детсадовца ответил:

— Не знаю.

— Это как? — растерялась я и похолодела от ужаса.

Все, допрыгался, заработал инсульт! Сколько раз я твердила полковнику: прекрати есть свинину, холодец и сыр камамбер, сядь на диету, сбрось лишние килограммы, займись бегом... И вот результат беспечного отношения к собственному организму!

— Я в квартире, — простонал полковник.

— Чьей?

— Понятия не имею.

— Говори адрес.

— Он мне неизвестен.

— Тебя заперли?

— Нет!

— Тогда спустись вниз и посмотри на угол здания, авось найдешь табличку.

— Не могу.

— Почему?

— Голова кружится, на бок падаю.

— Хорошо, я сейчас приеду. Только не выключай мобильный, понял?

— Да. Ты же мне поможешь? — по-детски протянул Дегтярев.

— Непременно, — трясясь от волнения, заверила я. — Там есть диван или кровать?

— Я вроде сижу на кухне, — промямлил полковник.

— Отлично. Старайся поменьше шевелиться и ни в коем случае не отсоединяй сотовый от сети. Повтори, как понял...

— Я сейчас затаюсь и не трону телефон. Только поспеши, — послушно отозвался Александр Михайлович и отсоединился.

От покорности полковника у меня началась нервная икота. Трясущимися пальцами я набрала номер телефона. Только бы Артур сидел на месте!

— Пищиков, — бойко отозвались из трубки.

— Артурчик, это Васильева. Ты где?

— Хороший вопрос, — засмеялся журналист. — Тебе правду сказать или соврать?

Неожиданно цепкая рука, сжимавшая сердце, разжалась. Отчего-то Артур всегда действует на меня успокаивающе. Мы познакомились с ним несколько лет назад, я уже рассказывала об этой истории и сейчас повторяться не хочу. Начав отношения врагами, мы постепенно превратились в близких друзей. Пищиков успешно делает карьеру, сейчас он работает в газете «Жизнь» и имеет связи в самых разных областях. Если звякнуть Артурчику и попросить: «Найди мне личный мобильный номер английской королевы», — Пищиков не станет орать: «С ума сошла!» Он лишь уточнит: «Тебе очень надо?» Получив ответ «да», Артур мигом примется за дело. Заветные цифры будут у меня к вечеру, в крайнем случае — к следующему утру.

Артур ради друга пройдет сквозь стены, прогрызет гранитную плиту, пророет носом тоннель под океаном. Смущает ли меня тот факт, что Пищиков служит в газете «Жизнь» и частенько пишет об известных людях, которые, напившись в казино, пляшут голыми на столе? Нет, нисколько. Потому что Артур никогда не врет. Кстати, за отказ напечатать неподтвержденные сведения его с треском выгнали из «Желтухи». Иногда на Пищикова наезжают обиженные знаменитости, пару раз его грозились убить, но Артурчик спокойно отвечает: «Ты плясал голый на столе? Вот я так и написал. Не хочешь таких статей? Не пляши голый, съезди в детдом, подари сиротам пару телевизоров. Я об этом сообщу с радостью. Мне только дай повод сказать о человеке хорошее, непременно его использую».

Вот такой он человек и журналист, Артур Пищиков. И сейчас единственная моя надежда была на него.

— Можешь определить адрес по работающей мобиле? — спросила я.

— С полпинка, — зевнул Артур. — Опять встала на тропу сыска? Бежишь гончей собакой? А что скажет полковник?

— Артурчик, сделай одолжение.

— Вечно я из-за доброго сердца страдаю и ничего за это не имею... — пожаловался в пространство Пищиков. — Ладно, давай номер, включаю компьютер.

Я живо продиктовала цифры.

— Отчего он мне кажется знакомым... — удивился Артур под мерное попискивание.

— Маловероятно, ты с моей приятельницей не встречался, — лихо соврала я.

— Угу... — пробормотал Пищиков, — эге... ага... И как люди раньше работали? Ни компа, ни сотовых. Послушаешь стариков, и слеза по небритой щеке течет. Сыскари носились собаками по Москве, три пары обуви за месяц в лохмотья изнашивали. Ну ваще! Улица Кирсарская, дом один, ориентировочно квартира три или два. Так моргает, словно между стенками находится. Хотя все же два.

— Артурчик, ты гений! — закричала я.

— Благодарность принимается в жидком виде, — серьезно ответил Пищиков и отсоединился.

Выскочив в зал, я сразу увидела Дину. И она меня тоже.

— Мы тебя ждем! — замахала руками бывшая подруга. — Поехали, надо отметить презентацию. Супер прошла!

— Извини, тороплюсь. — Я попыталась обойти хамку.

Но однокурсница оказалась проворной, она вцепилась в рукав моего платья и завелась:

— Если тебя зовут, неприлично отказываться.

— Я не могу принять предложения.

— Загордилась?

— Да! — рявкнула я. — Разбогатела и нос задрала, не желаю иметь дело с простыми людьми, общаюсь теперь лишь с олигархами, остальные в расчет не принимаются.

— Мне плевать на твой расчет, — затопала толстыми ногами Дина, — у меня собственные планы. Сказано — едем гулять, и точка!

Случись подобное не в тот момент, когда я торопилась к заболевшему Дегтяреву, думаю, я сумела бы купировать скандал. Но сейчас все мысли были заняты Александром Михайловичем, поэтому я гневно заявила:

— Я не твоя комнатная собачка! Прощай, Дина, ей-богу, мне некогда.

— Стерва, — прошипела Емельянова. — И всегда такой была, тебя все в институте ненавидели. Увела мужика у Симки Королевой... Сказано — поедешь с нами!

Я с силой отпихнула от себя сумасшедшую. Послышался треск, Дина пошатнулась и села на пол, рукав моего платья остался в ее побелевших от напряжения пальцах.

— Сволочь! Гадина! — понеслось по залу. — Мерзавка!

— Дина, успокойся, — послышалось сопрано Таси, — не стоит нервничать из-за ерунды.

— Зову ее выпить, а она...

Я выбежала на улицу, так и не дослушав, что думает обо мне Дина. Больше никогда не откликнусь на просьбы явно чокнутой Емельяновой! Я не обидела ее, просто вежливо отказалась от алкоголя и вечеринки. Но ведь нет ничего странного в том, что человек не хочет садиться пьяным за руль...

Квартира номер два оказалась на первом этаже. Я толкнула незапертую дверь, вошла в крохотную прихожую и крикнула:

— Дегтярев, ты где?

— Здесь, — прошелестело из узенького коридорчика, — на кухне.

Я кинулась на звук, очутилась в пятиметровом отсеке и сразу поняла, что жилплощадь принадлежит незамужней женщине. Ни одному существу мужского пола не придет в голову повесить на окно розовые занавески с рюшечками и поставить на шкафчик шеренгу кружек с изображением умильных котят. С другой стороны, семейная дама не оставит на самом виду пакет с прокладками и колготки.

— Как ты себя чувствуешь? — бросилась я к полковнику.

Однако не похоже, что у приятеля поднялось давление, — цвет лица у него вовсе не гипертонически-красный, а бледно-зеленый, зрачки во весь глаз, нос заострился. Не знай я Дегтярева много лет, приняла бы его сейчас за наркомана, настолько неадекватно выглядел Александр Михайлович.

Увидав меня, он попытался встать, но потерпел неудачу, его шатнуло в сторону.

— Ой, — выдохнул Дегтярев и глупо засмеялся, — штормит.

Не успев договорить, полковник начал икать.

— Ты пьян! — возмутилась я.

— Никогда не употребляю на работе, — еле сумел произнести Дегтярев. — Сама знаешь, только дома позволяю себе бутылочку пивка.

И это правда. Александр Михайлович плохо воспринимает алкоголь. Вернее, он спокойно может выпить много спиртного и не поморщится, но утром загулявший полковник будет мучиться жестоким похмельем! Кстати, ему станет плохо даже от не очень большой дозы крепкого напитка. Зная эту особенность своего организма, Дегтярев давным-давно перешел на пиво, он и впрямь никогда не смешивает службу с весельем.

На всякий случай я потянула носом воздух (господь наградил меня нюхом собаки, натасканной на взрывчатку). Если даже Александр Михайлович просто полизал рюмку из-под коньяка, я непременно учую запах. Но нет! От приятеля исходил слабый аромат лосьона после бритья, а от пиджака несло сигаретным дымом. Очевидно, полковник долго находился в компании куривших людей: либо сидел на совещании, либо в комнате для допросов. Это мне он делает резкие замечания при виде пачки моих тоненьких ментоловых сигарет, а коллегам и задержанным наш толстяк лекций о раке легких не читает.

— Что ты здесь делаешь? — спросила я.

— Не знаю, — растерянно ответил приятель.

— Пришел в гости?

— Нет... Не помню...

— А кто хозяйка?

— Понятия не имею, — вздохнул полковник.

— Но ты же зачем-то сюда приехал?

— Вроде да.

— Квартира не конспиративная, — принялась я рассуждать вслух, — выглядит жилой, следовательно, тебя могли привести сюда либо личные, либо служебные дела.

— Ага, — покорно согласился Александр Михайлович и опять, словно детсадовец, добавил: — Увези меня отсюда, очень голова кружится.

— Хорошо, — быстро согласилась я, — давай попытаемся уйти.

Дегтярев попробовал встать и тут же шлепнулся назад на табуретку.

— Не получается, — растерянно заявил он.

Я выхватила из сумки телефон.

— Сейчас вызову врача.

— Нет, нет, нет, — забеспокоился полковник, — ни в коем случае.

— Почему? — нахмурилась я. — Думаю, твой организм среагировал на смену погоды. Вчера вечером лил ливень, а сегодня с утра было уже тридцать градусов жары, даже у памятника Юрию Долгорукому от такого зигзага давление заскачет.

— У меня есть предчувствие, что назревают большие неприятности, — вдруг заявил полковник. —

И чем дольше я тут сижу, тем оно сильнее. Не надо врача, я смогу спуститься вниз, дай руку.

После некоторого колебания я выполнила просьбу Дегтярева. Александр Михайлович с явным трудом встал, и мы медленно побрели в сторону входной двери.

Очутившись в прихожей, я спохватилась.

— А где твой портфель?

— На кухне, — ответил полковник.

Я прислонила приятеля к вешалке и пошла назад. Меньше минуты мне потребовалось, чтобы понять: портфеля там нет.

— Нашла? — поинтересовался Александр Михайлович.

— Нет, — ответила я.

— Он должен быть там, — занервничал Дегтярев. — Я всегда ношу при себе ключи, кошелек, очки, документы.

— Может, ты забыл, где оставил портфель? — осторожно предположила я.

— Никогда ничего не теряю, — отчеканил приятель и стал похож на прежнего Дегтярева. — Я крайне аккуратен и, в отличие от некоторых, не лишаюсь ума при виде тарелки с изображением собачки.

У меня слегка отлегло от души. Слава богу, Александр Михайлович начал нападать, это верный признак хорошего самочувствия.

— Сделай одолжение, посмотри в ванной, — предложил толстяк. — Я всегда, придя с улицы, мою руки, вполне вероятно, что портфель стоит возле раковины.

Но и в крохотном совмещенном санузле не было дорогого изделия из крокодиловой кожи, подаренного полковнику Зайкой на Новый год. Машинально я пробежалась взглядом по шеренге дорогих парфюмерных и косметических средств — сплошь новинки лучших фирм, — затем шагнула в сторону одной из комнат.

— Туда я не заглядывал, — остановил меня Дегтярев.

— Уверен?

— Абсолютно. Сразу прошел на кухню.

— И кто тебе открыл дверь? — заинтересовалась я.

Полковник потер затылок.

— Не помню, вроде она была не заперта.

— Может, ты просто забыл? Заглянул, предположим, в гостиную, оставил там портфель и ушел на кухню? — предположила я. — Надо поглядеть.

— С тобой бесполезно спорить, — устало заявил полковник, — легче согласиться, чем отстаивать свою позицию.

— Думаю, что отстаивать собственные взгляды следует лишь по принципиальным вопросам, — не удержалась я от замечания и распахнула белую, кое-где ободранную створку.

Взору открылась не очень большая, просто обставленная комната. Бордовый ковер с традиционным орнаментальным рисунком стекал со стены на софу, с потолка свисала обычная трехрожковая люстра, в углу маячил узкий стол, чуть поодаль стоял огромный буфет — настоящий монстр, занимавший большую часть жизненного пространства. Но комната почему-то выглядела нежилой. Если в кухне можно было сделать вывод, что хозяйка дома не утруждает себя наведением порядка (колготки и упаковка прокладок, брошенные на самом виду, свидетельствовали о том, что ей не свойственно класть вещи на место), то гостиная вообще выглядела так, словно сюда давно не ступала нога человека. Ковер был покрыт ровным слоем пыли, серый налет лежал на мебели. В довершение картины возле буфета стоял здоровенный мешок, в котором явно находился какой-то строительный материал. «Вечная пломба», — гласила надпись на упаковке. И пахло в гостиной так, будто здесь год не открывали форточку.

Я еще раз внимательно осмотрелась, отметив, что на полу валяется тряпичная кукла с фарфоровой головой. И никакого намека на портфель. Вот только между допотопным буфетом и столом имеется пространство, а с порога не видно, что там...

— Говорил же, я не заходил внутрь, — подал голос Дегтярев.

— Минуточку! — бодро воскликнула я и, сделав пару шагов, заглянула в укромный уголок.

Взгляд натолкнулся на молодую женщину, которая очень тихо сидела на полу. В первую секунду я изумилась. По какой причине хозяйка затаилась и молчит? Но потом мою спину закололи сотни булавок. Глаза незнакомки широко открыты, веки не мигают, рот слегка открыт, нижняя челюсть отвисла... И скорчилась девушка как-то не по-человечески, вывернув ноги, — в такой позе долго не продержаться. К тому же от тела исходил едва различимый неприятный запах.

— Дегтярев, — прохрипела я, с трудом подавив желание заорать и кинуться прочь, — говоришь, не совал сюда нос?

— Ну... да, — с легким сомнением ответил полковник, — вообще-то я плохо помню...

И тут я увидела портфель — он стоял на самом виду, у дивана. Оставалось удивляться, почему я не заметила его сразу.

Сжав волю в кулак, я наклонилась, схватила кейс, вылетела в коридорчик, отодрала полковника от вешалки и (откуда только силы взялись?) быстро дотащила его до выхода из подъезда. Надо отдать должное Дегтяреву — он шагал молча. Изредка Александра Михайловича шатало из стороны в сторону, один раз он чуть не упал, но в целом мы благополучно добрались до моей малолитражки.

Усадив приятеля на заднее сиденье, я спросила:

— Где твоя машина?

— Не знаю.

— Ты приехал сюда на метро?

— Не помню.

— Попытайся сообразить, зачем приехал на Кирсарскую улицу?

— По работе, — вдруг бойко заявил полковник.

— Здорово! — обрадовалась я такому прогрессу. — Дальше...

— А мне нечего рассказывать, — вяло ответил полковник и внезапно захрапел.

Я вцепилась в руль. Очень хорошо, что Александр Михайлович заснул, он не станет скандалить, узнав, куда едет. А доставлю я полковника прямиком в клинику к Оксане, пусть она осмотрит Дегтярева. Конечно, Ксюня хирург, но я доверяю ей больше, чем всем невропатологам мира, вместе взятым.

Александр Михайлович спал очень крепко. Его не разбудил удар, когда я, не заметив препятствия, на всей скорости влетела в яму на дороге, не вырвали из лап Морфея и два санитара, которые по просьбе Оксаны вытащили полковника из машины и, положив на каталку, повезли в приемный покой.

— Сиди тут, — велела подруга, убегая следом за ними, — я скоро вернусь.

Я кивнула, подождала, пока процессия скроется в глубине больницы, и пошла по извилистому, пахнущему хлоркой коридору. Должен же где-то быть пустой кабинет с городским телефоном?

Допотопный, сильно поцарапанный аппарат нашелся в комнате с табличкой «Смотровая». Я быстро набрала нужный номер и на одном дыхании произнесла в трубку:

— Улица Кирсарская, дом один, квартира два. По этому адресу находится труп женщины, дверь не заперта.

Дежурная попыталась задавать вопросы, но я опустила трубку на рычаг, быстро пробежала по коридору и села на неудобный жесткий стул, стоявший там, где меня оставила Ксюня. Даже если в милиции захотят установить, откуда прошло сообщение, меня не найдут. «Смотровая» пуста, дверь в нее открыта, воспользоваться телефоном может любой.

## Глава 5

— Что случилось с Дегтяревым? — воскликнула Оксана, выскакивая из лифта.

— Я думала, ты ответишь на этот вопрос. Инсульт? — занервничала я.

— Не похоже, — помотала головой подруга.

— Но сначала он вроде потерял память, а потом заснул.

Ксюня кивнула:

— Это следствие травмы.

— Какой? — подпрыгнула я на месте.

— Черепно-мозговой. Полковника кто-то, грубо говоря, треснул по башке.

— Но его голова выглядела абсолютно целой, — с изумлением ответила я.

— Тем не менее имеется гематома от удара.

— Без внешних следов? — еще больше удивилась я. — Дегтярев почти лысый, любая царапина на макушке заметна!

— Его ударили сзади, — пояснила Оксана. — Случается такое: травма в наличии, хотя внешне — почти никаких признаков. Кстати, синяки ведь не сразу появляются. Давай рассказывай, что знаешь.

Я описала события, умолчав о мертвой женщине. Подруга вынула пачку сигарет.

— Сама я с таким явлением не сталкивалась, но в литературе описано много похожих случаев, — сказала она. — Человеческий мозг до сих пор остается загадкой, он обладает огромными компенсаторными возможностями и пытается любой ценой сохранить себя. Часто люди, пережившие стресс, временно теряют память — наш «компьютер» как бы стирает информацию в целях безопасности. В случае с Дегтяревым мы имеем классическую картину из учебника: сначала частичная амнезия, потом глубокий сон.

— И что будет, когда он проснется? — насторожилась я.

Оксанка развела руками.

— Либо расскажет, что случилось, либо нет.

— Это не инсульт?

Ксюня, осторожная, как все врачи, подняла одну бровь.

— Сейчас больным занимаются специалисты, но предполагаю, что причина дискомфорта пришла извне.

— Ага, пришла и стукнула его по черепушке, — подхватила я. — А дальше что?

— Пусть полежит в отделении, понаблюдается. Хуже от исследований ему точно не станет. Думаю, ему следует остаться у нас, пока он не придет в рабочее состояние.

— Что ему завтра принести? — остановила я Оксану.

— Обычный набор: тапки, халат, зубную щетку, минералку без газа, немного денег, ну и еду полегче, без его любимых свиных отбивных, пельменей и пива, — перечислила Ксюня. — Впрочем, о харчах не волнуйся, я сама приготовлю.

Сев в машину, я моментально позвонила заместителю полковника Витьке Кондратьеву и без особых церемоний спросила:

— Знаешь, чем занимается полковник?

— Рыбу ловит, — последовал спокойный ответ.

Думая, что зам Дегтярева решил объясниться эзоповым языком и под рыбой подразумевает преступников, я спросила:

— Какую? Ты в курсе?

— Понятия не имею, — заявил Витька. — Окуня или леща, я в обитателях морей и рек не разбираюсь.

— Перестань! — оборвала я не в меру расшутившегося Виктора. — Меня интересует, есть ли у Дегтярева в производстве дело со свидетелем или потерпевшим, проживающим по Кирсарской улице.

— Фиг его знает, — сказал Виктор и, похоже, принялся жевать сухари. — Вот прикатит назад, у него и спросишь!

— Кто прикатит? — не поняла я.

— Александр Михайлович.

— Откуда?

— Оттуда, где он с удочкой сидит, — хмыкнул Виктор. — Ты ваще где?

— В Ложкино ехать собираюсь, — ошарашенно ответила я.

— Хорошо вам! — с плохо скрытой завистью произнес Кондратьев. — Такой большой дом, что не замечаете присутствия друг друга. А мы, живущие в убогой двушке, мигом обрадуемся, если кто из членов семьи уедет. Сразу легче дышать станет, и в туалет очередь меньше. Ну ты даешь, Дашутка! Дегтярев семь дней как отбыл, а ты только сейчас забеспокоилась. Отпуск полковник взял, на две недели.

Я уронила телефон, быстро подняла и переспросила:

— Отпуск?

— Угу.

— В июне?

— А че странного?

— Дегтярев никогда не уезжает на рыбалку летом.

— Ну так сейчас, значит, он изменил своим принципам, отгулы накопились. Подробностей мне никто не докладывал, я скромный майор, ржавый винтик системы, полковники, даже хорошие приятели, с нами не откровенничают, — ерничал Виктор.

— Александр Михайлович неделю не появляется на рабочем месте?!

— Совершенно верно. Должен выйти в следующую пятницу, но, думаю, придет в понедельник. Кто ж под выходные на службу спешит?

— Спасибо, — прошептала я.

— Нема за шо, — бодро откликнулся Витька. — Хочешь совет? Ты хоть раз в неделю делай обход родного дома. Или перекличку проводите, как на зоне, утром и вечером. Очень удобно — никого не потеряешь!

Сил и дальше терпеть зубоскальство Виктора не было. Я поставила телефон в специальный держатель и тупо уставилась на трубку, которую Машка щедро заклеила картинками с мопсами. Дегтярев отдыхает? Но он каждый день исправно встает в восемь утра, с самым несчастным видом пьет кофе и бредет к машине. Домой полковник прикатывает к началу программы «Время» — послушать новости, которые сообщает красавица Катя Андреева, ему просто необходимо. Причем остальных ведущих он игнорирует, Александру Михайловичу нравится лишь самая красивая шатенка первого канала, а сейчас как раз ее рабочая семидневка.

Я потрясла головой. Но если Александр Михайлович объявил в отделе про поездку на рыбалку и более не кажет носа в служебный кабинет, то где он, простите за выражение, шляется целыми днями? Неужели полковник закрутил роман и я нашла его на квартире у любовницы? Вот шалун! Может, Дегтярева стукнул обиженный муж?

Только не подумайте, что во мне взыграла ревность. Нас с Дегтяревым никогда не связывали никакие иные отношения, кроме дружеских, с годами толстяк стал мне прямо-таки родным братом. И я очень хорошо осведомлена о состоянии его здоровья: лишний вес, начальная стадия диабета, повышенное давление... Хорош букет для страстного влюбленного!

Но, увы, многие мужчины, перешагнув определенный возрастной рубеж, пускаются во все тяжкие. Как правило, вожжи попадают под хвост очень положительным дядечкам, тихим отцам семейства, начинающим дедушкам, мирно просуществовавшим большую часть жизни возле единственной жены. Проснется однажды такой экземпляр, глянет на календарь и с тоской поймет: старость не за горами, а что он видел? Работа—дом—работа, копил на отдых, собирал на машину-дачу, поднимал детей... А жить-то когда? Супруга потолстела, обрюзгла, и не то беда, что сам мужик уже дедушка. Спать в одной кровати с бабушкой — вот где катастрофа. Ну и срывает у него резьбу. Как правило, осознав быстротечность времени, слегка траченный молью мужчина заводит роман на стороне.

Тут возможны два варианта развития событий. Новая женщина вызывает гормональный взрыв, на пике которого примерный семьянин бросает супругу, женится на любовнице и потом горько сожалеет о содеянном. В особенности если новая партнерша намного моложе. Гормоны долго не играют, за взлетом происходит падение, усталость и болезни. Чаще всего престарелого Ромео хватает инсульт, и обычно заботиться о недужном приходится первой жене — супруга номер два, юное создание, пугается болезни и бросает своего недавнего возлюбленного. Впрочем, возможен и менее экстремальный вариант: через месяц после ухода муж бредет назад в семью, и тут уж как получится: то ли жена примет, то ли вон пошлет. Очень редко новая любовь длится долго и приносит плейдеду счастье. Лично я знаю только один случай удачного брака пенсионера и студентки.

Неужели с Александром Михайловичем приключился подобный казус? К счастью, полковник не женат, моральных терзаний он не испытает. Интересно, почему Дегтярев скрыл от нас свое любовное приключение? Ладно, я понимаю, отчего он на службе наврал про рыбалку, но мы-то только рады были бы его счастью...

И тут перед моими глазами возникло пространство между буфетом и столом, фигура в странной позе, раскрытые глаза мертвой женщины... Господи, что случилось в той квартире? Кто ударил полковника?

Муж его подружки? Или Александр Михайлович поздорил с любовницей, а та со всей дури шандарахнула милого тяжелым предметом по голове? По своему опыту знаю, как полковник способен взбесить окружающих. Одна его манера ничего не делать собственными руками и при этом руководить теми, кто выполняет работу, доводит домашних до истерики.

Не далее как неделю назад полковник сказал:

— Я хочу повесить ковер в своей спальне над кроватью.

И как поступит нормальный человек? Сначала он отправится в магазин, приобретет там названное изделие, прибьет рейку на стену, прицепит колечки... Ну и так далее. Но Дегтярев не таков.

— Купи ковер, — велел он мне.

Я покорно съездила в торговый центр и вечером была «награждена» гневным заявлением полковника:

— Что за дрянь? Уродство! И, наверное, отдала за него кучу денег!

— Не нравится, отправляйся за покупками сам, — взвилась я, ведь семь часов кряду выбирала ковер.

— Мне некогда! — возмутился полковник. — Ничего тебе нельзя поручить! Ну ладно... Иван, неси дрель!

Весь вечер Дегтярев пинал нашего несчастного садовника, объясняя ему, как правильно приделывать к стене планку. При этом учтите: пользоваться дрелью толстяк не умеет, знания его сугубо теоретические, и неизвестно, где он их почерпнул. Хорошо хоть Иван полнейший пофигист, поэтому он, не обращая внимания на «ценные указания», сделал работу так, как считал нужным. Зато Ирка, услыхав от полковника: «Колечки пришивают не так! Слушай внимательно и учись, пока я жив...» — неожиданно решила подчиниться Дегтяреву. Повинуясь его указаниям, она нашила кольца по самому краю. Понятное дело, суровые нитки, которые Александр Михайлович велел использовать для пущей прочности, мигом прорезали обметку на ковре, и он рухнул вниз. Думаете, полковник признал при всех: «Ну и дурак же я! Зачем поучал Ирку?»

Ошибаетесь, он не способен к адекватной самооценке.

— У кого-то руки косые, — зашипел Дегтярев, сверля домработницу гневным взглядом. — Вот народ... Ничего даже под моим мудрым руководством сделать не может!

Ирка всхлипнула и убежала.

— Немедленно пойди и успокой ее, — приказал мне полковник, — запомни и передай Ирине мои слова: «Обидчивость признак старости. Надо спокойно воспринимать справедливую критику».

— Лучше сам сходи, — попыталась я отказаться от поручения.

На чело полковника наползла туча.

— Мне утешать Иру? — изумился он. — Не имею времени на ерунду! Сама разберись с этой дурочкой. Ну ничего поручить нельзя! Иван, поднимай ковер, сейчас научу тебя правильно пришивать кольца...

Если послушать Дегтярева, то он умеет все: строить дома, варить борщ, вышивать крестиком, гладить рубашки, чинить телевизор, колоть дрова... Вот только отчего-то я ни разу не видела ничего, сделанного им лично.

Не всякая женщина вытерпит рядом столь разносторонне одаренную личность, кое-кто опустит-таки сковородку ей на затылок.

Внезапно меня зазнобило. Минуточку, пусть я права, Александр Михайлович повздорил с любовницей и получил крепкую затрещину. Но ведь полковник жив, а хозяйка квартиры мертва. Неужели Дегтярев потерял самообладание и... Ой, нет, это невозможно!

Не успела я перевести дух, как спине снова стало зябко. Ну и дурака же я сваляла! Если полковник бывал у любовницы, то в квартире полно отпечатков его пальцев. В ванной небось имеются его зубная щетка, одеколон, другие мелочи. А постельное белье? Криминалистам достаточно найти один волос, чтобы вычленить ДНК и узнать, кто лежал в кровати. И как надо было поступить? Не увозить полковника, позвонить Виктору, вызвать бригаду на место происшествия? Представляю, какие сплетни пойдут гулять по служебных кабинетам! Но еще хуже будет, если выяснится, что Александр Михайлович удрал с места преступления...

Между лопатками зачесалось, я поелозила спиной по спинке водительского кресла. Спокойно! Главное — не поддаваться панике, с любой бедой можно справиться, если сохранить умение мыслить логически. Полковник уверял, будто он не заходил в комнату. Но его портфель стоял в гостиной, значит... Ничего это не значит! Его кейс мог поставить туда убийца. С какой целью? Что делал в той квартире полковник? По какой причине он приехал на Кирсарскую? Кто стукнул толстяка? Нет ответа ни на один вопрос! Может быть, порыться в портфеле? Я никогда не залезаю в чужие карманы, не читаю смс-сообщения, адресованные другим людям, не шарю в чужом компьютере. Кстати, ничего подобного я не делаю потому, что не хочу ненароком узнать неприятную информацию, а также предпочитаю думать, что окружающие — милые, хорошие, правдивые люди. Но сейчас-то особенная ситуация, придется открыть кожаный чемоданчик... А между прочим, где он?

Я осмотрела переднее сиденье, потом заднее, вышла на улицу и зачем-то открыла багажник, затем снова села за руль. В отличие от полковника, я не страдаю амнезией и великолепно помню, как, обнаружив возле дивана в «нехорошей» квартире аксессуар из крокодиловой кожи, вынесла его к вешалке, поставила у галошницы, отлепила полковника от стены, осторожно вышла на лестничную клетку, повела пошатывающегося Дегтярева вниз, очень боясь встретить жильцов подъезда. Слава богу, никто по дороге нам не попался, я усадила Александра Михайловича на заднее сиденье своей машины и укатила прочь. А портфель... В ту же секунду невидимая рука стукнула меня кулаком по макушке, и я вздрогнула. «Дарья, ты редкостная идиотка! — не удержалась я от нелицеприятной оценки собственных действий. — Ты забыла кейс в прихожей, и теперь он попадет в лапы ментов из районного отделения, приехавших по вызову анонима, то есть по моему!»

## Глава 6

Я аккуратный и даже боязливый водитель, без крайней необходимости никогда не сунусь в левый ряд. Обычно мне и в голову не приходит пересечь двойную или непрерывную белую линию на мостовой, промчаться на красный свет и нагло мигать фарами водителю машины, которая медленно тащится впереди. Но сейчас, опять спеша на Кирсарскую улицу, я проделала все эти фокусы разом.

Имея в ближайших приятелях Дегтярева, я очень хорошо знаю, что милиционеры никогда не приезжают на место преступления через десять минут после вызова. И в особенности если речь идет о трупе. Мертвец никуда не денется, ему спешить незачем, он не встанет, не удерет. Вот как они рассуждают. Существуют, правда, некие неписаные правила, которым подчиняются люди в форме. Ну, допустим, о нахождении трупа сообщил, плача, ребенок, или мертвое тело находится в туалете коммунальной квартиры, — в подобных случаях бригада мигом прискачет. Но ведь пешком специалисты не пойдут, а машины в отделении могут быть заняты или сломаны... Или, скажем, в районе за вечер уже случилась пара-тройка происшествий: огнестрел, попытка самоубийства, грабеж. Там-то люди живы и нуждаются в скорой помощи! А труп, да еще если о нем сообщает аноним... Моментально возникает мысль, что тело находится в пустой квартире. Ну и какой смысл торопиться?

Может, никто еще на Кирсарскую не приехал? Сейчас быстренько примчусь туда, схвачу кейс и убегу. Так рассуждала я. И, успокаивая себя, неслась по городу, забыв о правилах дорожного движения.

Наконец моя «букашка» влетела в знакомый двор. Нога моментально нажала на тормоз. Вот черт, опоздала! Толпа нервно переговаривающихся соседей у подъезда, рядом обшарпанный микроавтобус с синей полосой, ржавые «Жигули» и надраенная дешевая иномарка, стоящая поперек тротуара (некоторые из оперативников прибыли на личном транспорте)...

Не желая привлекать к себе внимания, я припарковалась за мусорными бачками, потом приблизилась к толпе и спросила у полной тетки в ярко-красном халате:

— Что тут случилось?

— Юлька померла, — охотно ответила женщина.

— Ой-ой-ой, — запричитала я, — плохо-то как! Наверное, семья перепугалась!

— Одинокая она, — перебила меня баба. — У нее ваще никого! По Кольке убивалась, вот и довела себя. По двору тенью ходила, серая, как мышь!

— Скорей уж крыса, — неожиданно зло вмешалась в разговор девушка, одетая в рваные джинсы. — Не пори глупостей, Анька, Юля Колю терпеть не могла! Я точно знаю.

— Сама заткнись! — зашипела Аня в красном халате. — Весь дом знает, как ты, Светочка, за Колькой бегала, а он взял да и на Юльке женился. У них страсть случилась.

— Ха! — скривилась Света. — Ты на каком этаже живешь?

— На пятом, — растерянно ответила Аня. — А че?

— Далеко от Моргаловых, — прищурилась Света. — А я с ними через стену. Распрекрасно их скандалы слышала!

— Мама, я есть хочу, — полетел над толпой тоненький детский голосок.

— Вот зараза, — покачала головой Аня, — на секунду из дома уйти нельзя. Погоди, Юра, сейчас вернуся!

— Анька, шалава, — заорали сверху, — шляешься по двору, а муж жрать хочет!

Тетка в красном халате опрометью бросилась ко входу в подъезд, Света презрительно поморщила нос.

— Видела? Ничего не знает, а треплется. Юлька из-за мук совести повесилась!

— Как повесилась? — оторопела я.

— За шею, — сверкая глазами, сообщила Света, — в туалете, на трубе! Ее Марь Сергеевна нашла. Вернее, Роберт, пудель ее, забежал в квартиру, дверь открытой была. А там Юлька висит, ногами качает, на груди записка: «Простите, люди добрые, я отравила Колю!»

У меня закружилась голова. Ситуация с каждой минутой становилась все непонятнее. Я хорошо помню, что мертвая женщина сидела в укромном месте между громоздким буфетом и столом. Значит, после того, как я уволокла Дегтярева, в незапертую квартиру кто-то вошел и повесил тело? Зачем? С какой стати убивать мертвеца? Да еще прикреплять к нему записку...

— Успокойтесь, Юля умерла дома, плохо ей стало с сердцем, — сказала седоволосая дама в элегантном «английском» костюме. Одежда выгодно отличала ее от большинства теток, выскочивших на улицу прямо в домашних халатах.

— Вы, Нина Ивановна, как всегда, правду знаете... — съязвила Света.

— Конечно, деточка, — кивнула дама. — Кстати, поправь юбку, встань ровно, не горбись и выплюнь жвачку — неприлично беседовать с набитым ртом.

Неожиданно девушка покорно выполнила приказ.

— Хорошо, — одобрила Нина Ивановна. — Но жвачку лучше было завернуть в бумажку и отнести в урну.

Света покраснела и шмыгнула в толпу.

— Люди обожают придумывать несуществующие подробности, — хорошо поставленным голосом продолжала дама. — Повесилась... Хорошо хоть про выстрелы никто не соврал. Юля умерла от сердечного приступа, что, учитывая произошедшие в ее жизни события, совсем не странно.

— А что у нее случилось? — мигом поинтересовалась я.

Нина Ивановна окинула меня цепким взглядом.

— Вы не из нашего квартала, — резюмировала она.

— Неужели вы знакомы со всеми жителями? — улыбнулась я.

Дама осторожно поправила большую брошку, придерживавшую воротник кружевной блузки.

— Наша школа единственная в округе, — царственно сообщила она. — Я учу уже третье поколение детей, знаю не только их родителей, но и дедов, обязана быть в курсе всех происходящих событий. А поскольку мой бывший выпускник Роман Козлов — кстати, жуткий хулиган и двоечник, трудно было предположить, что он пойдет служить в милицию, — приехал сюда по вызову, то я подошла к нему, поговорила и, в отличие от сплетников, владею достоверной информацией. Так кто вы?

— Газета «Желтуха», — бойко отрапортовала я, — отдел криминальных новостей.

— Оперативно работаете, — отметила Нина Ивановна.

— Журналиста ноги кормят, — заявила я. — Дадите интервью?

— Никогда не читаю бульварных изданий. — Учительница гордо вскинула голову. — Глупость несусветную пишете! Во вчерашнем номере поместили статью про собаку, которая провела детство в стае ворон и теперь летает над Москвой. Неужели находятся люди, верящие подобным сенсациям?

Я развела руками и постаралась не засмеяться.

Про псину, парящую в воздухе, журналисты, конечно, соврали, но откуда Нина Ивановна знает об этом, если она не прикасается к «Желтухе»? Странное дело: все люди, как один, осуждают данное издание, никто его не покупает, не читает, не листает... а тираж «Желтухи» растет как на дрожжах.

— Но, с другой стороны, — методично вещала Нина Ивановна, — если я откажусь от интервью, вы побеседуете со Светой или бабой Раей. А они вам такого наболтают! Видите скамеечку? Можем там присесть.

Мы отошли в сторону и устроились на ободранной лавочке.

— Спрашивайте, — разрешила учительница.

— Где милиция? — ринулась я в бой.

— В квартире, осматривают место происшествия.

— Что-нибудь выносили оттуда? — задала я самый главный для себя вопрос.

Нина Ивановна пожала плечами.

— А что можно вынести?

— Вещи. Допустим, сумку, портфель, чемодан.

— Нет, — твердо ответила собеседница, — только тело в мешке. Вы хотите узнать подробности о несчастной Юлечке или желаете накропать статейку о том, как люди в форме обокрали квартиру покойной?

К сожалению, сказать Нине Ивановне правду нельзя. Оставалось лишь одно: каким-то образом подольститься к тетке, которая хорошо знает сотрудника отделения, выслушать ее рассказ, а потом попросить отвести меня в квартиру и... и... Главное, попасть внутрь, а там я разберусь.

— Юлия неплохая девушка, вот только с моральными устоями у нее было шатко, — спокойно, словно объясняя детям новую тему, завела Нина Ивановна. — Добрая — могла за чужим ребенком во дворе приглядеть, а когда Олеся Сергеевна из сороковой квартиры ногу сломала, Юлия в магазин за продуктами для нее бегала. Не за деньги, просто по-соседски. Еще она хорошо относилась к животным, кормила дворовых кошек, что лично мне импонирует.

— Милая девушка, — кивнула я.

— В принципе да, — согласилась Нина Ивановна. — Вот только очень она хотела выскочить замуж за богатого и знаменитого.

— Неоригинальное желание, — отметила я. — Большинство женщин не откажется от парня с километровым счетом в банке.

— Ну и глупо! — воскликнула Нина Ивановна. — Если вас покупают, будьте готовы к тому, что хозяину может надоесть игрушка и он захочет новую. На мой взгляд, следует отыскать человека с хорошей перспективой и вместе с ним строить свое будущее. Вот почему, когда Юля явилась ко мне за советом, я высказалась определенно: Николай хорошая партия, а тот, другой... Да, он обеспечен, но состоит в браке, хоть и гражданском...

— Юля ходила к вам с личными проблемами? — уточнила я.

— Да, — кивнула Нина Ивановна. — Родители у нее умерли, а подружки полные дурочки. Я была у Юлии классным руководителем, и хотя она школу уже закончила, по-прежнему считала меня авторитетом. Вкратце проблема выглядела так. Юля работала официанткой в ресторане, и один из постоянных клиентов, солидный мужчина в годах, попытался завязать с девушкой отношения...

Началось все с больших чаевых. Александр, так звали мужчину, каждый раз оставлял солидные суммы. Когда они стали превышать сам счет, Юля не выдержала и сказала ему:

— Это уж слишком, мне неудобно брать такие деньги.

Александр ухмыльнулся:

— Деточка, не волнуйся, ты достойна большего, чем жалкие копейки.

С этими словами посетитель вынул коробочку и

протянул ее Юле. Внутри оказался симпатичный кулончик в виде золотой лошадки.

— Нравится? — улыбнулся Александр.

— Очень, — выдохнула Юля.

— Тогда надевай, — предложил он.

Юля кивнула и положила подарок в карман.

— Не хочешь прямо сейчас примерить подвеску? — расстроился клиент.

— У меня нет цепочки, — смущенно призналась официантка.

Александр стукнул себя по лбу.

— Господи, какой я дурак!

Вот так и разгорелся роман. Александр пригласил Юлечку сначала в кино, потом в театр, ухаживал красиво — дарил букеты, конфеты, украшения. И в конце концов отношения плавно подошли к рубежу, когда девушка уже просто не могла дальше отказывать кавалеру. Вот тогда Юля и прибежала к Нине Ивановне за советом.

— Уж и не знаю, как поступить, — сказала она ей. — За мной ухаживают двое: Александр и Коля из второго подъезда.

— Я знаю Николая, — кивнула Нина Ивановна, — положительный молодой человек. Не пьет, не курит, это хорошая партия.

— Он бедный, — уточнила Юля. — Зарплата маленькая, машины нет и своей квартиры тоже — живет вместе с мамой, а у той характер хуже, чем у Бабы-яги. А Александр богат, имеет загородный особняк, автопарк и денег немерено.

— Если речь идет лишь о материальном благополучии, то, безусловно, второй вариант более привлекателен, — трезво оценила расклад учительница, — но семейная жизнь — это не только трата денег. С мужем придется спать. Ты готова спать с Александром?

Юля покраснела.

— Ну... да, — неуверенно подтвердила она. — Я, правда, еще... ни с кем...

— Молодец! — похвалила Нина Ивановна. — Редкая девушка теперь сохраняет чистоту до брака. Подумай, кстати, и о возрасте. Какая у вас с Александром разница?

— Больше двадцати лет, — прошептала девушка.

— Значит, через два десятилетия ему будет ой-ой сколько годков, — безжалостно сказала учительница, — и тебе придется ухаживать за стариком, терпеть его капризы. Когда собираешься выходить замуж, обязательно нужно оценить перспективу.

— Александр в загс меня пока не зовет, — призналась Юля. — У него есть супруга, правда, гражданская, и двое детей, сын старше меня.

— Деточка! — всплеснула руками Нина Ивановна. — Немедленно рви всяческие отношения с этим сластолюбцем. Я не одобряю охоту в чужом огороде, на горе другого человека свое счастье не построить. Сколько лет Александр живет в браке?

— Жена у него неофициальная, — напомнила официантка, — но вместе они не один год.

— Какая разница, — отмахнулась учительница, — штамп в паспорте ни при чем. Мужчина и женщина ведут совместное хозяйство. Он ее никогда не бросит. И потом, там дети!

— Они взрослые! — снова напомнила Юля.

— Ну и что? Родная кровь от времени не портится. Потеряешь лучшие годы впустую и останешься одинокой. Лучше строй отношения с Николаем, — твердо посоветовала Нина Ивановна.

— Он бедный!

— Еще разбогатеет.

— Живет с мамой! — повторила Юля.

— У тебя есть своя площадь, — отмела последние сомнения советчица. — Хорошо получится: свекровь отдельно, вы в своем гнезде. Николай — это стабильность, брак, дети, в конце концов. А твой Александр? Что он тебе даст? Положение любовницы.

— Он богатый!

— Фу, — фыркнула Нина Ивановна. — Ты его любишь?

— Ну-у, — протянула Юля, — может, и так...

— Если представить, что Николай обладает домом, машиной, капиталом, за кого пойдешь? — тоном змея-искусителя продолжала учительница.

— За Колю, — без колебаний ответила Юля.

— Вот и поступай по велению сердца, — торжественно заявила Нина Ивановна, — у хорошей жены муж из солдата до маршала дорастет.

Юля вышла замуж за соседа, и Нина Ивановна искренне порадовалась за девушку. Коля, желая обеспечить жену, старался изо всех сил. Не прошло и полугода после свадьбы, как скончалась его мать, парень продал ее квартиру, купил авторемонтный бизнес и начал зарабатывать деньги. Юлю он заставил уйти из официанток и велел ей учиться на бухгалтера.

Однажды Нина Ивановна столкнулась с бывшей ученицей во дворе и спросила:

— Ну как дела?

— Супер, — без особого энтузиазма ответила Юля, — все, как вы обещали: Коля пытается разбогатеть, я учусь. Жизнь тихая, размеренная. Вот получу диплом, и о детях подумаем.

— Отлично! — воскликнула Нина Ивановна. — Видишь, ты сделала правильный выбор.

— Угу, согласна, — кивнула Юля, но в глазах ее неожиданно заблестели слезы.

— Что-то не так? — испугалась учительница.

Юля опасливо оглянулась.

— Можно я к вам зайду? Давайте сумку. Если кто поинтересуется, скажу, помогла картошку донести.

## Глава 7

Очутившись в квартире у Нины Ивановны, Юля зашмыгала носом.

— Коля меня бьет, — прошептала она.

— Ты уверена? — От неожиданности учительница задала глупый вопрос.

Юля задрала блузку.

— Мама! — воскликнула Нина Ивановна, увидев синяки. — За что же он тебя так?

— Подарок нашел, — пролепетала девушка, — колечко от Александра.

— Мерзавец! — с чувством произнесла дама. — Но и ты хороша. Следовало перед свадьбой вернуть презенты. Николай, похоже, очень ревнив. Впрочем, это не оправдывает его хамского поведения.

— И что же делать? — простонала Юля. — Сил больше нет! Каждый вечер одно и то же — гоняет меня по комнатам! Он жутко хитрый: по лицу не дубасит, заткнет мне рот полотенцем, чтобы не орала, и лупит по спине. Соседи думают, что мы шоколадно живем.

— Садист! — возмутилась Нина Ивановна. — Попытайся ему объяснить, что у любой женщины имеются небольшие сувениры из прошлой жизни. Ты, конечно, совершила ошибку. Ну зачем рассказала ему про Александра? Если Николай еще раз поднимет на тебя руку, пусть уходит вон.

— И куда ему идти? — грустно спросила Юля.

— В родительскую квартиру!

— Она давно продана, — напомнила девушка.

— Действительно... — опомнилась Нина Ивановна. — Ладно, перестань рыдать. Вообще-то хаму следовало дать отпор сразу, а ты терпела побои, чем еще больше его распалила. Ну да ладно... Слушай меня. Сейчас идешь домой и, если Николай принимается за любимое занятие, позвонишь мне. Я прибегу и наведу порядок.

— Хорошо, — пообещала Юля и ушла.

Около полуночи в квартире учительницы ожил телефон. Успевшая крепко заснуть Нина Ивановна с трудом нашарила трубку и недовольно спросила:

— Кто там?

В ответ послышался шорох, потом звенящий от злобы далекий голос:

— Сука! Ща тебе мало не покажется! Молчишь? Я заставлю тебя говорить! Все расскажешь!

Нина Ивановна схватила халат и побежала в соседний подъезд.

Дверь ей открыл Коля.

— Че надо? — грубо спросил парень.

— Где Юля? Позови ее, — потребовала учительница.

— Жена давно спит! — нагло отрезал Николай.

— У вас свет горит! — не дрогнула преподавательница.

— За фигом приперлась? — набычился хозяин.

Может, кто другой и поостерегся бы спорить со здоровенным молодым мужиком, обладателем пудовых кулаков, но для Нины Ивановны Коля так и остался лопоухим пятиклашкой.

— Моргалов, ты как себя ведешь? — рявкнула дама. — Заправь футболку в брюки, причешись и стань прямо!

Коля растерялся и машинально начал приглаживать волосы, а Нина Ивановна беспрепятственно проследовала в гостиную.

На полу, около дивана сидела полуобнаженная Юля, изо рта у нее торчал кляп, рядом валялась наволочка, набитая чем-то твердым.

— Мерзавец! — вскипела преподавательница. Она бросилась к избитой Юлечке и вытащила кляп. — Сейчас милицию вызову! А избежишь суда, весь дом на ноги поставлю, уберешься отсюда, люди запозорят!

Внезапно Николай рухнул на софу и обхватил голову руками.

— Делайте че хотите, — простонал он. — Юлька ваще обнаглела. Совести у нее нет — подарки от полюбовника домой тянет! Вот я и сорвался, насовал ей. Думал, она испугается и мы опять хорошо заживем!

— Идиот! — в сердцах воскликнула Нина Ивановна. — Юля за тебя невинной девушкой выходила. А колечко, которое тебя взбесило, ей и правда ухажер подарил, только это давно произошло!

Николай рывком вскочил с дивана, схватил сумку Юли, перевернул вверх дном. На стол выпали купюры и бархатная коробочка.

— Во, — закричал он, — с собой таскает! Любовничек ей колечки дарит! Деньги дает!

— Юлия, — оторопела Нина Ивановна, — так ты встречаешься с Александром?

— Всего пару раз, — плаксиво протянула девушка. — Меня муж заставил! Скажи, Коля, что я правду говорю!

— Ну... верно, — нехотя признал парень.

У бедной учительницы голова пошла кругом.

— Ничего не понимаю, — пробормотала она.

— Все очень просто. — Юля вскочила с пола. — Из Кольки бизнесмен как из меня десантник, да и то скорей я с парашютом прыгну, чем он бабки заработает.

— Заткнись, — устало сказал муж.

— Фиг тебе! — азартно заявила Юля. — Вел дело по-идиотски и все потерял. Кто меня к Александру отправил? «Мне бы только подняться. Возьми у него в долг, разбогатею и верну!» Ты не приказывал такого?

Николай сгорбился.

— Ты попросил кредит у Александра! — ахнула Нина Ивановна.

— Ха, попросил! — скривилась Юля. — Как бы не так — он его шантажировал! Велел мне его напугать, дескать, не отсыплет бабла, жена узнает об измене. Наш Коленька молоток, он много чего выяснил...

По лицу девушки покатились слезы, но она не замолчала:

— Все мужики козлы! Александр передо мной крутого корчил, а оказалось... И особняк, и деньги у его бабы, а у моего кавалера фига. Жена, между прочим, не гражданская, как он мне врал, а законная. И хозяйка всего! Во прикол — она мужику кредитку выдала, тот и рассекает с ней, но даже трусы на нем на ее деньги куплены. Разве такой бабки даст? А Колька озверел, давай меня бить...

— Гадина! — дернулся Николай.

— Попробуй возьми дубину, — скорчила рожу Юля, — думал, раз втихаря меня лупасишь, никто не узнает? Ан нет! Нина Ивановна в курсе, она даст показания в ментовке!

— Гадина, — прошептал Коля.

— Сволочь! — не осталась в долгу Юля. — Давай, двинь мне в глаз! Нина Ивановна ментов вызовет, у нее в отделении каждый второй свой, она им двойки ставила. Живо ей поверят, а тебя за нанесение телесных повреждений арестуют и на зону упрячут. Я с тобой разведусь, из квартиры выпишу...

Тут только до Нины Ивановны дошло, какую роль ей уготовили.

— Юля! Ты поступаешь непорядочно! — не удержалась она.

Молодая женщина погрозила бывшей преподавательнице пальцем.

— Кто мне совет дал за Кольку замуж выйти? Послушалась вас и в жопе сижу! Ни денег, ни личной жилплощади. Это вы за мою беспросветную семейную жизнь в ответе, очень уж настаивали на браке с Колькой. А че вышло?

Учительницу охватило глубочайшее возмущение. Она встала, выпрямила спину и, не говоря ни слова, ушла.

Не прошло и полгода после той ночной беседы, как Николай умер. Во дворе поговаривали, что он покончил с собой из-за проблем в бизнесе — автомастерская не приносила дохода, Коля был по уши в долгах. После его кончины к Юле несколько раз приходили парни весьма специфического вида: бритоголовые, с золотыми цепями на квадратных шеях. После одного такого визита молодую женщину с сердечным приступом увезла «Скорая»...

Нина Ивановна перевела дух.

— Думаю, сегодня они опять заявились с нее долги требовать, — сказала она. — Но мне Моргалову не жаль. Гадкая девица, гнилая внутри, конфета с тараканом!

Я передернулась, услышав последние слова учительницы. Вот так эпитет!

Нина Ивановна вновь поправила брошку и начала раздавать указания:

— При написании статьи вам надо правильно расставить акценты. Главная мысль публикации: люди, живите честно, не подличайте, любое зло, даже вскользь оброненное плохое слово, вернется к вам бумерангом. Помните, вас читают подростки, наиболее восприимчивая часть общества и...

Я кивала, краем глаза косясь на подъезд. Внезапно толпа, топтавшаяся у входа, в едином порыве шарахнулась в сторону.

— Вон, идут, — зашелестело над двором.

Из подъезда показались мрачные мужчины, одетые в джинсы и мятые рубашки. Впереди шел криминалист, я вычислила его по железному чемоданчику, а за ним лысый парень с планшеткой, скорей всего один из оперативников. Дверь хлопнула и вновь открылась. Появилась женщина лет сорока, она несла... портфель Дегтярева, слишком большой для того, чтобы положить его в прозрачный пакет для улик.

Я вскочила и побежала к подъезду.

— Разойдитесь, — вяло вещал молодой человек в голубой рубашке, — ничего интересного нет!

— Ее убили? Как? — заинтересовались в толпе. — Чем?

— Вскрытие покажет, — устало ответил один из милиционеров. — Разойдитесь по домам, вас потом опросят, расскажете, что знаете.

— Говорят, она сама померла, от сердца, — прозвенел женский голос.

— Повесилась! Не, ее застрелили! — волновались соседи.

— Без комментариев, — буркнул оперативник.

— Серега, я покурю? — спросила женщина и поставила портфель полковника у своих ног.

— Пяти минут тебе хватит? — занервничал Сергей. — Не волынь, Катерина Михална!

— Я быстро, — заверила Екатерина и чиркнула зажигалкой.

Толпа стала медленно подступать к тетке.

— Хотите чайку?

— Может, бутербродов приготовить?

— Ой, бедные, сутками работаете, — запричитала женская часть собравшихся.

— Чего гундеть? — вступил в разговор здоровенный мужик, подпиравший стену дома. — И правда, принесите людям пожрать.

— Ща слетаю, — пообещала одна из женщин и исчезла в подъезде.

Я с тоской смотрела на портфель Дегтярева. Близок локоток, да не укусишь. Даже если я сумею незаметно подобраться, схватить кейс и исчезнуть, Екатерина Михайловна сразу обнаружит пропажу, поднимет крик...

Внезапно во дворе появился мужчина лет шестидесяти, одетый, несмотря на теплую погоду, в серый плащ и шляпу.

— Во, Андреич чапает, — хихикнула девочка-подросток, — сейчас всем головомой устроит.

Дядечка не спеша подошел к толпе, поставил на тротуар свой портфель и противным, по-бабьи визгливым голосом осведомился:

— По какому поводу митинг?

— Тебя спросить забыли, — ответила одна из баб.

— Караваева, — не замедлил отреагировать Андреич, — когда долг по квартплате погасишь?

— Явилась народная совесть... — пробурчала Караваева.

— Бутерброды готовы, — закричала худенькая женщина, выскакивая из подъезда. — Эй, ребята, налетай!

Во дворе началась суматоха. Караваева ругалась с Андреичем, Екатерина Михайловна взяла один бутерброд и пошла в сторону детской площадки, где на деревянном столике, словно по волшебству, появилась банка растворимого кофе, чайник и несколько кружек. Часть баб потянулась за ней, мужики обступили Сергея...

С самым невинным выражением на лице я схватила портфель Андреича, подошла к кейсу Дегтярева и мгновенно произвела обмен. На первый взгляд портфели очень похожи, и только потом становилось понятно: у полковника дорогой вариант, настоящая крокодиловая кожа, а у местного правдоруба дешевая поделка из дермантина. Но я очень надеюсь, Екатерина Михайловна сразу не разберется, что произошло, я успею дойти до машины, прежде чем Андреич обвинит ее в воровстве.

Богиня удачи взяла меня под свое крыло — никем не замеченная, я уселась за руль и унеслась с места происшествия. Даже если менты открывали кейс и нашли там документы на имя Дегтярева, все равно улики «убежали». Попробуй теперь докажи, что он находился в квартире! Конечно, это некрасивый поступок, но я же не чужую вещь украла — взяла портфель полковника.

Слегка успокоив так совесть, я поехала в сторону Ленинградского шоссе, и тут меня испугал резко зазвонивший телефон.

— Кто? — спросила я, придерживая трубку плечом.

— Кондратьев, — прозвучало в ответ.

— Фу! — выдохнула я. — Чего тебе?

— Да вот, — как-то странно ответил заместитель Дегтярева, — решил узнать, что полковник поделывает?

— Он на рыбалке, — бойко заявила я, — окуней таскает!

— Его мобильный не отвечает.

— Наверно, забыл зарядить аппарат.

— Не выходит на связь, — зудел Виктор, — ничего не приказывает, пропал...

— Вы с Александром Михайловичем перезванивались?

— Ну... да, — признался Витька. — Скажи, а почему ты спрашивала про Кирсарскую?

— Я?

— Ты.

— Когда?

— Некоторое время назад.

— Не помню, — соврала я.

Витька тяжело вздохнул.

— Хватит притворяться. Я с самого начала подозревал, что он тебя привлек. Конечно, я уважаю полковника, но он совершенно не способен работать один. Черт бы этого Тёму побрал! Александр Михайлович из-за него в это дело полез.

Я перестала соображать, о чем идет речь.

— Про какого Тёму ты говоришь?

— Да про сыночка его!

— Парень преспокойно ремонтирует дом, — сообщила я Виктору. — Вплотную занялся покраской, побелкой и прочим. Сейчас, правда, временно притормозил — убыл в командировку.

— Черт бы побрал детку! — взвизгнул Витька.

— Чем он тебе не угодил? — поразилась я.

В трубке повисла тишина, потом Кондратьев устало сказал:

— Можешь приехать ко мне домой? Поговорить надо.

— Вроде поздно, у тебя, наверное, теща спать легла.

— Разве эта гидра раньше двух угомонится? — зло перебил меня Витька. — Шастает и шастает через нашу комнату — то ей пить, то в туалет охота. Никакой семейной жизни, Ленка меня отпихивает, боится, мамочка чего увидит, а та нарочно ходит — змее в кайф людям мешать. И ведь предлагал ей комнатами поменяться, вежливо просил: «Дорогая Галина Михайловна, давайте мы в вашу десятиметровку переберемся, а вы в нашей спите». Но нет! Уперлась и давай ахать: «Никогда детей в теснотищу не поселю! Сама помучаюсь, лучше задохнусь в чулане, чем причиню вам неудобство!» И опять мимо нашего дивана шмыг-шмыг-шмыг... Падла! Ты в квартиру не звони, запаркуйся во дворе и мне на мобилу смс сбрось, тут же спущусь. Сколько тебе времени надо?

— Думаю, полчаса, — пообещала я.

## *Глава 8*

— Хороша игрушечка, — засопел Кондратьев, влезая в мою малолитражку, — не отказался бы от такой.

— Зачем тебе женский вариант? — пожала я плечами. — Несолидно.

— Мне с двумя спиногрызами ваще никакой не светит. Вся зарплата в унитаз идет, — заявил Витька. — Курить можно?

— Пожалуйста, — милостиво разрешила я.

Кондратьев вытащил из кармана пачку. Я покосилась на нее — однако, дорогие сигареты для парня, жалующегося на постоянное отсутствие средств. Если в семье считают копейки, мужчина должен сухой навоз в газету заворачивать.

— Круто тут у тебя, — все восхищался машиной Витька. — Кондиционер, всякие штучки... А у меня...

— «Бентли» шикарнее, — перебила я нытика, — «Роллс-Ройс» еще дороже, а в машине султана Брунея покрышки натянуты на золотые диски, украшенные брюликами. Нет предела совершенству. Гиблое дело гнаться за роскошью.

— Мы, нищие людишки, ездим на метро и...

— Ты звал меня, чтобы спеть песню о своем бедственном положении? — не выдержала я. — Вроде ты не инвалид, руки-ноги на месте. Мало получаешь? Ищи другую работу. Слава богу, в Москве живешь, каждой фирме охранники требуются.

Витька скорчился так, словно глотнул неразведенный лимонный сок.

— Очень уж ты резкая. Скажешь, как плюнешь. Вот полковник и полез в стремное дело. Имей он дома уважение и ласку от жены, то...

— Мы с ним друзья!

— А то никто правды не знает, — заржал Витька. — Помнишь, Дегтяреву медаль вручали, и вы все приперлись? Семейка Адамс! Хорошо хоть собак дома оставили!

— Было дело, — пожала я плечами. — А что? У Александра Михайловича случился редкий праздник, мы захотели в нем поучаствовать.

— Даже генерал заметил, говорил потом: «Сынок-то у полковника, который Аркадий, просто копия папаши».

Я поперхнулась. Ну конечно, Кеша и Дегтярев просто клоны. Аркадий высокий, худой, темноволосый и с карими глазами, практически никогда не выходит из себя, а если вам удастся разозлить адвоката, то он, и без того бледный, становится просто синим и начинает шипеть, как разбуженная в недобрый час кобра. Александр Михайлович, если честно, похож на хомяка-переростка. В юности полковник, кажется, имел русый цвет кудрей, точнее не скажу, потому что уже давно макушку Дегтярева украшает лысина, по бокам которой свисает нечто, напоминающее бахрому от пледа, пожеванную собаками. Глаза у приятеля голубые, а в гневе они сереют, и сам полковник делается похожим на перезрелый помидор. К тому же он всегда орет дурниной. Кеша ест мало, в основном налегает на салаты; полковник, коли его не отогнать от холодильника, слопает все с полок. Первый пьет виски, второй только пиво. Один обожает носиться по городу и легко нарушает правила дорожного движения, другой плюхает со скоростью сорок километров в час, вися на руле. Ну согласитесь, трудно найти более похожих людей, стопроцентно они — отец и сын.

— Не повторяй глупые сплетни, — не удержалась я от замечания, — а живенько объясни, по какой причине меня сюда вызвал. Вечер на дворе, я хочу домой.

Витька почесал переносицу и завел обстоятельный рассказ.

Некоторое время назад у Александра Михайловича вдруг капитально испортилось настроение, он стал хмурым и, что особенно насторожило Кондратьева, перестал орать на подчиненных. Отдел давно привык к головомойкам от полковника и воспринимает их как отеческую заботу. Александр Михайлович человек незлопамятный, отчитав кого-нибудь, он моментально забывает об инциденте, и можно спокойно работать дальше. Регулярно устраивая своим людям встряску, полковник всегда защищает их перед начальством. Один раз кто-то из вышестоящих решил погонять подчиненных Дегтярева, и тогда Александр Михайлович произнес гениальную фразу, которая навсегда вошла в местный фольклор. Глянув на разошедшегося начальника, он (тогда еще майор) твердо заявил:

— Этих людей бью только я. Если хотите, можете орать на меня, но остальных не трогайте.

Дегтярев не берет взяток, не подставляет своих, пытается выбить им квартиры (один раз ему это удалось), сквозь пальцы смотрит на небольшие нарушения дисциплины и, если человек хорошо работает, прощает ему все. Теперь понятно, почему подчиненные спокойно относятся к перепадам его настроения? У них фаза, когда начальство, краснея от гнева, принимается стучать кулаком по столу, называется «дерьмо попало в вентилятор». Главное, прижать уши, опустить хвост и исправно дрожать, демонстрируя полнейший ужас.

А тут вдруг Александр Михайлович стал тихим, очень вежливым, каким-то потухшим.

Через неделю народ забил тревогу, Витьке поручили разобраться в ситуации. Кондратьев потащил полковника в сауну, там мужики попарились, хряпнули пивка, закусили сушеной рыбкой, и Дегтярев начал жаловаться.

— Сволочь я, Витя, — чуть не плакал он, — про сына не знал, не помогал ему, даже теперь не могу дать денег парню[1].

— Так он алмазами торгует, — напомнил Витька, — кучу магазинов имеет. На фига козе баян? Сынишка твой миллионами ворочает!

— То-то и оно! — не успокаивался полковник. — Всего сам добился. А я где был?

— Ты ж про него не знал, — резонно напомнил Виктор.

— Плохо это, — понурил голову Александр Михайлович. — Вот задумал ему подарок сделать...

— Хорошее дело! — одобрил Витя.

— Машину куплю.

Витька подавился воблой.

— Так у Тёмы джипяра есть, здоровенный, — сказал он, откашлявшись. — Я сам видел, когда он за тобой приезжал.

— «Хаммер», — грустно уточнил Дегтярев.

— И что ты ему приобретешь? — заржал Витя. — «Оку»? Он на ней даже на помойку не поедет. Забудь, не парься.

Дегтярев стукнул кулаком по столу.

— Кредит возьму в банке!

— Ладно, ладно, только не нервничай, — дал задний ход Кондратьев. — Если надо...

— Очень! — рявкнул полковник. — Хочу проявить отцовскую заботу!

---

[1] История Тёмы рассказана в книге Дарьи Донцовой «Ромео с большой дороги», издательство «Эксмо».

И Виктор не нашелся что ответить...

Рассказав мне это, он примолк и снова полез за сигаретами.

— С ума сойти! — поразилась я. — Никак не предполагала, что у полковника душевный дискомфорт.

Витька чиркнул зажигалкой.

— Он совсем сдурел. Вот мой папаша недолго мучился — развелся с матерью и смылся. И я больше никогда его не видел. А Дегтярев... «Сыночек, любимый...» Тьфу!

— Тёма сам нашел отца, хотел ему помочь, — напомнила я.

— Повезло полковнику, — вздохнул Витька. — Жена богатая, потом — бац — дитятко нашлось с алмазными копями. Прямо сказка! А у меня...

— Давай об Александре Михайловиче. Он взял кредит?

— Нет, не дали ему денег.

— Почему?

— Причин не объяснили, — хмыкнул Витька.

— Вот дурак! — не выдержала я. — Почему ж он мне ничего не сказал?

— Сам намеревался решить проблему.

— Но это глупо!

— Ему хотелось заработать, а не у семьи брать.

— Мог обратиться в тот банк, где хранятся наши средства, там бы ему точно дали ссуду.

Витька выбросил окурок в окно.

— Неужели не понятно? Это его сын, не твой. Значит, проблема должна разруливаться папашей.

— Идиотизм!

— Тебе этого не понять.

— Тёма не нуждается в помощи.

— Дело в желании Дегтярева.

— Хорошо, — сдалась я. — Что было дальше?

Витька нахмурился.

— Подробностей я не знаю. Полковник оформил отпуск и попросил: «Скажи всем, что я уехал на рыбалку». На самом деле он остался в Москве.

— Да зачем надо устраивать такой спектакль?

Виктор поежился.

— Некий человек предложил Дегтяреву работу — частное расследование. Пообещал отлично заплатить, вот полковник и обрадовался.

— Кто клиент? Что ему надо?

— Не знаю.

— А какое дело?

— Не знаю.

— Убийство?

— Не знаю.

— Поиск пропавшего ребенка?

— Сказал же, что не знаю! — заорал Витька. — Хоть сто раз спроси, ничего нового не услышишь. Он мне за помощь процент пообещал.

— Сколько?

— Секрет. Не скажу. Не твое дело, — занервничал Кондратьев.

— Ладно, финансовая сторона вопроса мне неинтересна, — пожала я плечами. — Но похоже, Дегтярев влип в малоприятную историю.

— Ох, чуял я беду, чуял... — простонал Витька.

— Хорошо, — прервала я его стенания, — с мотивацией понятно. Прав был Шерлок Холмс, когда говорил Ватсону, что в корне всех преступлений зарыты деньги. Даже если речь идет о великой любви, покопай поглубже и услышишь нежный хруст казначейских билетов. Скажи, какую роль Дегтярев отвел в спектакле тебе?

— Правой руки, — признался Витька.

— А подробнее?

— В последний раз его интересовали данные на некую Юлию Моргалову, в девичестве Яценко, — неохотно сообщил Виктор.

— И что ты разузнал? — спросила я.

— Самую обычную инфу. Несудима, не привлекалась, вдова, хоть лет ей всего ничего, проживает на Кирсарской улице, всегда там обитала, воспитывалась мачехой, второй женой отца. Звали ту красиво — Леокадия Ивановна Бланк. Очевидно, хорошая тетка, раз вышла замуж за парня с крохотным ребенком. В принципе, все обычно, никаких странностей в жизни Моргаловой-Яценко не было.

— И это все? Глубже не копал? Только верхний слой потревожил? — прищурилась я. — Качественная работа — один звонок по телефону! Ты на это небось потратил минут десять?

Витька порозовел.

— Александр Михайлович просил только общие сведения.

— Ладушки, — кивнула я. — Что еще ты для него нарыл?

Кондратьев нахмурился.

— Ничего.

— Вообще? Только данные по Юлии?

— Угу!

И тут мое терпение с треском лопнуло.

— Я очень хорошо знаю, Витюша, что ты считаешь меня истинной блондинкой с голубыми глазами, следовательно, полнейшей дурой...

— Вовсе нет, — без особого энтузиазма возразил Виктор, — цвет волос тут ни при чем, просто мужики по природе своей умней.

— И сейчас я понимаю: случилась какая-то неприятность, — продолжала я, не обращая внимания на слова Кондратьева. — Утром я тщетно пыталась узнать у тебя правду о Дегтяреве, а в ответ получила рассказ про щук и лещей.

— Александр Михайлович строго-настрого велел никому ни гу-гу!

— Слышал про то, что в Москве-реке появилась уникальная рыба? — спросила я.

— Нет, — совершенно искренне удивился Виктор. — Какая? Пиранья? Кто-то из аквариума выбросил?

— Гибрид акулы и золотой рыбки, выполняет последнее желание, — прошипела я. — Вот этого монстра и выловил Дегтярев.

— Ч-что? — начал заикаться Виктор. — Ты о чем?

— Дорогой, следи за ходом мысли блондинки, — подчеркнуто ласково заговорила я. — Не мешай излагать, а то эта мысль такая короткая и простая, что ее легко потерять. Итак, утром ты послал меня куда подальше, а к вечеру сам позвонил и начал выбалтывать то, что строго-настрого запрещено рассказывать. Почему?

— Дегтярев не вышел на связь, — забубнил Кондратьев, — сутки не звонил, я забеспокоился, начал его искать. И тут ты со своим звонком. Вот я и...

— Ты испугался, — закончила я за него.

— Исключительно за тебя! — парировал Виктор. — Хотел предупредить, что полковник влез в стремное дело, и если ты в курсе, то лучше тебе бросить расследование, не то и с тобой случится беда.

— Непременно послушаюсь тебя, — закивала я, — только расскажи по порядку, какие поручения он давал тебе как своему заместителю.

Кондратьев распахнул дверцу машины.

— Я уже ответил: последняя просьба была о сведениях на Моргалову-Яценко.

— А первые поручения каковы? — настаивала я.

Витька вылез из автомобиля.

— Пора мне, а то дома скандал будет. Я сказал, что покурить спущусь, а пропал на час. Еще раз предупреждаю: брось копать, это опасно. Что ты знаешь?

— Если честно, то ничего, — после некоторого колебания призналась я. — Александр Михайлович ни одним словом не обмолвился о частном расследовании. Я вообще считала, что он на это не способен. Утром, как обычно, уезжал на работу, вечером прикатывал назад.

— Не верю! — гаркнул Витька. — Не ври, он тебе все разбалтывает! Мой тебе совет: остановись, никуда не лезь. Шум нам ни к чему, никто не должен знать, что Дегтярев занялся частной сыскной деятельностью. У него идеальное личное дело, замечательная репутация, а тут пятно, да еще какое! Усекла? Ради доброго имени мужа...

— Сто раз тебе говорила, мы приятели! — не выдержала я.

Кондратьев скорчил кислую мину.

— Ладно, ладно, поверил. Ради доброго имени... хм... лучшего друга тебе следует сидеть тихо. О'кей?

Я с готовностью закивала.

— Конечно! Спасибо, что решил предостеречь меня.

Виктор самодовольно улыбнулся.

— Когда речь идет о спасении честного имени полковника, я готов на все. Значит, договорились?

— Да, да, без сомнения, — подтвердила я.

Кондратьев помахал мне рукой и вразвалочку пошел к подъезду. Я отвела глаза в сторону и завела мотор. Некоторые люди спиной ощущают чужой взгляд, вдруг Виктор принадлежит к их числу, еще обернется и прочитает на моем лице все, что я думаю о майоре? Хоть я и блондинка, то есть, по распространенному мужскому мнению, глупое, эгоистичное существо, но друзей в беде я не бросаю. А полковник попал в крупную неприятность, над ним нависла опасность, его жизнь под угрозой. В отличие от Витьки, я не обольщаюсь насчет намерений преступника, он может предпринять еще одну попытку устранить Александра Михайловича. Мой долг найти его до того, как мерзавец вновь откроет охоту на Дегтярева. Витька трус, он спасает себя, ведь и он вовлечен в частное расследование. Я же никого не боюсь!

## Глава 9

Витька исчез за железной створкой, а я медленно покатила по двору. И тут вновь ожил мобильный. Наверное, кто-то из домашних хочет узнать, когда я вернусь в Ложкино, скорей всего Маша.

Не посмотрев на дисплей, я, придав голосу пионерскую бодрость, весело воскликнула:

— Привет! Уже спешу, через полчаса буду!

И услышала из трубки смутно знакомый женский голос:

— Извини, пожалуйста, Даша. Я понимаю, что поздно, неприлично беспокоить людей в такое время, но у нас, мягко говоря, неприятность.

— Кто это? — изумилась я.

— Волкова.

— Тася? Что случилось?

Бывшая однокурсница закашлялась.

— Наверное, я делаю глупость, — тихо сказала она, справившись с приступом, — но ты же видела, как ведет себя Дина. Если ей чего-то хочется, она давит людей как танк!

Я вспомнила неприятную сцену, разыгравшуюся на презентации, и промямлила:

— М-да... Емельянова слишком настойчива.

Таисия тихо засмеялась.

— Ценю твою деликатность. Между нами говоря, она плохо справляется со своими порывами и с годами становится все раздражительнее.

— С возрастом дурные черты характера усугубляются, — поспешила согласиться я, не понимая, что Таисии от меня надо.

— Андрюша золотой человек, — продолжала Волкова, — но даже он Динку не выдержал, съехал от нее.

— Двоюродные брат с сестрой жили на одной площади?

— Ой, это огромная проблема, — подхватила Тася. — Немыслимая! Андрей развелся и ушел от жены с одним портфелем. Если честно, он не должен был ничего такого делать, жилплощадь принадлежала ему, супруга пришла в дом голой, но ведь не отселять же ее назад в коммуналку... Андрюша не из таких, вот и оставил все бывшей.

— Угу, — пробормотала я.

— Правда, вначале Корундов просто перебрался в отдельную спальню, но жена его затретировала, и он переехал к Дине. Но долго он около сестры не выдержал, отправился жить на дачу. Домик без особых удобств, зимой там холодно, в туалет надо бегать через весь участок... Зато от Дины далеко.

— Неужели Андрей не мог справиться с сестрой? Странно это, — отметила я.

Тася вздохнула.

— Дина считает себя его ближайшей родственницей, потому и ведет себя бесцеремонно. Справедливости ради следует отметить, что Емельянова очень много сделала для Андрюхи. Тот ведь беспомощен в бытовом плане. Все гении такие.

— Корундов талантлив? — усомнилась я. — Мне его «Русь Великая» показалась... хм... немного странной.

— Так талантлив, что Леонардо да Винчи отдыхает, — безапелляционно заявила Волкова. — Через двадцать, тридцать лет за картины Андрея будут драться великие музеи мира.

— Он много пишет?

— Работает медленно, но еще не вечер, имя Корундова встанет в один ряд с Репиным, Мане, Тицианом и прочими, — ажитированно завела Тася.

Я оперлась на руль. Ну это навряд ли. Впрочем, Тася в своем репертуаре. Еще в студенческие годы она постоянно кого-то опекала, причем абсолютно бескорыстно, по велению сердца. Она могла, например, потратить единственный выходной, чтобы помочь знакомой помыть окна. Бесполезно было объяснять Тасе, что ее используют в качестве бесплатной домработницы, она все равно с энтузиазмом терла стекла. Насколько я помню, Дина еще тогда эксплуатировала Таисию, а та, наивная чукотская девушка, кидалась исполнять любые желания хитрюги — переписывала для нее лекции, сидела с ее больной мамой, пока Дина отрывалась на танцульках, и так далее. А еще Волкова славилась умением отыскивать непризнанных гениев и сажать их себе на шею. И абсолютно невозможно было стащить с ее носа розовые очки.

Память услужливо развернула одну картину.

Вот мы, второкурсницы, собрались на квартире у Анжелики Лебеденко, дочери успешного партийного функционера. Родители девушки уехали в элитные по советским временам Карловы Вары, и Лика устроила вечеринку — выставила на стол никогда нами не виданное виски, вытащила из кладовки раритетные бананы и остродефицитные шоколадные конфеты.

Таисия привела на вечеринку кавалера, и мы были поражены видом ее любовника. Во-первых, он выглядел сорокалетним стариком, во-вторых, пришел в грязных брюках и давно не чищенных ботинках, в-третьих, начал рассказывать скабрезные анекдоты, в-четвертых, увидав квартиру Лебеденко, состоящую из бесконечной анфилады комнат, мигом забыл про Тасю и прилип к Лике. В конце концов Антон, парень Анжелики, дал обоже Волковой в нос. Думаете, Таисия прогнала кавалера? Вовсе нет! Она уложила раненого на диван и стала петь ему дифирамбы.

— Ребята, Вадик гений! Через десять лет его книги покорят мир! Он пишет великое произведение, рядом с которым «Идиот» Достоевского покажется детским лепетом. Как ты мог, Тоша, поднять на него руку!

— А чего он к Лике под юбку лапы запустил? — справедливо возмутился Антон.

— Таланту все дозволено! — отрезала Тася. — Нестандартная личность ведет себя по-особому, к ней нельзя подходить с обычными мерками.

С тех пор прошло много более десяти лет, но мир так и не прочитал эпохального романа. Думаю, гениальный Вадик до сих пор отшлифовывает первую главу. Слава богу, Таисия рассталась с «литератором». Но характер у Волковой, несмотря на зрелый возраст, остался прежним.

— Извини, пожалуйста, — продолжала тем временем Таисия, — но ты там рядом, в двух шагах... только до завтра... я решу проблему... не бросать же Андрюшу ночью в лесу... денег на такси у него нет, автобус уже не ходит...

— Да что случилось? Объясни толком, — прервала я невнятные речи Волковой.

— Ты едешь домой мимо деревни Глухово? — вдруг деловито поинтересовалась Тася.

— Верно, — удивилась я. — Откуда ты знаешь?

— Я просто спросила, — прорыдала Волкова. — Там есть магазин.

— Вроде есть, — с легким сомнением подтвердила я.

— За ним узкая дорога. Если свернуть на нее, наткнешься на поселок, там сейчас находится Андрюша. Помоги ему, умоляю! Ночь подкралась, в небе ни одна звезда не горит, а он, одинокий и грустный, без денег, в поле сидит, — почти гекзаметром завела Таисия. — Очень, очень тебя прошу, на коленях стою!

Из всего вышесказанного мне стало понятно лишь одно: где-то в районе села Глухово мается Андрей Корундов, с которым стряслась беда. Мне совершенно не хотелось нестись на помощь малознакомому человеку, но альтернативы нет, заявить Волковой: «Я тороплюсь домой, устала за суматошный день, и у меня самой полно проблем», — я не способна. К тому же я не забыла, как в свое время Тася нашла врача для маленького Кеши, а долг платежом красен.

— Дай номер мобильного Корундова, — велела я.

— Зачем? — прошелестела бывшая однокурсница.

— Если запутаюсь, позвоню ему и уточню дорогу.

— Там невозможно потеряться, — оживилась Тася, — Глухово, сельпо, далее прямо.

— Все равно, лучше знать сотовый.

— У него нет телефона, — после короткой паузы заявила Волкова.

— Почему? — изумилась я.

— Это дорогое удовольствие, — вздохнула она, —

не каждому по карману. Андрюша в последнее время не много зарабатывал, он «Русь Великую» писал.

— Ага, — пробормотала я, — понятно.

Мы с Тасей хоть и учились в одной группе, но до момента болезни Аркашки почти не общались. Ну знаете, как это бывает: сидят в одной аудитории двадцать студентов, и не со всеми у тебя складываются доверительные отношения. Нет, мы никогда не конфликтовали, мило здоровались, брали друг у друга конспекты, но после занятий разбегались по своим делам. Таисия никогда не видела моего первого мужа, художника Костика, и не знает, что мне великолепно известно, что это за зверь — гений, создающий нетленные полотна.

— Магазин... — твердила она, — дорога...

— Хорошо, — перебила я Тасю, — я уже въехала в Глухово и вижу строение, больше всего смахивающее на собачью будку, но с гордой надписью «Супермаркет».

— Ой! Замечательно! — обрадовалась Таисия, и в ту же секунду мой телефон, судорожно пискнув, «умер» — разрядилась батарейка.

Волкова оказалась права: узкая разбитая дорога уперлась в кусок земли, застроенный хибарами. Я припарковала «букашку» около ржавого подобия водокачки, огляделась вокруг и изумилась. Глухово находится на Ильинском шоссе, аборигены используют эту магистраль для проезда, когда на Новорижской трассе возникают пробки, — если свернуть у бензоколонки, проехать Архангельское и выскочить через Петрово-Дальнее к 62-й больнице, то можно обогнуть затор, который образуется по дороге на Нахабино. Если каждый день ездишь туда-сюда по одному маршруту, то разведаешь все тайные дороги.

Вдоль Ильинского шоссе (по статусу оно чуть ниже Рублево-Успенского, но упорно пытается его догнать) покосившиеся деревянные домики соседствуют с настоящими замками. Причем последние понастроены так густо, что их хозяева из своих окон наверняка могут разглядеть меблировку комнат соседей. По утрам здесь на одном участке тупо орут петухи, блеют козы и гогочут гуси, а на другом шоферы в формах протирают замшей стекла у «Бентли». В общем, как любили писать в свое время советские журналисты: «Нью-Йорк — город контрастов». То есть Ильинское — шоссе контрастов. Но, проносясь мимо деревни Глухово, я и предположить не могла, что за сельпо начинается настоящий Шанхай. Покосившиеся домики смотрелись убого, часть из них сколочена из досок, другие были сложены из непонятного камня и покрыты оцинкованным железом, вместо цветов из земли торчали укроп с петрушкой. И вокруг стояла странная для населенного места тишина.

Я в раздражении покачала головой. Ну здорово: батарейка села, Таисии не позвонить, садовое товарищество большое, хозяева хибар приезжают только на день, пропалывают грядки и возвращаются ночевать в квартиры с удобствами. В избенках хранятся инструменты, похоже, тут даже нет электричества — не горят фонари... Правда, в июне темнеет поздно, а светает рано, и поэтому сейчас я кое-что видела, но как найти Андрея? Ну и влипла! Придется обходить весь поселок. Может, покричать? Навряд ли я разбужу людей, здесь их, по всей видимости, нет.

Я набрала полную грудь воздуха и заорала:

— Андрей!

— ...ей! — отозвалось эхо.

— Корундов!

— ...ей, — донеслось до меня.

Я насторожилась — похоже, мне ответили.

— Кто там? — Мужской голос звучал где-то слева. — Тася, ты? Зачем приехала? Вот уж глупо! Что нам тут вдвоем ночевать?

Я пошла в сторону звука. Пару раз споткнулась о разбросанный строительный мусор и неожиданно вырулила на пожарище. Горло сразу стал раздирать кашель.

Человек, сидевший на перевернутой железной бочке, обернулся и с изумлением воскликнул:

— Даша? Как вы сюда попали?

— Волкова позвонила, попросила вас забрать. Что случилось?

Корундов соскочил на землю.

— Извините, пожалуйста, я не имею к этому никакого отношения. Иногда Тася в своем желании помочь всему человечеству перегибает палку. Зачем она вас потревожила? На улице тепло, в шесть двадцать пойдет первый автобус на Москву... Правда, непонятно, к кому мне ехать в столице, но это моя проблема, и я решу ее сам.

— Что здесь произошло?

Андрей потерянно указал на догорающие угли.

— Я вернулся домой с презентации и нашел головешки.

— Хотите сказать, что вы тут жили?

— Ну да. А что, неплохое место, — пожал плечами Корундов, — до Москвы рукой подать, свежий воздух, магазин под боком!

— Но здесь нет туалета, — пробормотала я, — и, кажется, воды с электричеством тоже.

— Что вы, — засмеялся Андрей, — удобства имеются. Видите голубую будочку? Странно, что пламя ее не тронуло. Воду можно принести из колодца, а неподалеку, в соседней деревне, есть баня. Для обогрева печка-буржуйка, отсутствие электричества мне только на руку — все меньше платить. Я счастливчик — жил без коммунальных расходов, работал всласть... Мне феерически повезло!

— Да? — с сомнением спросила я, оглядывая кучу рыхлого пепла, от которой поднимался серый дымок.

— Хорошо, что картину успел закончить! — воскликнул Андрей. — Если б «Русь Великая» пропала, я бы тут же покончил с собой.

— И где вы теперь станете жить?

Корундов начал отряхивать брюки.

— Знаете Леню Вяльцева? — вдруг спросил он. — Дина говорила, он вам дизайн дома делал.

— Не мне, а Тёме, сыну Дегтярева, — уточнила я. — Только мне проект не понравился. Интересно, откуда Дина про работу Лени узнала? Мы с вашей сестрой давно не встречались.

— Леня слишком авангарден, — не ответив на мой вопрос, продолжал Андрей, — не всем по душе его фантазии. Лично мне не нравится сочетание нарочито грубой кирпичной кладки с наборным паркетом. Ну да не о художественных пристрастиях сейчас речь. Вяльцев пятнадцатого июля отбывает на год в Америку, я поживу в его квартире. Леня как раз хотел ее сдать.

— Пошли! — велела я.

— Куда? — напрягся Андрей.

— Не сидеть же вам ночь у сгоревшего домика, переночуете у нас.

— Право, мне неудобно. Вашим детям, мужу, домашним животным вряд ли понравится ночной визит постороннего.

— Супруга нет, — улыбнулась я.

— Уехал? Еще хуже! Привести в дом в его отсутствие мужчину...

— Я свободная женщина, без штампа в паспорте. Дети спокойно относятся к гостям, дом большой, а собаки, если вы угостите их кусочком сыра, станут вашими друзьями на всю жизнь.

— Как-то неловко, — упирался Андрей, — у меня нет денег, чтобы заплатить за постой, а бесплатно пользоваться чьим-либо гостеприимством я не приучен.

Высказавшись, Корундов вновь вскарабкался на перевернутую ржавую бочку, свесил ноги и уставился на останки фазенды.

— Не могу же я оставить вас тут! — начала я новый этап уговоров.

— Почему? — безмятежно спросил художник.

Действительно. Хорошее замечание.

— Обещала Тасе позаботиться о вас, — нашлась я.

— Огромное спасибо, но лучше я до утра здесь посижу. Быть нахлебником — увольте.

— Всего на одну ночь! И я зову вас в гости!

— Это одно и то же. Спать, пить и есть бесплатно я не приучен.

— Похоже, у вас нет друзей! — рявкнула я. — Иногда люди помогают друг другу бескорыстно!

— Ладно, — вдруг согласился Корундов, — пошли. Нам куда?

— Новорижское шоссе, тут рядом.

— Можем через лесок двинуть, — обрадовался Андрей, — напрямик.

— Лучше подъехать на машине, — мягко сказала я.

— Ее сейчас не поймать, и это денег стоит.

— Я за рулем.

— Скажите пожалуйста... — ахнул Корундов. — Вот это да!

Я прикусила нижнюю губу. Вдруг Дина права, и ее брат гений? Сейчас он ведет себя как сумасшедший профессор, просидевший последние тридцать лет в крепко запертой комнате без окон. Женщины давным-давно сели за руль, и многие из них сами заработали деньги на машину...

Очутившись наконец-то дома, я, поколебавшись, открыла портфель Дегтярева. Я не люблю шарить по чужим карманам и изучать содержимое не принадлежащих мне сумок. Но вдруг в кейсе есть бумаги, которые хоть немного прольют свет на то, что случилось в квартире Юли.

Первое, что попалось мне на глаза, был пакет с тремя глазированными творожными сырками. Я обозлилась на толстяка. Вот оно как! Я стараюсь изо всех сил, чтобы Александр Михайлович сбросил лишние килограммы, а он тайком покупает жирные сладости и лопает их в большом количестве! Ну-ка, что там еще! Булки с заварным кремом! Ну вообще! Нет слов! Переполнившись негодованием, я начала перебирать остальные вещи: спортивная газета, два тщательно сложенных пакета, довольно толстый том «Ремонт квартиры своими силами», несколько, на мой взгляд, совершенно не нужных карманных календариков, расческа... Интересно, зачем она почти лысому полковнику? На самом дне обнаружилась тонкая прозрачная папка. Я быстро схватила ее, вытащила два листа бумаги, попыталась прочесть текст и потерпела фиаско. Во-первых, почерк у Дегтярева отвратительный, даже курица лапой лучше нацарапает. Во-вторых... В заметках нет никакого смысла: это просто какие-то обрывки фраз. «Вечером нету». «Затем он ушел». «Преступное намерение». Такое впечатление, что полковник собирался выступать перед большой аудиторией и сделал конспект, основная информация в голове у докладчика. Увы, портфель мне не помог!

## Глава 10

Утро началось со звонка Оксаны.

— Спишь? — спросила она.

Я с огромным трудом разлепила веки, увидела, что часы показывают десять, и простонала:

— Нет.

— Можешь подъехать к полудню?

— Что с Дегтяревым? — испугалась я.

— Все прекрасно, — поспешно ответила Ксюня. — Анализы сделали, с профессором проконсультировались, остались небольшие нюансы, но они решаемы. Повода для беспокойства нет, как я и полагала, никакого инсульта не было.

Но я очень хорошо знаю Оксанку, и ее бодрый голос мне не понравился. Поэтому я в один миг слетела с кровати и, забыв выпить кофе, понеслась к гаражу.

— Я же сказала, что он в порядке, — покачала головой подруга, увидев меня через рекордно короткое после ее звонка время, — ты могла спокойно позавтракать.

— Как ты догадалась? — изумилась я. — У меня что, на лбу написано, что я не поела?

— Почти, — ухмыльнулась Ксюня. — Футболка надета наизнанку, волосы не расчесаны, а на ногах разные кроссовки.

Я опустила глаза. Точно! На левой ноге красовался красный кед, на правой — белый.

— Дегтярев здоров, — продолжала Оксанка, — давление в норме, холестерин, правда, повышен, но это не имеет отношения к основной проблеме.

— Значит, проблема все-таки существует? — напряглась я.

Оксана встала.

— Пошли, поглядишь на нашего братца Кролика.

Полковник сидел на кровати с самым несчастным видом.

— За каким чертом ты меня сюда приперла? — возмутился он, едва я переступила порог палаты.

— Ты помнишь, как мы ехали в больницу? — обрадовалась я.

— Я что, похож на идиота? — покраснел Александр Михайлович.

— Сейчас нет. Скажи, как меня зовут?

Дегтярев поджал губы, затем заявил:

— Ролизальда Генриховна Попардепель. Потомственная ведьма в шестом поколении.

Я в ужасе посмотрела на Оксану. И она считает полковника вменяемым? Да у него начисто снесло крышу!

— Не идиотничай! — Оксана погрозила толстяку пальцем. — Иначе переведем тебя в психиатрическое отделение.

— Она первая начала, — обиделся полковник. — Не желаю терпеть издевательств.

— Ты меня узнал! — обрадовалась я.

— Оксана Степановна, — крикнули из коридора, — у Никитина трубка выпала!

Подруга, не говоря ни слова, метнулась на зов. Мы с Дегтяревым остались одни.

— Тебе не трудно разговаривать? — нежно осведомилась я.

— Ну? — без особого энтузиазма откликнулся полковник. — На какую тему меня пилить станешь? Если по поводу диеты, то лучше не начинай. Сама куришь? Чего молчишь? Ты наносишь ущерб своему организму дымом, а я едой. Тема исчерпана!

— Можешь рассказать, как ты сюда попал?

— Опять начинается... Разбудили меня в семь утра, засунули под мышку холодный мокрый градусник, высосали почти всю кровь на анализы и начали приматываться с идиотскими вопросами! Только отвязались — ты прискакала. Ну, добивай меня!

С видом мученика Дегтярев откинулся на подушку, сложил руки на груди и застыл в позе изваяния.

— Как ты сюда попал? — повторила я вопрос.

— Да ты же, Дарья, меня и привезла.

— Откуда?

— Из квартиры.

— Чьей?

Полковник уставился в потолок.

— Кому принадлежит жилплощадь?

Молчание.

— Откуда знаешь Юлию Моргалову-Яценко?

— Кого? — с изумлением осведомился полковник.

— Женщину, в «трешке» которой я тебя нашла, зовут Юля. Ты мне позвонил, попросил о помощи и...

— Я? — подскочил приятель.

— Именно так.

— Ошибаешься, — безапелляционно заявил полковник. — У тебя в голове компот! Ты все перепутала.

— Ладно, — кивнула я, — давай заедем с другой стороны. Ты брал отпуск?

— Я? Кто сказал тебе подобную глупость?

— Виктор Кондратьев.

— Он идиот с кашей вместо мозгов! — снова возмутился приятель. — Это ему надо лежать в клинике. Я никогда не отдыхаю в начале лета.

— Какой сейчас месяц?

— Июнь.

— А число?

— Не помню. Какая разница? Ну забыл... Дай ежедневник, посмотрю и отвечу.

Я вынула из кармана телефон, набрала хорошо знакомый номер и включила громкую связь.

— Приемная Маркушева, секретарь Анна слушает, — полетело по палате чуть хриплое меццо.

Я зажала пальцем нос и прогнусавила:

— Девушка, мне необходимо связаться с полковником Дегтяревым, но он не берет трубку, подскажите его мобильный номер.

— Александр Михайлович в данный момент находится в очередном отпуске, — торжественно объявила Анька.

— Вот ёшкин кот! — картинно возмутилась я. — И когда же он бездельничать перестанет?

— Сотрудник милиции является гражданином России, — Аня решила поставить хамку на место, — он имеет право на законный отдых. Звоните через неделю.

Полетели короткие гудки.

— Она сошла с ума! — завопил Дегтярев, выхватил у меня аппарат и начал нажимать на кнопки своими толстыми пальцами, ворча под нос: — Ну и модель... Для кого только ее сделали? Похоже, на комаров рассчитывали с их тонюсенькими лапками...

— Приемная Маркушева, секретарь Анна слушает.

— Дегтярев беспокоит, — мрачно произнес толстяк.

— Ой! Александр Михайлович! — искренне обрадовалась Аня. — Как рыба ловится?

— Какая на фиг рыба! — взвыл полковник.

— Не знаю, — растерялась Анька, — карп или щука, я не очень-то в ней разбираюсь.

— Я где? — заорал Дегтярев.

— Там, куда уехали, — ошарашенно заявила Аня, — билет сами покупали. Когда заявление на отпуск приносили, я предложила вам билет заказать, а вы ответили: «Спасибо, Анюта, все уже в порядке».

— Что в порядке? — сбавил тон Александр Михайлович.

— Билетики, — робко сказала секретарь.

— Я в отпуске?

— Ага, — не по-служебному ответила девушка, — до конца июня. Вас Кондратьев замещает.

— Спасибо, я просто так позвонил, сообщить, что у меня все в порядке, — вежливо сказал толстяк и, бросив телефон на койку, уставился на меня. — Что происходит? Это твоих рук дело?

Я села на постель.

— Только не волнуйся. Расскажи, что ты помнишь из событий последних дней?

Спустя четверть часа выяснилось, что память полковника функционирует великолепно, он без запинки назвал имена домочадцев, перечислил клички собак и описал меблировку дома в Ложкине. Вот только события последних семи дней словно кто-то стер ластиком. Александр Михайлович с пеной у рта уверял меня:

— Вчера я был на службе, весь день провел за столом, накопилась куча бумаг, восьмого собрался поехать с Тёмой на рынок.

— Сегодня пятнадцатое, — тихо сказала я, — и твой сын отбыл на один день в командировку. Должен был вернуться рано утром, но мы пока не виделись.

— Врешь! — гаркнул полковник.

Пришлось снова звонить и спросить у девушки из справочной службы:

— Какое нынче число?

— Пятнадцатое июня, — без всякого удивления сообщила оператор.

— Дай воды, — простонал Дегтярев.

— Успокойся, — улыбнулась я, — это пустяк.

— Только не надо из меня идиота делать! — рявкнул Дегтярев. — Я соображаю лучше всех и могу это доказать!

— Прошу тебя, не нервничай, — ласково сказала я.

— Я никогда не выхожу из себя! — заорал полковник. — Я всегда владею собой!

— Но сейчас-то ты кричишь, — не выдержала я, — причем так громко, что стекла в окнах дрожат.

— Ты можешь вывести из себя даже святого Иосифа, — слегка сбавил тон толстяк.

— Спасибо за комплимент, — усмехнулась я, — но это навряд ли. Насколько помню, Иосифа безуспешно соблазняли самые красивые девушки, а он устоял, так что скорей всего и мне бы не удалось сбить его с пути истинного. Но все равно приятно, когда тебя считают роковой искусительницей.

— Думаешь, ты умнее всех? — окончательно обозлился приятель. — Тогда вот тебе задачка. Очень простая! Ты же знаешь, что в аэропортах собачки работают. Наркотики ищут...

— Конечно, — кивнула я. — Недавно я улетала в Париж и очень умилилась, когда увидела около сурового таможенника крохотного двортерьера — лохматую помесь болонки с терьером. Пес сидел на стуле и очень внимательно обнюхивал чемоданы. Кстати, я хотела погладить милое животное и получила от таможенника суровый выговор: «Собака работает, уберите руки, не мешайте!»

— Офицер был абсолютно прав, — кивнул Дегтярев. — Таможня удивительно нежно обращается со своими четвероногими сотрудниками. Псы считаются членами коллектива, они получают качественную еду, медицинское обслуживание, их нельзя обижать или оскорблять. Если кто-то из пассажиров попытается предпринять против собаки какие-то действия, это будет расценено как нападение на должностное лицо в момент исполнения служебных обязанностей и последует неминуемое задержание.

— Сурово, — удивилась я.

— А теперь ответь на мой вопрос. Не так давно один мужчина, назовем его Сергей, сдавал багаж. Собака начала изучать чемоданы, и тут пассажир сказал псине одно короткое слово. Всего одно! Но его хватило, чтобы таможенник вызвал патруль. Сергея задержали, а потом впаяли ему срок за хулиганство, то есть он получил пресловутые пятнадцать суток. Офицер был очень зол, заявил, что Сергей не только помешал работе собаки, но еще и оскорбил ее как личность! Так что пассажир сказал собачке? Какое короткое слово?

Я хихикнула:

— Оно было совсем неприличное?

— Никакой нецензурной лексики, — помотал головой полковник. — Но собачку посчитали глубоко оскорбленной!

— Пошла вон?

— Во-первых, это два слова, а во-вторых, ты не угадала.

— Дура?

— Мимо.

— Идиотка? Кретинка? Сумасшедшая? Балда? — перечислила я обидные слова.

— Нет, — засмеялся полковник, — ты сейчас думаешь как человек, а на ситуацию нужно посмотреть с позиции собаки. Ну, какое слово могло ее оскорбить и помешать ей работать?

— Гулять? Есть? Поедем к врачу? Чистить уши?

Александр Михайлович скривился:

— Пули летят мимо цели. Вовсе ты не самая умная. Ответ лежит на поверхности, но ты его не видишь! Не следует упрекать других в глупости, надо начинать с себя!

Пришлось проглотить обидное замечание.

Через полчаса я выяснила: полковник абсолютно ничего не помнит о частном расследовании, не способен назвать имени заказчика, не знает, по какой причине очутился в квартире Юлии, не может сообщить никаких подробностей прошедшей недели — она как бы выпала из его жизни. А еще он неправильно ответил на вопрос: сколько будет семью семь, но этот ляп меня не испугал, Дегтярев никогда не был гениальным математиком, думаю, он до сих пор не выучил таблицу умножения.

Часа через два мы вернулись в Ложкино. Перед въездом в поселок я притормозила и попросила Дегтярева:

— Ну-ка, изложи наш план.

— За удачно завершенное дело меня премировали отпуском, — покорно сказал Дегтярев, — поэтому я буду сидеть дома. Вообще-то, это жуткая глупость. У нас в лучшем случае могут благодарность объявить, устную.

— Но домашние о ваших правилах не осведомлены, — справедливо заметила я. — Откуда им это знать? Они легко поверят сказке.

— Ладно, — согласился приятель.

— Никому не рассказывай о своей проблеме, — продолжала я. — Если по служебным коридорам разнесется слух, что Дегтярев вляпался в неприятную историю и потерял память, хорошего не жди.

— Это точно, — поежился полковник.

— Нашим тоже незачем сообщать подробности, замучают тебя заботой.

— Оксана в курсе, — напомнил приятель.

— Она врач, привыкла хранить чужие тайны.

— Еще Кондратьев. Ты сказала, я его просил помочь.

— Я придумаю, как нейтрализовать Витьку. Сиди

тихо, ни во что не вмешивайся, я попытаюсь узнать, почему Юлия Моргалова вызвала твой интерес, а там и память к тебе вернется.

— Думаешь?

— Стопроцентно, — соврала я. — Дело только во времени.

— Ага, — без особого энтузиазма кивнул Дегтярев, — я с ума сойду, сидя на участке.

— Ты можешь помочь Тёме! — в порыве вдохновения воскликнула я. — Помнишь, он выгнал вороватых прорабов и теперь сам занимается отделкой.

— У меня нет художественного вкуса, — печально констатировал Дегтярев.

Похоже, он и в самом деле заболел. Еще в начале июня Александр Михайлович считал себя специалистом по всем вопросам жизнедеятельности человека.

— Я старый, толстый, лысый неудачник, — вдруг заявил Дегтярев, — живу в твоем доме из милости.

— Ты молодой, стройный, кудрявый, настоящий полковник, — попыталась я его утешить.

— Нет, — уперся он, — процесс пошел, скоро я забуду, как меня зовут и где стоит холодильник.

— Вот уж сомнительно, — захихикала я. — Даже наша безумная Черри, прабабушка российских пуделей, всегда исправно находит миску.

— Может, попить лекарства для активизации мозговой деятельности? — промямлил Дегтярев.

— Тебе ничего не выписали, — предостерегла я его, — надо слушать доктора.

— Ладно, — согласился полковник, чем вверг меня в окончательный ужас.

Пусть уж лучше Александр Михайлович надувает щеки, раздает глупые указания, создает штабы, руководит нами и злится на домашних, чем безропотно идет у меня на поводу.

В саду около куста пионов копошился садовник Иван.

— Как дела? — из вежливости поинтересовалась я и тут же пожалела о содеянном.

Ваня начал живописать ненужные подробности:

— Тля прилетела, пожрала, дрянь, цветочки. Вона, листочки в решето превратились. Может, хоть жасмин зацветет, если его клещ не облепит, и...

— Наши не уехали? — оборвала я его стоны.

— Не знаю, где кто, — проворчал Иван, — вот тлю распрекрасно вижу.

— Пошли в столовую, — велела я Дегтяреву.

## Глава 11

— Папа, ты не на работе? — удивился Тёма, мирно пивший кофе за длинным столом.

Я незаметно пнула полковника.

— Отпуском меня наградили, — озвучил отрепетированный текст Дегтярев.

— Отлично, — отмахнулся Тёма. — Представляешь, как мне повезло: приехал сегодня из командировки, а у вас Андрей, художник-дизайнер, он готов помочь с ремонтом, сейчас разные идеи выдвигает. Если ты не занят, присоединяйся. Одна голова хорошо, а две лучше.

Я постаралась сохранить серьезное выражение лица. Две башки бывают лишь у мутанта. Случись у меня пара головушек, они бы ни за какие коврижки не сумели договориться между собой, спорили бы, упрекали друг друга, занудничали. А какие счета пришлось бы оплачивать в салоне красоты? Стрижка, краска волос, массаж двух мордочек... Не говоря уже о косметике! Ну каким образом две физии сумеют прийти к консенсусу в отношении макияжа? Его же надо выполнять в одном стиле... А серьги?

Я содрогнулась. Нет уж, одна голова лучше, пусть она и глупая, как кое-кто считает, зато обойдусь без конфликтов.

— Если допустите меня, простого мента с кондовым вкусом, к отделке помещения, я буду рад помочь, — смиренно ответил Дегтярев, который, похоже, вжился в роль страдальца.

Впрочем, последнее замечание не совсем верно. Иногда Александр Михайлович любит прикинуться бедным сиротой. Уж не знаю почему, но Маруська называет его тогда «Пипкан» и сурово заявляет: «Не делай из себя Пипкана». Это замечание моментально заставляет полковника опомниться, но фразу должна произнести именно Машка.

— Главное, определить цель! — заявил Андрей. — Что вы хотите получить в результате отделки?

— Хороший дом, — абсолютно правильно, на мой взгляд, ответил Тёма.

— Уточним понятие «хороший», — потер руки Корундов.

— Надо создать штаб, — оживился полковник, — составить должностную инструкцию, распределить обязанности, обозначить меру ответственности, провести совещание!

Тёма поглядел на отца со страхом, а я приободрилась: слава богу, Дегтярев начинает выздоравливать.

— Замечательная идея, — кивнул Андрей, — очень верная. Редко кто понимает, что правильное руководство — залог успеха предприятия.

— Мы определенно сработаемся! — пришел в восторг полковник. — Где устроим штабное помещение?

И тут в столовую ввалились остальные домочадцы. Я постаралась не застонать от ужаса. Похоже, вся семья решила помочь Тёме. Вот где настоящая катастрофа. Сейчас в доме скопилось слишком много народу, и все с хорошо подвешенными языками, значит, каждый начнет высказывать свое мнение. Угадайте, чем закончится сей «совет в Филях»? Абсолютно верно — грандиозным скандалом.

Ну-ка, признайтесь честно, в вашей семье спокойно обсуждают проблемы, связанные с ремонтом и строительством? Так вот, вы не исключение.

— На потолке обязательно должна быть лепнина, — с порога заявила Зайка, — розетка и карнизы.

— С позолотой, — зычно добавила Ирка. — Я видела у Максимовых с пятого участка. Суперски смотрится, богато.

— Ты шляешься по гостям? — неодобрительно заметил Аркадий. — Ясно теперь, почему в моем кабинете окно не мыто.

— Ихняя Ленка у нас лестницу брала, — начала оправдываться домработница. — Вечно возьмет что-нибудь и не вернет, вот мне и приходится ходить за своим. Ох и красиво у них! На потолке картина — бело-голубые мужики.

— Пидарасы? — разинул рот Иван.

— Кто? — осеклась Ира.

— Ну... эти...

— Максимовы? — всплеснула руками Ирка, сверля мужа взглядом. — Чего поглупей сбреши! Там одни бабы живут.

— Сама сказала, — протянул Ваня, — голубые мужики!

— Не живые, а нарисованные, — пояснила Ирка, — на потолке. Пол выложен плитками, типа ковер!

— Чё, денег на палас не хватило? — снова перебил супругу Иван.

— О господи! — простонала Ирка. — Заткнись.

— Когда я говорю, — ожила Зайка, — все должны молчать. Продолжаю: нужна лепнина. Интеллигентная, без всяких сусальных заморочек.

— Ай! — взвизгнула Ирка. — И туда добрались! Бей их, гадов!

— Кого? — изумилась я.

— Тараканов, — затряслась Ирка. — Ненавижу!

— Бога ради, успокойся, — поморщился Кеша. — Ты несешь чушь. Какие прусаки на строительстве? Там только крысы могут быть.

На мой взгляд, грызуны с острыми зубами, способные прыгать вверх на высоту человеческого роста, намного хуже мирных насекомых, но Ирка неожиданно успокоилась.

— Ну ладно, — протянула она. — А чего тогда про усы говорили?

— Не про усы, — обозлилась Зайка, — а про сусальное золото.

— Из усов? — тупо переспросила Ирка. — Чьих?

Терпение у Ольги заканчивается быстро.

— Ты зачем сюда явилась? — налетела она на домработницу.

— Помочь хотела, с интерьером, — гордо ответила Ирка, — я во многих ложкинских домах бывала, навидалась.

— С лестницей путешествуешь? — засмеялся Аркадий.

— Ухожу, коли не нужна, — надулась Ира. — Покедова.

Сгорбившись и протяжно вздыхая, она побрела к двери.

— Стой, — велела Зайка. — Только молча.

— Раз я не нужна, до свидания, — проныла домработница. — Где уж мне с хозяевами тягаться? Я ж необразованная деревенщина...

— Останься! — повысила голос Ольга.

— Спасибо, но нет, — раздалось в ответ. — Я свой шесток знаю.

— Тогда уматывай побыстрее! — обозлилась Зайка.

— Ну уж тогда не уйду, — мигом ощетинилась Ирка.

— Мы пришли сюда не для выяснения отношений, — напомнил Кеша, — обсуждаем интерьер.

— Лепнина, — завела прежнюю песню Зайка.

— Голубой потолок, — талдычила Ирка.

— Золотые листочки на стенах, — мечтательно добавил Иван.

— Никогда! — испугался Тёма. — Чистая штукатурка.

— Обои с собачками, — запрыгала почему-то молчавшая до сих пор Машка.

— Жесть! — отрезала Ольга.

— Тогда с кошечками, — предложила Маня.

— С тракторами и сеялками, — брякнул Кеша. — А что, прикольно!

— О-о-о! Нет! — простонал Тёма.

— Вместо того чтобы помочь, ты придуриваешься! — налетела на мужа Ольга. — Выскажи свое мнение без идиотских шуток.

— Оно вам надо? — прищурился наш адвокат.

— Конечно, — закивал Тёма, — знаешь, как трудно определиться.

— Минимализм, — отрезал Кеша. — Потолок черный, стены белые, на полу никакого паркета — ковровое покрытие. Кровать с кожаной спинкой, над ней портрет Хичкока.

— Это кто-то из мультика? — наивно спросил Дегтярев.

Маша прыснула, а я крепко сжала губы. Ни за что не рассмеюсь, нехорошо хихикать над полковником, у которого нет времени на просмотр фильмов.

— Хичкок — режиссер первых фильмов ужасов, — пояснил Андрей, — «Птицы», например. Неужели не видели?

— И зачем его рожу в спальне вешать? — обомлел толстяк. — Туда хочется красивое... фонтанчик... пейзаж... аквариум...

Кеша склонил голову к плечу.

— Не скажи. Проснется Тёма утром, глянет на ту, что рядом лежит, потом Хичкока увидит и поймет: все не так уж и плохо, не самую уродливую приволок.

— Какое безобразие! — заорала Зайка.

Тёма покраснел, Машка заморгала. И тут от входной двери послышались женские голоса:

— Андрюша, ты тут?

— Корундов, отзовись!

Я вжала голову в плечи и трусливо рванула из гостиной.

Вот беда — в Ложкино заявились Дина и Таисия, чтобы забрать несчастного погорельца. Мне совершенно не хочется встречаться с бывшими одногруппницами и уж тем более вступать с дамами в беседу. Надо срочно уезжать из поселка, пусть с незваными гостями разбирается Тёма. Андрей взялся делать дизайн-проект его дома, я тут абсолютно ни при чем.

Но тихо удрать не удалось. Когда я почти выбралась из особняка, на мое плечо опустилась чья-то рука.

— Я очень спешу, — вякнула я, — тороплюсь... э... бегу...

В самый неподходящий момент меня подвела фантазия. Как назло, я не могла придумать достойного дела, из-за которого сейчас бегу, теряя тапки.

— У Хуча на животе кожа шелушится, — рявкнули у меня над ухом.

Я обернулась и с облегчением воскликнула:

— Фу! Это ты!

— А кого вы ждали? — удивилась Ирка.

— Что с мопсом?

— У него на пузе, между задними лапами, ну где пупок...

— У собак его нет, — машинально ответила я, — вернее, он не такой, как у людей.

— ...шкура облазит, — завершила Ирка фразу, — Хуч постоянно чешется. Чем его помазать?

— А теперь в дом к Тёме! — заорала Зайка.

Я снова вжала голову в плечи. Все, пора сматываться.

— Чем помазать? — настойчиво повторила домработница.

— Возьми у меня в ванной крем, — на ходу посоветовала я.

— Какой? Их там сто штук! — не успокаивалась домработница.

— Ужасные у вас стены, — заявила Дина, — очень плохое качество строительства!

Сообразив, что компания сейчас вырулит в прихожую и избежать встречи с Емельяновой мне не удастся, я, прошипев Ирке на ходу: «Серая банка с красной крышкой», — мухой вылетела во двор.

Отъехав от поселка на безопасное расстояние, я со спокойной душой вытащила пачку сигарет, закурила и призадумалась. Как можно выручить Дегтярева? Необходимо найти человека, нанявшего полковника, только он способен рассказать все о деле. Судя по тому, что Александр Михайлович целую неделю занимался расследованием, он нарыл нечто интересное. Вот только что? И где оно закопано? Впрочем, возможен другой вариант: я могу сама вычислить убийцу Юли и таким образом решить все проблемы.

Я осторожно затушила окурок, закрыла пепельницу и решительно схватилась за руль. Никто не должен знать, что с Дегтяревым стряслась беда. Витька Кондратьев неплохой человек и отличный специалист, но он открыто завидует полковнику. Вот интересный вопрос: почему высококлассный специалист, ловко раскалывающий преступников, столь наивен в отношениях с родственниками и приятелями? Мне вся правда о Кондратьеве стала понятна после того, как он с женой и детьми побывал у нас в Ложкине на дне рождения полковника. Я хорошо помню, какими глазами мадам Кондратьева смотрела на наш участок и дом. Я еще тогда подумала: «Эх, зря Александр Михайлович решил устроить шашлыки в Ложкине. Зависть не самое лучшее удобрение для близких отношений. Лена начнет капать мужу на мозги, попрекать его неумением зарабатывать деньги, и дружба сослуживцев лопнет».

Но Витька не выпал из обоймы друзей, он только начал постоянно жаловаться на плохие жилищные условия и тяжелое материальное положение. Но я уверена — Кондратьев спит и видит себя на месте Дегтярева, он хочет разбогатеть и наивно полагает, что кресло начальника ему в этом поможет. Хотя, если брать взятки...

В общем, Витька мне сейчас не помощник. Если до него дойдет правда, он с восторгом разнесет по отделу весть об амнезии у начальника, да еще присочинит детали. Если вы полагаете, что сплетничать обожают только женщины, то глубоко заблуждаетесь. Кстати, любой слух, бродя по коридорам и кабинетам, обрастает невероятными деталями. Даже если Кондратьев сообщит о частичной амнезии у Дегтярева, до секретарши генерала дойдет весть о полной потере памяти. Анюта влетит в кабинет начальника и заговорщицки зашепчет: «Слышали? Дегтярев не ездил на рыбалку — его инсульт разбил! Он в идиота превратился, ничего не помнит. Забыл, как его зовут, а на работу выходит. Вот уж цирк получится! Конечно, он с богатой живет, она ему любые справки купит про суперское здоровье. Только народ не обмануть. Вы на него повнимательней гляньте! Совсем плохой!»

Я потрясла головой, отгоняя неприятное видение. Решено, я действую в одиночку. Прежде всего мне необходимо нарыть побольше сведений о Юлии Моргаловой. Ведь зачем-то Дегтярев к ней пришел! Именно на квартире у молодой вдовы его и стукнули по голове. Если я переберу биографию Юлии по косточкам, непременно обнаружу то, что привлекло внимание Александра Михайловича. А как поступают оперативники, которые должны узнать о личности всю подноготную? Они сначала опрашивают соседей. Вот и мне следует начать с того же.

Во дворе дома, где произошло убийство, гуляли мамы с детьми. Я опустилась на скамеечку, на которой сидела девушка с книжкой, и вежливо сказала:

— Здравствуйте.

— Бр-бр-бр, — пробормотала девица, не отрываясь от чтения.

— Хороший сегодня день, — предприняла я еще одну попытку завязать знакомство, — солнышко светит.

— Чего надо? — окрысилась незнакомка. — Дел нету?

— Я совершенно свободна, — подтвердила я.

— Тогда не мешай другим к экзаменам готовиться! — рявкнула девица. — Или сиди молча, или переползи вон туда. Видишь, там Маринка маячит? У нее рот не захлопывается, с ней и болтай.

Я молча встала и пошла по направлению к лавочке, где вязала на спицах полная девушка.

— Че, бортанула тебя Алена? — поинтересовалась она, прежде чем я села рядом. — Наша выскочка это умеет!

— Ей-богу, не понимаю, чем вызвала ее раздражение, — прикинулась я обиженной, — всего лишь поздоровалась.

Марина закатила глаза.

— Королева помойки! Мы в одном классе учились, так она ни с кем из наших не здоровается.

— Почему?

Марина улыбнулась.

— Мы простые. Я в магазине после одиннадцатого класса торговала, Ленка в салоне с феном в руках прыгает, Катя курьером пристроилась, и остальные девочки приблизительно так же. Алена же в институт поступила, теперь нос дерет. А я считаю, главное — семья! Вот, мне скоро рожать...

Тут только до меня дошло, что девушка не толстая, просто она на последнем месяце беременности.

— У Аленки нет мужика, — продолжала сплетничать Марина, — и никогда не будет. Наши для нее простые, а в институте, наоборот, больно богатые, там она побирушка. Вон как! Диплом получит, а счастье просрет.

— Судя по цвету шапочки, вы ждете мальчика? — кивнула я на вязанье.

— А в нашей семье всегда первым парень появляется, — радостно засмеялась Марина, — затем девки косяком идут. Основное для женщины — муж и дети. Да ну его, образование, оно еще в школе мне обрыдло! С дипломом спать не ляжешь, он о тебе не позаботится, стакан воды в старости не подаст.

— Ну, вам пока рано думать о старости!

— Никто не знает, где судьба настигнет, — по-бабьи вздохнула Марина, — вон Юлька! Бах — и нету!

— Я слышала о несчастье, — подсуетилась я.

— А вы Юлю знали? — заинтересовалась Марина.

— Общалась некогда с ее мамой, — обтекаемо ответила я, — мне вчера позвонили и сообщили страшную весть.

— Ой, вот здорово! — невесть чему обрадовалась беременная. А затем закричала: — Тетя Катя! Иди сюда!

Одна из пожилых женщин, толкавших туда-сюда коляски, вполголоса возмутилась:

— Марина! Не шуми! Только что ребенок уснул.

— Тут вы не дома. И одиннадцати вечера нет, — парировала девушка, — хочу и ору. Баба Катя!

— Тьфу прямо, — обозлилась старуха и начала с силой трясти короб на колесах, из которого незамедлительно полетел сердитый плач.

— Баба Катя! — надрывалась Марина.

— Что случилось? — спросили сверху.

Я задрала голову — на одном из балконов четвертого этажа маячила круглая фигура в ярко-красном спортивном костюме.

— Тут родственница Юльки, — завопила Марина, — по линии мамы! Может, мы зря на похороны собираем?

— Поднимитесь ко мне, — засуетилась женщина, — пожалуйста, не сочтите за труд.

Я пошла к подъезду.

— А деньги нам верните! — не успокаивалась Марина. — Если родственники нашлись, им и надо тратиться! У людей тут лишних рублей нет.

Тетка в спортивном костюме ждала меня на лестничной площадке.

— Уж простите меня, — извинилась она, — артрит замучил, лишний раз не спуститься.

— Мне нетрудно было подняться.

— В вашем возрасте я прыгала как кенгуру, — засмеялась пенсионерка и тут же осеклась: — Бога ради, простите. У вас горе, а я с хаханьками! Заходите. Хотите чаю?

— Не откажусь, — кивнула я.

— В момент спроворю, — пообещала хозяйка, — только сначала познакомимся. Катерина Андреевна я, но лучше без отчества, по-простому — баба Катя, мне так привычней.

— Даша, — представилась я.

— Вот и ладушки, — кивнула старушка. — Ну, чего же в дверях маемся?

## Глава 12

— И с какого бока ты Юлечке родственница? — спросила баба Катя, подавая мне высокий фарфоровый бокал темно-синего цвета. — Вроде родни у них не было.

— Марина неправильно меня поняла. Я всего лишь хотела спросить про квартиру, будут ее продавать или нет. Если выставят на торги, кто этим займется?

— Ах ты господи! — явно расстроилась бабуся. — А я уж обрадовалась, что сброшу ответственность с плеч. Юля-то одинокая, вот и встал вопрос — кто ее хоронить будет. Ну я и затеяла сбор средств, поскольку старшая по подъезду.

С несвойственной пожилым и уж тем более тучным людям резвостью баба Катя метнулась к буфету и вытащила из ящика железную коробку из-под печенья.

— Во, — сказала она, водружая на нос очки, — тут полная бухгалтерия, дебет с кредитом до копеечки. Первая квартира: Усаповы сто рублей отслюнили.

— Немного, — констатировала я.

— А где Верке больше взять? — протянула баба Катя. — Петька пьет, детей двое. Вот Ракитова из восьмой пожадилась — тысячу отсыпала. У нее мужик бизнесмен, ларек на остановке держит, могла и сотню долларчиков бросить. Ох люди! Злопамятные есть. И глупые, как Марина. Говоришь, квартиру купить собираешься?

Я закивала.

— Понимаете, я работаю в риелторском агентстве за процент, вот и приходится крутиться. Узнала, что в доме жилплощадь освободилась, и прибежала выяснить: не хотят ли родственники ее на сторону пустить. А девушка во дворе не разобралась.

Тут мой фонтан вранья иссяк. Не слишком удачную версию я придумала для оправдания собственного любопытства, сейчас баба Катя справедливо спросит: «Зачем же так торопишься? После смерти хозяйки должно пройти полгода, только тогда жилплощадь может перейти к наследникам».

Но старуха не заметила нестыковки.

— Ясное дело, если кушать захочешь — запрыгаешь. Знаю я, как бывает. В нашем подъезде в четырнадцатой квартире комната освободилась. Ермаковы померли, одинокая пара, без детей. Ну и заняли ее Фисуновы. Уж как они радовались! До небес скакали, что сумели комнату получить. В наши-то времена у государства ничего не выпросить, а им повезло. Поселились и зажили, а через два года с зоны родной брат Ермакова явился. О нем все забыли, думали, что умер, а он приехал. Суд затеял, теперь у Фисуновых не жизнь, а слезы. Вон, вчера, когда деньги собирала, я с Надькой говорила. Стоит в соплях, стонет: «Ой, баба

Катя! Из нас опять хотят коммуналку сделать, маленькую спальню уголовнику отдать собираются». Чего только не случается! Хорошо, идем дальше по списку. Третья дверь на лестнице. Макаровы. Ну к ним я даже не пошла.

— Такие жадные? — спросила я.

— Говорю же, злопамятные люди бывают. Макаровы с Юлей даже не здоровались.

— Почему? — насторожилась я.

Баба Катя опустила вниз уголки рта.

— Сколько на свете живу, столько поражаюсь глупости человеческой. В свое время Леокадия хорошую жену Косте нагадала, да ошиблась — обобрала их невестка. Зина почему-то решила, что Леокадия беду приманила, и пошла ей окна бить.

— Пока я плохо понимаю суть дела, — призналась я.

Старушка скрестила руки на груди.

— Ты в колдовство веришь?

— Нет, — улыбнулась я.

— А предсказаниям астрологов?

— Не очень.

— И я, — неожиданно засмеялась баба Катя. — Но иногда в газетах прогнозы на неделю читаю. Ты кто по знаку Зодиака?

— Близнец.

— О! И я тоже! — обрадовалась старуха, потом протянула руку, взяла с подоконника газету, водрузила на нос большие очки и с чувством прочитала: — «Неделя пройдет спокойно. Во вторник узнаете о большой неприятности, в среду захотите помочь близкому человеку. Наш совет: не ввязывайтесь в события, будет только хуже. В пятницу вас ждут большие денежные потери, в воскресенье ваша любовь преподнесет сюрприз». Ну и как тебе это?

— Как ни странно, кое в чем совпадает, — сказала я. — В особенности радует предстоящая трата денег.

Пятница еще не наступила, но она непременно придет, и — прощайте рублики. Закон Мерфи.

— Что? — не поняла баба Катя.

— Если неприятность должна произойти, это непременно случится, если неприятности не ждешь, она тоже непременно произойдет, — пояснила я.

— Так ведь сколько на свете народа в июне родилось, и что, у всех одинаково будет? — фыркнула старушка. — Нельзя людей, как консервы, оценивать, по дате выпуска. Глупости это! Лишь бы деньги выманить!

— Леокадия была астрологом? — Я попыталась вернуть пенсионерку в русло беседы.

— Ну типа того, — кивнула баба Катя. — И очень среди своих известной. Похоже, она в самом деле чего-то умела, к ней люди толпами ходили. Вот и Зинка поперлась. Потом во дворе орала: «Думала, она мне поможет, а мерзавка соврала про невестку!» Наши тогда ее утешать стали, дескать, наплюй, будет у Костика другая жена, не змея, а нормальная женщина. Куда там! Зина решила, что Леокадия накаркала. Я вот, например, сразу поняла: ошиблась колдунья. Вот пообещай она дрянь-девку в жены парню, тут все точно было бы. Если чего плохое пророчат, отчего-то кажется: оно и правда.

Я отвернулась к окну. Почему человек устроен таким образом? Обязательно верит в неприятности, которые по большей части сам себе и предсказывает. Не зови беду, и она не явится!

— В общем, вышло по-иному, чем Леокадия наобещала, — вздыхала рассказчица, — год прошел, и невестка свекровь обокрала.

Я еще раз удивилась человеческой глупости. Хорошо предсказание — исполнилось через год. Когда-то судьба столкнула меня с одним типом, который зарабатывал на хлеб гаданием, причем дело он имел только с беременными — сообщал им пол будущего ребенка. Аппарат УЗИ появился относительно недавно, и, между прочим, кое-кто и в наши дни не хочет идти на исследование, боится, что оно отразится на здоровье будущего малыша. Так вот, тот предсказатель сообщал будущей мамаше с самой серьезной миной: родится мальчик. Сами понимаете, особого выбора у него не было, поэтому очень часто мужик попадал в цель. Но если к нему являлись через некоторое время обозленные родители и начинали орать: «Обманщик, шарлатан! Мы купили все голубое, а на свет появилась девчонка! Отдавай назад деньги за свои лживые предсказания!» — колдун моментально раскрывал амбарную книгу и весело отвечал: «Ребята, вы ошиблись. У меня, как в аптеке, глядите, напротив вашей фамилии написано: женский пол. Вы сами перепутали!»

Догадались, как действовал хитрец? Он озвучивал будущим родителям один пол ребенка, а в гроссбухе фиксировал другой. Простой до гениальности трюк позволял мужику иметь ежедневно хлеб с маслом и икрой. Но мошенник никогда не делал глобальных предсказаний, он занимался мелким обманом...

— Вот четырнадцатая квартира молодцы, — тараторила между тем баба Катя, — десять тысяч рублей не пожалели. Хотя... Небось Полинка это от радости.

Я снова подняла ушки на макушке.

— Юля конфликтовала с этой женщиной?

— Нет, нет, — замахала руками баба Катя, — они дружили, но в последнее время Сашка, муж Полины, частенько забегал к Юле. Жена на работе сутками сидит, а он у соседки чаи гоняет. Красиво?

— Нехорошие мысли приходят в голову, — согласилась я.

— Отсюда и десять тысяч, — закивала баба Катя, — большая сумма для медсестры. Небось Полька в сердцах Юле смерти пожелала, а теперь совестью грызется.

— Похоже, Юля со всеми в доме переругалась, — провокационно заявила я.

— Да нет, — возразила старушка, — Зинка к ней

по большому счету претензий не имела, просто денег на похороны пожалела, вот про Леокадию и вспомнила, а с Полиной они дружили. Это уж мои предположения. Ну с чего бы девке такие деньжищи отваливать? Не иначе считает себя виноватой.

Я просидела у бабы Кати еще час, но больше ничего интересного не узнала.

В третьей квартире никого не оказалось, в четырнадцатой тоже, я постояла пару минут у запертой двери и вышла во двор. Женщин с колясками поубавилось, но Марина продолжала сидеть на скамейке.

— Ну чего, вернут нам бабло? — оживилась она, увидав меня.

— Скорей всего нет, я не имею никакого отношения к семейству Юлии. Кстати, вы не в курсе, где работает Полина? — спросила я.

— Жукова? — удивилась беременная.

— Из четырнадцатой квартиры, — уточнила я.

Марина ткнула спицей в сторону проспекта.

— Видите дом? Здоровущий, с колоннами... Там больница. Хорошо Полина устроилась, пешком на службу бегает.

— А в каком она отделении?

Беременная отложила вязанье.

— Хрен ее знает, мне это неинтересно.

В каждой клинике непременно отыщется окно с табличкой «Справочная». Я оперлась на небольшой прилавок, сунула голову в отверстие и увидела молодого парня, читавшего толстую книгу.

— Здрассти, — тихонько сказала я.

Юноша моментально отложил том.

— Что хотите?

— Я ищу медсестру Полину Жукову. Не скажете, где ее найти?

— Третья терапия, — ответил молодой человек и закашлялся.

Обрадованная неожиданной удачей, я пошла к лифту и увидела грозное объявление: «Кабина только для лежачих». Тут же прибыл подъемник, и люди стали набиваться в него, не обращая никакого внимания на табличку. Меня сначала втиснули в железный «пенал», потом выпихнули из него. Народу в больнице было как на вокзале, охраны не наблюдалось, никто не надевал бахилы... В клинике у Оксаны совсем другие порядки, там вас не пустят дальше лестницы без халата и пластиковых чехлов на туфлях, здесь же я прямо в уличной обуви попала в отделение и пошла по протертому линолеуму, стараясь глубоко не вдыхать смесь из «ароматов» хлорки и лекарств.

В конце концов узкий коридор превратился в некое подобие холла с продавленными диванами и буйно цветущими растениями. Справа высилась стойка, а за ней сидела девушка, сосредоточенно листавшая яркий журнал.

Я подошла вплотную и кашлянула, девица не отреагировала.

— Здрассти, — робко сказала я.

— Сейчас обед, — не поднимая головы, сообщила медсестра, — через пять минут тихий час, посещения с семнадцати.

— Мне нужна Полина Жукова, где ее найти?

— Слушаю вас, — сказала девушка и подняла голову.

Я ахнула. Сразу стало понятно, отчего парень из справочной моментально назвал отделение, где работает медсестра, — Полина оказалась редкостной красавицей. Подобные лица снимают для гламурных изданий, и никак не ожидаешь увидеть в затрапезной муниципальной клинике ангела с точеным носиком, безупречной кожей, бездонными карими глазами и пухлыми чувственными губами.

— Жукова перед вами, — без всякого раздражения повторила девушка. Очевидно, она давно привыкла к производимому ею впечатлению.

— Вы Полина? — глупо спросила я.

— Да, — спокойно подтвердила девушка. — В чем дело?

— Я по поводу Юлии Моргаловой.

Медсестра закрыла журнал.

— Слушаю.

— Мы можем поговорить в тихом месте?

Полина молча ткнула пальцем в селектор.

— Чего? — хрюкнуло из пластиковой коробочки.

— Подмени меня, я покурить пойду, — попросила девушка, встала и направилась в сторону лестницы.

Я двинулась за ней, испытывая настоящий комплекс неполноценности. Встречаются же такие красавицы! Глаз не отвести! Обычно Господь награждает нас чем-то одним: красивыми волосами, фигурой... или одаривает, как меня, исключительным умом и сообразительностью, а Полина получила все сразу, в комплекте. Да у нее талия, как у Гурченко, а бюст, словно у Памелы Андерсон, и я сомневаюсь, что он силиконовый, у простой медсестры не хватит денег на имплантаты.

Устроившись у подоконника, на котором стояла банка из-под растворимого кофе, набитая окурками, Полина равнодушно спросила:

— Так зачем я вам понадобилась?

— Говорят, вы дружили с Юлией, — начала я.

— С кем? — не меняя выражения лица, перебила меня Полина.

— С Моргаловой Юлей, вашей соседкой, — слегка растерялась я.

Жукова вынула из кармана халата пачку очень дорогих сигарет.

— Кто говорит?

— О чем? — совсем потерялась я.

— О нашей дружбе.

— Ну... люди.

— Вы верите сплетням? — подняла одну бровь Полина.

— Баба Катя сообщила, что все в подъезде пожертвовали на похороны Юлии копейки, а вы дали десять тысяч.

— И что? — вместе с дымом выдохнула девушка.

— Сумма очень большая.

— И что? — повторила Полина.

— Она свидетельствует о ваших особых отношениях.

Жукова выпустила новую струю дыма и спокойно поинтересовалась:

— Это противозаконно — дать деньги на погребение одинокого человека?

— Нет, конечно.

— Тогда в чем дело? Вы кто?

Красота девушки, подчеркнутая умело сделанным макияжем, и ее удивительное умение владеть собой внезапно начали меня раздражать.

— Я из милиции, — вырвалось у меня, — занимаюсь делом Моргаловой.

— Ваши документы.

Я вздрогнула. Люди в таких случаях, как правило, верят на слово. Сколько я ни прикидывалась сотрудницей правоохранительных органов, у меня ни разу не потребовали удостоверения.

— Ну? — с явной издевкой поторопила Полина. — Где корочки?

— Дома забыла, — соврала я.

Жукова улыбнулась и стала еще очаровательней.

— Туфли из последней коллекции Марка Пулмакса, дорогая сумочка, джинсы и футболка от «Грочч»[1]... Маловероятно, что в ментовке столько платят. Тамошней сотруднице на одни ваши баретки надо год пахать.

— Потрясающе! — воскликнула я. — Угадали все! С таким талантом вам следует работать в модном журнале!

---

[1] Название придумано автором.

— Какие мои годы, — прожурчала Полина, — еще успею, а пока мне и в больнице хорошо. Так вы кто?

— Корреспондент из «Жизни», — потупила я взор.

— Покажите удостоверение.

— Я его никогда с собой не ношу. Пару раз теряла, теперь храню дома.

— И почему я должна вам верить?

Я вынула мобильный телефон.

— Сами наберите номер справочной, спросите, как позвонить в «Жизнь», и позовите Артура Пищикова. У меня есть его сотовый номер, но вы же хотите быть уверенной, что общаетесь именно с представителем данного издания.

— Идет, — кивнула Полина.

— Когда Пищиков возьмет трубку, верните мне аппарат, я переключу его на громкую связь, и вы услышите наш разговор в деталях.

— Хорошо, — согласилась красотка и начала нажимать на кнопки.

Через пару минут раздалось нервное:

— Алло-алло.

— Здравствуй, Артур, — быстро сказала я. — Узнал меня?

— Здравствуй, Дарья, — ответил Пищиков.

Я расслабилась. У нас с Пищиковым есть договоренность: если говорю в трубку «Здравствуй, Артур», а не обычное «Привет, писака», значит, рядом находится посторонний человек и мне нужна помощь. Приятель должен ответить в том же духе. «Здравствуй, Дарья» — это сигнал, говорящий о его готовности к сотрудничеству.

— Я нахожусь в клинике, собираю материал по Моргаловой, сегодня сдам статью.

— Следовало заняться этим раньше, — заявил Артур.

— Она только вчера умерла.

— Хороший репортер заранее предвидит «бомбу», — подхватил Артур.

Мысленно похвалив Пищикова за артистизм и догадливость, я сказала:

— У меня возникла проблема.

— Надеюсь, серьезная, раз ты отвлекла главного редактора. — Артурчик не упустил возможности назначить себя на должность начальника.

— Ты можешь сейчас подтвердить, что я являюсь корреспондентом «Жизни»?

— Тебя в ментовку загребли? Куда приехать?

— Нет, надо просто вслух сказать.

— Без проблем, — развеселился Артур. — Люди! Ау! Слушайте все! Эта женщина пишет для «Жизни» отвратительные статьи. Сам не понимаю, почему еще не выгнал ее вон. На работу опаздывает, тексты плохие, запятые расставлены по-идиотски, правим опусы до скрючивания наших редакторских пальцев...

— Спасибо, — перебила я раздухарившегося Артурчика, — думаю, этого хватит.

— Проверь как следует факты, — не успокаивался Пищиков. — Сама знаешь, «Жизнь» никогда не выпускает «уток»!

Я сунула телефон в карман и посмотрела на Жукову.

## *Глава 13*

— Ну, предположим, я поверила, — с серьезным лицом заявила Полина. — И все равно не понимаю, зачем вы сюда-то пришли.

На меня внезапно снизошло вдохновение.

— Репортера ноги кормят, газета выходит каждый день. А где сенсации нарыть? Вот мы и создаем сеть информаторов: сотрудники «Скорой помощи», медсестры в больницах, пожарные, милиционеры... Понимаете?

— Нет, — с неким подобием улыбки ответила Полина.

— Допустим, актер N сделал подтяжку. Конечно,

он попытается скрыть этот факт, начнет врать про правильный образ жизни и занятия спортом, но осведомитель сообщит правду и получит за сотрудничество гонорар.

— Ясно, — кивнула Полина. — Вы обратились не по адресу. У нас муниципальное заведение, для бедных, випы здесь не показываются, отделения пластической хирургии нет, ничего интересного я вам не расскажу.

— Я пришла поговорить о Юлии, — напомнила я. — Один человек нам сообщил, что произошло убийство, второй рассказал о вашей дружбе.

— Гоните вон своих шептунов, — развеселилась Полина, — набрехали вам по полной программе. Никто Моргалову не убивал, и мы с ней не приятельствовали.

— А десять тысяч целковых на похороны дали!

— Их Саша отстегнул, — хмыкнула Полина, — у него и спрашивайте.

— Вы не знаете, по какой причине ваш муж решил расстаться со столь крупной суммой?

— Догадываюсь, — без видимого раздражения отозвалась Полина, — только он мне не муж.

— Но баба Катя сказала...

Жукова села на подоконник.

— Вы всегда так статьи пишете? Натрясете сплетен и довольны? Сашка мой брат, правда, сводный, но все равно родная кровь, а фамилия у него Филимонов, может, отсюда и слух покатил. У вас нет ни капли достоверной информации. Юля умерла своей смертью. Вот только про десять тысяч правда, дал он их старухе. Вопрос: почему?

— Странная штука получается, — протянула я, — вы всю жизнь в доме провели, и соседи про родство с Сашей не знают? Право, это смешно!

Жукова заморгала.

— Ну ваще! — по-детски воскликнула она, разом растеряв имидж спокойной и уверенной в себе девушки. — Да мы там всего ничего живем! Сняли «однушку» по дешевке. Я имею диплом об окончании медучилища, приехала поступать в институт и срезалась, пришлось временно в больницу пристроиться, стаж нарабатывать. А Сашка службу за границей искал. Думаете, я всю жизнь собираюсь клизмы ставить и таскать горшки с дерьмом? Я хирургом хочу быть! Мы с Сашей крепко дружим, пару раз по двору под руку прошли, вот старухи и зачесали языками. С Юлей же мы совершенно случайно познакомились!

Полина вынула сигареты, успокоилась и начала подробный рассказ. По ее словам, дело обстояло так.

Не успела медсестра поселиться на новой квартире, как ночью к ней в дверь позвонили. Жукова небогата, в комнате был брат, поэтому Полина, даже не спросив: «Кто там?», открыла.

На пороге стояла молодая женщина, со слезами на глазах она произнесла:

— Извините, говорят, вы медик?

Полина приехала в Москву из маленького городка. До приезда в столицу она училась на медсестру и очень хорошо знала: хочешь спокойной жизни, никому из соседей не сообщай о своем умении делать инъекции и измерять давление, ни в коем случае не помогай людям из близкого окружения. Дашь слабину — тебя замучают просьбами, станут к тебе бегать с утра до ночи.

Но у соседки был такой несчастный вид, что Полина ответила:

— Предположим. А что вам надо?

— Умоляю, — вытянула руки соседка, — поставьте укол, не откажите! Я заплачу!

Жукова взяла ампулу и удивилась.

— Что за препарат? Никогда такой не видела.

После небольшой заминки Юля ответила:

— Мне врач прописал... понимаете... ну... вроде валерьянки. У меня нервы после смерти мужа ни к черту.

— Ладно, — кивнула Поля и выполнила просьбу.

Юля вынула кошелек, Жукова не стала отказываться от денег (они с братом считали копейки, а у Моргаловой в портмоне была не одна бумажка). С того дня Юля стала заглядывать к Полине...

— Мы друг к другу в душу не лезли, — объясняла сейчас медсестра, — просто чай пили, журналы разглядывали и о пустяках болтали. Я о Юльке мало что знаю. Ее воспитывала мачеха, хорошая женщина, гадалка. К Леокадии народ со всех концов Москвы ехал. Она не была шарлатанкой, как предсказывала, так и случалось. Что-то Юля говорила про подвиг, вроде мачеха какую-то катастрофу предупредила, и о ней весь народ узнал. Но мне неинтересно о чужих людях слушать, вот я и пропустила это мимо ушей.

— Это все? — поторопила я замолчавшую красавицу.

Полина спрыгнула с подоконника.

— В принципе, да. В общем, я могу сообщить лишь то, что и другим известно. Юля мужа любила, а когда он случайно погиб...

— Николай скончался не от болезни? — встрепенулась я.

Жукова помотала головой.

— Подробностей я не знаю, Юля говорила, что муж утонул на рыбалке. Он имел автобизнес, за большими деньгами не рвался, но жили Моргаловы суперски, да только беда случилась.

Я вспомнила старую мебель в гостиной Юлии, более новую, однако простую обстановку в других комнатах, но удивилась. В конце концов, встречаются люди, которым без разницы, в каком интерьере жить, они тратят заработанные средства на путешествия, коллекционирование или другое хобби.

Полина между тем продолжала:

— Через какое-то время я сказала брату: «Юльке скоро надоест из себя безутешную вдову корчить, она захочет свою жизнь устроить. Похоже, у Кольки был подкожный запас, раз у Моргаловой до сих пор денег в избытке».

— Откуда вы знали такую интимную информацию, если утверждаете, что говорили только на общие темы? — попыталась я уличить Жукову во лжи.

— Так видно было, — пожала плечами Полина. — Холодильник всегда полон, еда изысканная, из гастрономического бутика. Я у Юльки две недели назад десять тысяч рублей попросила, пообещала через месяц отдать. А она вынула кошелек и вытащила оттуда купюры. Понятен прикол?

— Нет, — удивилась я.

Полина снисходительно улыбнулась.

— Надо всегда учитывать детали. Вот вы сначала соврали про милицию, а про свою дорогую одежду не подумали. Юля явно хотела производить впечатление не слишком обеспеченной девушки. Почему? Не знаю. Только наряжалась она скромно, зато продукты в доме были — супер. И в ванной у нее стояли ряды элитной косметики. Но ведь в холодильник и санузел посторонние не полезут. И десять тысяч она из кошелька вытащила. Не в заначку полезла, не сказала: «Завтра сниму с карточки и дам». Нет, у нее при себе столько имелось. Ну согласитесь, это свидетельствует о приличных деньгах!

— Может, она зарплату только что получила? — предположила я.

Полина рассмеялась.

— Юля заканчивала институт, вечернее отделение, и работала в библиотеке, в НИИ новых методов образования, он находится недалеко от нашего дома. Думаю, платили ей там еще меньше, чем мне. У медсестры хоть есть возможность подработать, получить деньги с родственников больных за уход. А библиотекарше кто и за что приплатит? Нет, она транжирила Колькино наследство. Вот я и подослала к ней Сашку. Брат у меня симпатичный, девкам нравится. Возникни у них любовь — всем было бы хорошо. Мы бы с

Санькой получили квартиру, а Юлька мужа. Глядишь, и поднялись бы на баксы Николая, уж наверное, там не одна тысяча в загашнике. Но Юля никакого внимания на Сашку не обратила. Он к ней каждый день таскался, только безрезультатно.

Жукова замолчала, потом одернула халат.

— Извините, у меня нет больше времени на треп, надо смену в отделении сдавать. Хватятся меня и гвалт устроят. Думаю, Юля умерла от сердечного приступа. У нее мотор барахлил, с детства порок был. Правда, компенсированный, с таким можно спокойно жить, но Моргалова часто лекарства принимала, всякие антидепрессанты и другие. Вот организм и не выдержал.

— Почему же она так увлекалась медикаментами? — удивилась я. — Совсем ведь еще молодая.

— Хрен ее знает! — нахмурилась Полина. — Что-то ее тяготило, вот и жрала таблетки горстями. У нее, наверное, не анализ крови, а таблица Менделеева. Лучше б ей с Сашкой переспать, депрессуха бы и прошла. Никакого криминала в кончине Моргаловой нет. За день до смерти она к нам заходила и жаловалась, что простыла, кашляла сильно. А я ей сказала, что это, наверное, грипп, потому что насморка нет. Сейчас только сообразила: я поставила неверный диагноз, вирус дает высокую температуру, и никаких респираторных явлений не наблюдается. На нее навалился сердечный кашель, легочная недостаточность, затем отек... Моргаловой следовало срочно идти к кардиологу. Теперь о десяти тысячах. Сашка велел дать их бабке, собиравшей на похороны. Мы Юлии были должны и таким образом вернули долг, понимаете?

— В общем, да, — кивнула я. — последний вопрос: где находится НИИ, в котором работала Юля?

— Почти напротив нашего дома, — охотно пояснила Полина, — только дорогу перейти. Я сама там ни разу не была, но однажды мимо с соседкой шли, и она показала.

— Ваш брат когда бывает дома?

— Вы уже задали последний вопрос, — напомнила Жукова.

— Сделайте одолжение, ответьте.

— Он уехал, — заявила Жукова, — в Болгарию.

— Когда? — поразилась я.

— Сегодня, в шесть утра улетел.

— Странно получается, — не выдержала я, — вы рассказывали о нелегком материальном положении, а Саша отправился греться на море. Бедные люди лето в городе проводят или на шести сотках картошку окучивают.

Жукова осторожно поправила волосы, которые придерживала заколка в виде ярко-зеленой бабочки с крыльями, украшенными розовыми стразами. Потом, не говоря ни слова, сделала шаг к двери, ведущей с лестницы в помещение отделения. В ту же секунду створка приоткрылась, из-за нее выглянула круглолицая девушка.

— Вот ты где! — воскликнула она. — Иди скорей, Ян Карлович злится! Почему смену не сдаешь?

Выпалив это, коллега Полины исчезла.

— Вы не ответили на мой последний вопрос, — попыталась я остановить медсестру.

Полина обернулась и с неожиданной злостью рявкнула:

— Ну и надоела ты мне! У вас там все в редакции такие дуры? Какое море? Сашка подрядился в Болгарию розовые лепестки собирать, там выращивают цветы для парфюмерной промышленности. Второй год ездит, хорошие деньги привозит. Проваливай отсюда, не шляйся по отделению, ищи сенсацию в другом месте!

Я спустилась на первый этаж, вышла из больницы и села в садике, где, несмотря на объявленный тихий час, было много больных, одетых в спортивные костюмы и тапки.

Может, смерть Юли и в самом деле была не криминальной? Вполне вероятно, что Полина сказала правду. Увы, умереть можно и молодой. Но зачем в ее квартиру пришел Дегтярев? Кто стукнул полковника по голове? Каким делом он занимался в частном порядке? Может, Александр Михайлович хоть что-нибудь вспомнил?

Я схватила телефон и набрала номер ложкинского дома.

— Алле, — пропела Ирка.

— Позови полковника, — велела я.

— Они с Тёмой и всеми поехали за стройматериалами. Куда — не знаю, — как всегда бестолково ответила Ира.

— Аркадий и Зайка прогуляли работу? — поразилась я.

— Еще утром улетели на службу, — меланхолично пояснила домработница.

— Тогда кого ты имела в виду под словом «все»?

— Ну... дизайнер, — зевнула Ира, — а с ним баба.

— Дина! — ужаснулась я.

— Забыла, как ее зовут, их ваще-то две.

— Понятно, — процедила я.

Ну вот, пустили погорельца... А к нему незамедлительно приехали сестра и ее лучшая подруга. Почему я всегда влипаю в редкостные неприятности?

— Что-то у нас Хуч за утро потолстел, — вдруг ни к селу ни к городу заявила Ирка. — Может, ему миску ополовинить?

— Навряд ли мопс поправился за пару часов, — усомнилась я.

— Ну странно, — тянула Ира, — попа похудела...

— Ты секунду назад сказала, что он поправился! — напомнила я.

— ...а грудь раздулась, — закончила домработница.

— Тебе это кажется!

— Может быть, — согласилась Ирка. — Отлежал небось бока.

Я усмехнулась. Ирина неподражаема, по ее мнению, у мопса от длительного сна тело похудело в одном месте и расширилось в другом? Может, предложить Денису, нашему доктору Айболиту, написать на примере Хуча научную статью «Влияние мягкой подушки на объемы талии и торса»?

— А по поводу красного пятна Денис сказал, что Хуча кто-то укусил, — бубнила Ирка. — Я его вашим кремом намазюкала. Лады? Вам не жаль?

— Нет, — вздохнула я, — хоть все банки на собак изведи.

— Если вам Дегтярев нужен, звоните ему на мобилу, — завершила беседу Ирка.

Я воспользовалась советом и незамедлительно услышала все то же «Алле» нараспев.

— Ира!

— Чего?

— Почему ты берешь сотовый полковника?

— Извиняйте, я случайно схватила. Александр Михалыч трубку в столовой бросил.

— Ты видела телефон и посоветовала мне позвонить на него, зная, что Дегтярева нет? — возмутилась я.

— Так у него определитель есть, — заявила Ирка, — увидит ваш номер и перенаберет!

— Замечательная идея! — процедила я. — Когда Александр Михайлович явится домой, о моем звонке можешь ему сообщить ты!

— Еще забуду, а техника отметит, — продолжала нести глупости Ирка. — Механизм лучше человека. Вот сколько у меня дел: дом убери, собак гулять выгони, белье погладь, картошки начисть... Где уж тут про всякую ерунду типа ваших звяканий упомнить! А у телефона какая печаль? Номерок на экранчике выскочит!

«Мария, не режь сердце, — прозвучало из трубки, когда домработница на секунду перевела дух, — Пабло не твой сын».

— Ну ладно, не хочу тебе мешать наслаждаться сериалом среди твоих многочисленных дел, — съязвила я и бросила трубку на сиденье. Ира способна довести нормального человека до бешенства.

Ладно, рано или поздно Дегтярев явится домой. А я пока поеду в НИИ, найду библиотеку и поболтаю с сотрудниками. Вполне вероятно, что у Моргаловой там были друзья.

В здание научного учреждения я попала беспрепятственно. Нынче, когда даже магазины для животных обзавелись вооруженными до зубов секьюрити, местные порядки поражали. У крутящегося турникета дремала на стуле ветхая старушка в темно-синем халате и замурзанных домашних тапках.

— Здрассти, — сказала я.

Старушка, не открывая глаз, прошептала:

— Вы куда?

— В библиотеку, — ответила я, — за научной литературой.

Последнее уточнение явно было лишним, в книгохранилище не ходят за сметаной или новыми сапогами. Но бравая охрана не удивилась. Да и вряд ли она меня слышала, поскольку, задав дежурный вопрос, снова свесила голову на грудь и продолжала сладко дремать.

В гулком холле не оказалось ни одного человека, на стене висела доска с указателями, явно сделанная еще в советские времена, потому что среди названий лабораторий имелись и такие: «Партком», «Комитет комсомола», «Местком». Библиотека, судя по стрелочке, располагалась в левом коридоре первого этажа.

Я пошла по старому, давно не циклеванному паркету. В помещении царила полная тишина, никто не попался мне навстречу, из-за плотно закрытых ободранных дверей не доносились даже шорохи. Похоже, сотрудники НИИ массово не вышли на работу. Наверное, тут крохотные зарплаты, вот люди и не утруждаются. Интересно, почему это богом забытое заведение до сих пор функционирует? И какие новые методы воспитания детей можно придумать? Особо длинный ремень? Невероятно сладкий пряник? В здании несколько этажей, расположено оно недалеко от центра... Хоть бы сдали часть комнат в аренду!

## Глава 14

В библиотеке сильно пахло пылью и стояла та же могильная тишина. Я покашляла, потом громко спросила:

— Есть тут кто живой?

Из-за стеллажей, забитых старыми книгами, царственно выплыла полная дама в темно-синем костюме из трикотажа. Я постаралась не рассмеяться. Внешний вид библиотекарши один к одному соответствовал научному заведению, в котором время словно остановилось в конце семидесятых годов прошлого века. Именно тогда были модными юбка и жакет, произведенные хоть и в капиталистической, но все же дружественной СССР Финляндии. Мне в свое время тоже хотелось иметь подобный комплект, но, увы, мечта так и осталась мечтой. Зато я никогда не устраивала у себя на голове симбиоз снопа с вертолетом, всегда любила аккуратные стрижки, а вот библиотекарша, смотревшая сейчас на меня недобрым взглядом, предпочитала намертво залаченную «халу».

— Здравствуйте, — сказала я.

— Не следует кричать там, где люди работают, — недовольно процедила тетка.

— Но в читальном зале пусто, — рискнула я отбить мяч.

— И что? — изогнула одну бровь библиотекарша. — Сейчас никого нет, через секунду будет аншлаг, а вы привыкнете вопить и продолжите ор. Здесь научное заведение, люди пишут диссертации...

— Простите, — смиренно ответила я.

— Что желаете? — Мадам сменила гнев на милость.

— Я хотела поговорить с вами.

— Со мной? Давайте требование.

— Какое?

— На книги, естественно.

— Я пришла не за литературой, просто побеседовать.

— Поболтать? — изумилась библиотекарша. — На какую тему?

— О Юлии Моргаловой.

— О ком?

— В книгохранилище есть сотрудница, Юля Моргалова. Вернее, была. Вы, наверное, уже слышали о ее безвременной кончине...

«Хала» накренилась набок, как Пизанская башня, хозяйка ловко вернула ее на место.

— Это ошибка, — коротко ответила она, — никаких Моргуновых тут нет и отродясь не было.

— Моргалова, — поправила я.

— Что? — осеклась говорившая.

— Фамилия Юлии не Моргунова, а Моргалова.

— Все равно, — небрежно махнула рукой дама, — в зале только лишь две сотрудницы: Анна Иосифовна Кранц и я, Елена Георгиевна Мухина. Более никого нет.

Я растерялась.

— Но мне сказали, что Юля...

— Неправда, — отрезала Мухина, — мы с Анной Иосифовной здесь больше тридцати пяти лет работаем. Уж поверьте, память у меня отличная. Да и как она может быть другой у женщины, которой едва перевалило за сорок?

Я деликатно отвела глаза в сторону. Если госпоже Мухиной «едва перевалило за сорок» и она, судя по только что сделанному ею же заявлению, «здесь больше тридцати пяти лет», то в каком возрасте она нанялась на службу?

— Да, — торжественно продолжала Елена Георгиевна, — тут изредка появлялись пришлые люди вроде Леокадии Бланк, но они долго не задерживались, потому что не привыкли хорошо трудиться. Мы с Анной Иосифовной...

— Юлия Моргалова падчерица Бланк, — перебила я библиотекаршу. — Неужели она никогда не рассказывала вам о воспитаннице? Думаю, Юля здесь бывала.

— А в чем, собственно говоря, дело? — покраснела Мухина.

— Девушка на днях скончалась.

— Спаси господи, — перекрестилась дама. — Нынешняя молодежь ужасна, сплошь наркоманы. Позавчера приходила новенькая лаборантка, ее Петр Семенович за литературой прислал. Не поверите, в чем она явилась! В непотребных, рваных штанах, которым место на помойке! Ничего удивительного в ваших словах нет. Если постоянно пить водку, до зрелых лет не доживешь!

— Юлия была алкоголичкой? — усомнилась я.

— Я уже говорила: впервые слышу об этой девице.

— Но вы сейчас...

— Это вы сейчас заявили о кончине Моргуновой, — перебила меня библиотекарша. — По какой еще причине молодая женщина ушла в мир иной? Стопроцентно она наркоманка и пьяница.

Железная логика! Наверное, Елена Георгиевна никогда не слышала об автокатастрофах, болезнях и убийствах.

— Вы отвлекаете меня от работы, — снова начала злиться дама, — я должна выдавать книги, а не обсуждать всякие глупости.

— Юлия умерла.

— Уже слышала.

— Девушка жила одна и...

— Ох, ясно! — замахала руками Мухина. — Нет у меня денег! И я не обязана их отдавать! Ступайте в местком! Такими вопросами занимается товарищ Никитина, ей и объясните, по какой причине НИИ должен разбазаривать средства.

— А Никитина на работе?

Елена Георгиевна бросила взгляд на календарь.

— Будет в конце июля.

— Но сейчас июнь!

— И что? У нее отпуск. Как и у подавляющего большинства наших сотрудников.

Я уставилась на Мухину. Вот здорово! Она решила, что я пришла просить материальную помощь на похороны, и советует взять деньги у сотрудницы, которая придет через месяц!

— До свидания, — царственно кивнула Мухина. — Вернее, прощайте. Никакой необходимости в наших дальнейших встречах, слава господу, нет.

— А вы хорошо знали Леокадию Бланк? — Я попыталась нарыть хоть крошку информации.

— Эту отвратительную шарлатанку, гнусную обманщицу, гадкую бабенку, чьим заявлениям ни в коем случае нельзя было верить? — раскипятилась Елена Георгиевна. — Естественно, нет. Мы и пары слов друг с другом не сказали. Я не Анна Иосифовна! В отличие от товарища Кранц, я правильно оцениваю человека с первого взгляда! Очень сожалею, что приходилось здороваться с Леокадией, но мы временно — подчеркиваю, временно! — являлись коллегами. А вот Анна Иосифовна с Бланк дружбу завела. Ох уж эти национальные корни! Понимаете, они сблизились на почве штруделя.

— Штруделя? — переспросила я.

Елена Георгиевна тряхнула головой, «хала» незамедлительно принялась валиться набок.

— Это пирог с яблоками, — пояснила Мухина, водрузив башню на место, — национальное фашистское блюдо.

— По-моему, штруделем в основном славится Австрия, — проявила я образованность.

— О боже! — закатила глаза Елена Георгиевна. — Мне все равно! Хоть бы они вместе манную кашу готовили. Не о том речь! Наивная Анна Иосифовна Леокадию приголубила, и что получилось? Ничего хорошего!

— Они поссорились? Поэтому Леокадия уволилась?

Мухина оперлась о письменный стол и заявила:

— Не смею вас больше задерживать.

— Нельзя ли побеседовать с госпожой Кранц?

— Ее смена завтра.

— Скажите, пожалуйста, телефон Анны Иосифовны.

— Не имею на то полномочий.

— Понимаете, мне очень надо...

— До свидания, — отрезала Мухина, — прошу на выход. Если хотите пообщаться с товарищем Кранц, можете прийти сюда завтра, к десяти утра. В отличие от меня, ответственного и работящего человека, Анна Иосифовна не стесняется болтать о пустяках во время службы.

Несолоно хлебавши я вышла на улицу и решила еще раз поговорить с Полиной Жуковой. Почему медсестра соврала мне о месте работы Юли? В библиотеке служила не девушка, а ее мачеха!

Скорей всего, Полина уже вернулась домой. Она после нашей беседы как раз отправилась сдавать смену.

Мой расчет не оправдался — медсестра не открыла дверь квартиры. Я пошаталась по двору, посидела на скамеечке и внезапно очень захотела есть. Оглядевшись по сторонам, я увидела вывеску «Супермаркет» и решила купить банан, пакетик сока, пачку печенья, на худой конец глазированный сырок. Мой бедный желудок взбунтовался и нагло требовал еды. Решив, что Полина никуда не денется (придет же она когда-нибудь домой), я пошла в сторону продовольственного магазина.

Фрукты, выставленные на его прилавках, не вызвали желания их съесть — яблоки выглядели ненатурально (слишком большие, яркие, агрессивно блестящие), груши походили на елочные игрушки (у меня в детстве были такие, из пластмассы), а бананы оказались зелеными. Я завернула к стеллажам с крекерами и начала рассматривать разноцветные пачки. Какие лучше выбрать? С чесноком? Ой, нет, от меня будет отвратительно пахнуть. Лучше съесть самые обычные, желательно не очень соленые.

В этот момент зазвонил телефон.

— Ты где? — тихо поинтересовался полковник.

— Я скоро вернусь, — тоже почему-то понизив голос, ответила я.

— Сделай одолжение, заскочи в аптеку.

— Нет проблем.

— Купи...

— Лучше я соединюсь с тобой, когда буду в аптеке, а то забуду половину названий.

— Ладно, только звони на мобильный, — еле слышно завершил беседу полковник.

Я вернула сотовый в карман, схватила выбранную пачку и вновь услышала треньканье. Но уже не моего телефона. Не все люди ставят на трубку полифонические мелодии, многие абоненты довольствуются стандартным звонком. Одна беда: когда телефон звонит, моментально начинаешь искать свой мобильный, не сразу сообразив, что это чужой сотовый.

— Алло, — сказал чей-то голос, показавшийся мне знакомым. — Ты где? С ума сошел, идиот! Ой, только не надо истерить.

Я посмотрела поверх упаковок с печеньем и увидела в соседнем проходе... Полину Жукову. Медсестра стояла ко мне спиной, но я узнала ее сразу по большой декоративной заколке в виде ярко-зеленой бабочки с розовыми камнями. Полине не пришло в голову, что среди стеллажей с продуктами ее может кто-то подслушивать, и поэтому она вела беседу тихо, но вполне внятно.

— Я не Юля, в панику не ударюсь! Что? Ты уверен? Так просто? Наверное, ты неправильно понял!

Очевидно, на том конце провода начали возражать, потому что Жукова тихо засмеялась и продолжила:

— Ой, не смеши! Ментам ничего не найти. Они уже обыскивали квартиру и вышли с пустыми лапами! Вообще! Хорошо, прямо сейчас пойду и заберу. Ты мне перезвони. О господи! Если у тебя такие мысли, то сам в ее квартиру иди... Перетрусил, тогда молчи! Чао! Надеюсь, ты не перепутал? Я к Юльке, быстро управлюсь. А шикарная гадалка! Отличный экстрасенс!

Полина захлопнула телефон и решительным шагом двинулась к кассам. Я на секунду растерялась, потом схватила со стеллажа с сопутствующими товарами черную бейсболку и халат для работы в огороде и рванула в ту же сторону. Слава богу, часть девушек-кассирш маялась от безделья. Полина направилась к первой кассе, я же пристроилась к последней. Быстро натянула бейсболку, опустила козырек на лицо, влезла в халат и, став похожей на одну из уличных торговок, поспешила за Жуковой.

Идти оказалось недалеко — медсестра, совершенно не скрываясь и не оглядываясь, вошла в подъезд своего дома. Я подождала пару минут и, тихонько приоткрыв дверь, заглянула в парадное. Полина, стоя ко мне спиной, рылась в своей сумке.

— Вот черт... — прошипела она и вытащила связку ключей.

Я смотрела на Жукову, затаив дыхание. В принципе, из подслушанного мною разговора стало понятно, что в «трешке» Юлии есть некая вещь, оставшаяся не замеченной при обыске, но я не предполагала, что у Полины есть ключи от квартиры соседки. Значит, медсестра водила меня за нос, ее отношения с умершей были очень близкими, постороннему-то человеку ключи от дома не дают.

Полина открыла дверь и юркнула внутрь. Я сняла кепку и халат, сунула «карнавальный наряд» в сумку и встала около входной двери. Хорошо помню, как Полина сказала собеседнику, что управится быстро. Сейчас она вскроет тайник, достанет оттуда нечто, выскочит на лестницу... а тут я с милой улыбкой на лице. «Здравствуйте еще раз, Полиночка! А что вы делали в квартире Моргаловой?!»

Кстати, почему дверь не опечатана? Насколько я знаю, если умирает одинокий человек, между косяком и створкой непременно приклеивают бумажку с фиолетовой печатью. Смешно думать, что подобная преграда способна остановить того, кто захочет войти внутрь, но таков закон.

Минуты текли, Полина не торопилась покидать чужое жилище. Пятнадцать минут, тридцать, сорок пять... В конце концов я не выдержала и осторожно подергала створку. Она оказалась закрытой, я не хотела нажимать на звонок. Если сейчас напугать Полину, она моментально спрячет то, за чем проникла в квартиру, и на все мои вопросы найдет самые невинные ответы. Зачем пошла к Юле? У той осталась чашка Жуковой (кастрюля, сковородка, книга, ваза), теперь она хотела ее забрать. Откуда у нее ключ? Так Моргалова оставила на всякий случай, вдруг свой потеряет, или трубу в отсутствие хозяйки прорвет.

Впрочем, Жукова умеет владеть собой. Она со мной и общаться-то не станет. Вскинет голову и рявкнет: «Не ваше дело!» И, между нами говоря, будет абсолютно права.

Нет, лучше подстеречь ее на выходе, с пакетом, коробкой или уж не знаю с чем в руках. Но почему медсестра так задержалась?

Через полтора часа мое терпение иссякло, и я таки нажала на звонок. Но из квартиры не донеслось ни единого звука. Я повторила попытку — и снова безрезультатно. Стук в дверь тоже не принес успеха. Вне себя от злости я пнула коврик, лежащий у створки. Он сдвинулся, и под ним обнаружился небольшой ключ. Вот так находка! Милиция, осматривавшая место преступления, судя по всему, не изучала территорию снаружи. Ну да, труп находился в открытой квартире, и лестничная клетка показалась спецам неинтересной.

В прихожей было пусто. Стараясь двигаться тише кошки, я сунула нос в санузел. Никого. В крохотной кухне тоже. Я скользнула дальше, резко распахнула дверь, ведущую в гостиную, и увидела прежнюю картину: уродский буфет, диван с протертой обивкой, продавленное кресло, телевизор-патриарх, пакет со смесью для ремонта под названием «Вечная пломба». При полнейшем отсутствии людей! Удивленная сверх меры, я крикнула:

— Полина, вылезай! Я знаю, ты здесь! Видела, как ты открыла квартиру и зашла в нее.

Ответом мне послужила тишина, прерываемая лишь звуком капель, падающих из крана в кухне.

— Хватит идиотничать! — повысила я голос. — Выходи. Право, глупо. Сейчас обойду все комнаты и найду тебя.

Но медсестра затаилась, и тогда я принялась обыскивать помещение.

## Глава 15

Через полчаса пришлось констатировать: Полины нигде нет. Я облазила все комнаты, заглянула под стол, диван и кресла, изучила пространство за телевизором, порылась во всех кухонных шкафчиках и от полного отчаяния открыла крохотную стиральную машину.

Квартира Моргаловой располагалась на первом этаже, и, в принципе, выскочить на улицу через окно не представляло никакого труда. Одна деталь: все окна были тщательно забраны решетками. А из двери Жукова точно не выходила, я ведь неотлучно находилась на лестнице. Может, Полина превратилась в таракана и выползла через щель?

Еще раз обежав комнаты, я не обнаружила там ничего интересного. Самые обычные, весьма скромные вещи. Юле было чуть за двадцать, но она не слушала плеер, не смотрела DVD-диски, пользовалась допотопным компьютером, не читала современных книг, готовила в алюминиевых кастрюлях. У нее даже не было хорошего телефонного аппарата — в прихожей на маленьком столике стоял «Чебурашка», ярко-красный коробок с большой трубкой и наборным диском. Я видела такой последний раз лет двадцать назад.

Диссонансом на фоне общего убожества выглядела ванная с полочками, заставленными дорогими средствами по уходу за телом и волосами. Сама я пожадничала и не купила крем ценой в пятнадцать тысяч рублей за банку, а у Юли была, кроме него, вся серия: молочко, гель, лосьон. Еще она носила бешено дорогое белье лучших фирм. Я изумилась, читая этикетки на трусиках и лифчиках. Это странно, если учесть, что поверх шикарных комплектов натягивалась блузочка с вьетнамского рынка. И еще сильное впечатление на меня произвел холодильник: в нем я обнаружила банку черной белужьей икры, миног, лосину, сырокопченую колбасу, экзотические фрукты. Юлия не отказывала себе в деликатесах.

Почти в шоке я выскользнула наружу, заперла дверь, дошла до машины и вынула спрятанные в бардачке сигареты.

Уму непостижимо, куда подевалась Полина? Из двери она не выходила, через окна выбраться нельзя, черного хода в квартире нет — это самая затрапезная пятиэтажка без всяких чуланов, комнаток для домработниц и даже без мусоропровода (ведро надо опорожнять во дворе, где стоят баки). Так каким же образом испарилась Жукова?

Резкий звонок мобильного заставил меня вздрогнуть.

— Ты еще не в аптеке? — спросил Дегтярев. — Ну сколько можно возиться!

— Страшные пробки, — быстро нашлась я, — уже лечу, вот, кстати, и вывеска с крестом. Говори, чего надо.

— Персиковое масло, — ответил Дегтярев.

— Зачем? У тебя насморк?

— Неужели трудно выполнить мою просьбу без занудных расспросов? — возмутился полковник.

— Извини, продолжай.

— Вазелиновое масло, сироп шиповника, экстракт черники, жир барсука... — мерно перечислял приятель, удивляя меня все больше и больше. Ну зачем ему такие снадобья? Но вопросов я больше не задавала, в конце концов, Дегтярев не просил цианистого калия, заказывал средства, от которых вреда не будет. — И «Кома мао»[1], — завершил толстяк.

— Какао? — не поняла я. — Но оно в аптеке не продается.

— «Кома мао», — уточнил Дегтярев, — патентованное китайское средство, таблеткам две тысячи лет.

— Они небось давно стухли, — не выдержала я.

— Издеваешься? — рассердился Александр Михайлович. — Рецепт древний, а пилюли произвели недавно.

— Ладно, не злись, я неудачно пошутила, — вздохнула я и приблизилась к прилавку.

Симпатичная девушка в белом халатике выставила под мою диктовку целую батарею пакетов, флаконов и пластиковых упаковок.

Я взяла одну бутылочку и прочитала этикетку. «Персиковое масло из абрикосовых косточек».

— Вам не нравится? — спросила провизор.

— Я просила персиковое масло.

— Вот оно!

— Нет, в пузырьке эрзац.

— У нас есть сертификаты качества на любой вид продукции, — нервно заявила фармацевт. — Чем вы недовольны?

— Вас не смущает персиковое масло из абрикосовых косточек? — уточнила я.

---

[1] Название выдумано автором.

— Нет, — удивленно ответила девушка, — это экологически чистый продукт, сделанный прямо на месте сбора, в горах под Воронежем. Видите, вот тут указано: «Деревня Сивки, Воронежская область, гора Арарат».

— Насколько я знаю, абрикосы в ущельях не растут, — протянула я.

— Вы можете ошибаться, — миролюбиво пояснила провизор. — И потом, небось существуют разные сорта.

— Согласна. Вот только Арарат никогда не находился под Воронежем. На школьном уроке географии нам рассказывали, что он в Турции.

— Дама, у нас качественная продукция!

— Персиковое масло не бывает из абрикосовых косточек, — уперлась я.

— А из чего же его давят? — искренне удивилась провизор. — Просто не по-русски написано. Масло, конечно, не из скорлупок, а из ядрышек.

— Девушка, абрикосы — это не персики.

— Во народ! — тяжело вздохнула фармацевт. — Опять плохо. Хотели персиковое масло?

— Да.

— Так забирайте.

— Оно из абрикосов!

— И чего?

— Подобное невозможно, следовательно, средство фальшивое.

— Поймите, — начала уговаривать меня девушка, — это просто название: персиковое масло. Ну, вроде как аспирин, — на самом-то деле он ацетилсалициловая кислота. Ничего удивительного.

— Вы полагаете? — засомневалась я.

— Конечно, — сказала провизор. — Вот бутылочка с сиропом шиповника. Что тут написано? Ага, плоды дикой розы, гибискуса.

— Давайте персик из абрикоса, — сдалась я, — считайте сумму.

— Двадцать пять тысяч сто сорок три рубля четыре копейки.

Я уронила кошелек. В особенности меня умилили копейки.

— Сколько?!

Фармацевт спокойно повторила сумму.

— Вы не ошиблись? — протянула я. — Вдруг вы пальцем не в ту кнопку на калькуляторе ткнули и выпал лишний ноль? Может, две тысячи пятьсот? Хотя это тоже слишком много за коробки с сушеной травой и бутылочки с вазелиновым и абрикосово-персиковым маслом, но не так страшно, как первая сумма.

— Некоторые люди заходят в аптеку только из желания полаяться, — дернула плечиком девушка. — Считаю вслух: черника, масло, сироп, жир... итого, сто сорок три рубля четыре копейки.

— Ага! И где же двадцать пять тысяч? Они откуда взялись?

Провизор схватила пластиковую банку.

— Вот. «Кома мао». Из Китая. Сами просили. Берете?

— Ну да, — ошарашенно ответила я. — Можно узнать, из чего сделаны эти пилюли?

— Когти тигра, носовые перепонки летучих мышей, выделения желез бирманской кошки, листья банана и орехи хуо, — бодро перечислила фармацевт.

— И с какой целью ЭТО глотают? — вопросила я.

Девушка начала складывать покупки в пакетик, поясняя:

— Препарат широкого действия, но в основном назначается людям с ослабленной памятью. Может служить добавочным средством к терапии для перенесших инсульт.

— Ясно, — протянула я, расплатилась и ушла.

Интересно, кто сказал полковнику про «Кома мао» и каким образом когти тигра вкупе с гормонами бирманской кошки поспособствуют реабилитации толстяка?

Дегтярев встретил меня в прихожей.

— Давай сюда, — зашипел он, выхватывая из моих рук аптечный пакетик. — Все купила?

— Конечно, не волнуйся.

— Я и не думал переживать. — Он пошел красными пятнами.

— Кто пришел? — заорали из коридора.

Полковник живо сунул пакет под пуловер и крикнул в ответ:

— Никого нет, я впускаю собак в дом.

Дробно застучали каблучки, в холл вылетела Динка.

— Что значит «никого нет»? — изумилась она. — А это кто?

— Ой, Даша! — изобразил искреннее недоумение полковник. — Ну и ну! Откуда ты взялась?

— С улицы, — безмятежно ответила я и повернулась к Емельяновой. — Ты у нас гостишь?

— Надеюсь, ты не против? Сейчас уеду. Привезла Андрюше кое-какие вещи. У него ведь, бедняги, все сгорело! — отчеканила Дина и удалилась.

— Я пригласил Андрея помочь нам с ремонтом, — засуетился полковник, — а у меня отпуск, живо справимся.

— Наняли бригаду? — для поддержания разговора поинтересовалась я.

— Нет, — с детской радостью заявил полковник, — своими силами обойдемся.

— Вдвоем? — усомнилась я.

— Нас много, — возвестил полковник.

— Да? — попятилась я.

— Понимаешь, — ажитированно завел Дегтярев, — мы с Андрюшей подружились. Честное слово, я очень рад нашей близости, впервые у меня возникло полнейшее взаимопонимание с другим человеком. Сначала мы с Андреем составили план, затем организовали штаб и разделили руководство. Корундов отвечает за художественную часть, выдает дизайнерские идеи, я взвалил на свои плечи координацию потоков, разрабатываю стратегию управления, указываю...

— Понятно, — перебила я его. — А кто непосредственно пахать будет?

— Ты о чем? — слегка сбавил тон полковник.

— Хорошо, что имеются руководители, — усмехнулась я, — но нужны и рабочие руки. Кем вы управлять собрались?

— Ситуация под контролем, — заявил Александр Михайлович, — навалимся всем домом.

— То есть? — подскочила я.

— Маша хочет красить стены.

— Она умеет? — поразилась я.

— Ерунда, — отмахнулся Дегтярев, — я ее научу за пять минут.

— А ты сам знаешь, как обращаться с валиком? — не успокаивалась я.

— Элементарно, — хмыкнул толстяк, — умный человек прочитает инструкцию и разберется. Я приобрел книгу «Обновление квартиры», Маня ее прочтет и применит знания на практике.

— Ремонт ответственное дело и...

Дегтярев гордо выпрямил спину.

— Если неграмотные гастарбайтеры берутся за отделку, то мы, люди с высшим образованием, легко справимся с покраской, побелкой и прочей чепухой. Через десять дней Тёма получит полностью готовый к вселению дом. Вот ему будет сюрприз!

— А что, он не знает о твоей идее? — изумилась я.

— Он опять уехал в командировку, — потер руки полковник. — В его отсутствие мы навалимся всем скопом. Маша — краска, Зайка — кафель, Аркадий — окна, Дина — батареи, Тася...

— И эти женщины в вашей команде? — заорала я. — Емельянова с Волковой тоже участницы реалити-шоу?

— Чем больше народу, тем веселей! — засмеялся Дегтярев. — Начинаем в шесть утра. Оцени наш план:

мы с Андреем едем на стройрынок, остальные готовят площадку для ремонта, в восемь привозим материалы. И вперед, с песней! Трудимся до полуночи. Никаких перерывов на перекур. Да и сигаретами у нас только ты балуешься. Заодно и бросишь!

— Что, и я в списке строительных рабов?

— Айн момент! — поднял указательный палец полковник. — Где тут мой склерозник? Так, так... Вот: Дарья Васильева — вынос и вывоз мусора.

Ноги мои начали действовать сами по себе, они помимо воли владелицы направились в сторону лестницы. Право слово, полковник с дизайнером сошли с ума. Ни Маша, ни Аркадий, ни тем более Зайка понятия не имеют, с какого бока подойти к обоям и кафелю. А мне никогда не поднять мешок, набитый строительным мусором. Люди, составлявшие план ремонта, сумасшедшие. Кстати, они забыли о животных. Питбуль Банди обожает возиться в грязи — его можно заставить лапами месить раствор. Снап будет подтаскивать кирпичи, сила-то у ротвейлера немереная. Пуделиха Черри влегкую справится с раскатыванием обоев, а Хучик сойдет за валик — мопс круглый, и его шерсть словно шелковый коврик. Жюли надо поручить охрану — йоркшириха возьмет в зубы берданку и побежит по участку. Ну а кошки явятся в самом конце — заметут хвостами пыль...

Провалявшись целый час в ванне, я влезла в халат и решительным шагом направилась в спальню Дегтярева.

Александра Михайловича в комнате не было, зато из ванной доносился страшно недовольный бас.

— Дрянь какая-то! Купили хреноту! Вот черт!

Знаете, кто воистину интеллигентный человек? Это тот, кто, хорошо зная, что, кроме него, в квартире никого нет, идет ночью в туалет и, споткнувшись о кошку и упав на пол, называет животное киской, никак иначе. Дегтярев, конечно, пока далек от идеала, но к нему приближается. Сейчас с ним в ванной случилась незадача, но толстяк не употребляет нецензурные выражения.

— Помогите! — заорал вдруг Александр Михайлович.

Я поскреблась в дверь.

— Можно войти?

— Идиотский вопрос! Если учесть, что я кричу уже полчаса, он очень кстати! — возмутился приятель. — Вот умру, а вы это через год заметите!

Я влетела в ванную и, обнаружив полковника с зажмуренными глазами возле умывальника, спросила:

— Что случилось?

— Не знаю! — занервничал толстяк. — Я намазал лицо гелем для умывания, а он не смывается. Скользит по коже и не сходит. Кошмар!

Мне стало смешно. Дегтярева можно назвать метросексуалом, хотя полковник пришел бы в ярость, услышав это определение. Но, нравится ему или нет, он настоящий франт. Наш суровый борец с преступностью обожает средства по уходу за телом, одеколоны, лосьоны после бритья, у него есть кремы для лица, рук, ног, пена для ванны, соль, скраб... всего и не перечислить. Ванная Дегтярева — настоящий склад пластиковых бутылочек и тюбиков. Многие ведущие косметические фирмы выпускают мужские линии, и, похоже, сильный пол начинает стремительно приобретать привычки слабого. Хотя мне самой больше нравится ухоженный кавалер, чем волосатое, потное чудище с «трауром» под ногтями.

— Прямо сейчас поеду в магазин и потребую объяснений, — ревел полковник, тщетно пытаясь соскрести с лица липкую субстанцию. — Это издевательство! А еще написали на упаковке: изумительный гель, освежает кожу, придает ей тонус, используйте два раза в день. Негодяи! Такое ощущение, словно в клей рожу опустил.

— Ты перепутал средства, — стараясь не рассмеяться, ответила я, — вместо пенки взял сильно фиксирующий мармелад.

— Что? — изумился полковник. — Варенье?

— Нет, — давясь смехом, продолжала я, — такое косметическое средство. Вот здесь, на бутылочке, написано: «Мармелад для укладки волос, самая сильная фиксация, гарантия сохранения прически даже при попадании под сильный дождь». Гель стоит на умывальнике левее. На, попробуй шампунь, авось он справится с незадачей.

— Лицо не моют мылом для волос, — запротестовал полковник, который никогда не принимает чужих советов.

— Но физиономию и не принято покрывать средством для цементирования прически, — брякнула я. — Сделай милость, не перечь!

Александр Михайлович протянул руку, я вложила в нее тюбик, который взяла с бортика ванны.

— Это точно шампунь? — с подозрением поинтересовался Дегтярев. — Пахнет странно.

— Не сомневайся, я прочитала название.

— Подожди в спальне, — приказал толстяк и начал сосредоточенно намыливать щеки.

Я вернулась в его комнату, села в кресло, положила ноги на пуфик и взяла сборник кроссвордов. В свободное время приятель обожает решать головоломки.

— Мама! — послышалось из ванной. — Офигеть!

Последний глагол толстяк употребляет очень редко, и то, что он прозвучал сейчас, свидетельствовало о крайней степени изумления и раздражения одновременно. Дверь ванной распахнулась, в спальню влетел полковник. Его лицо приобрело приятный бронзово-коричневый оттенок.

— Ты дала мне красящий шампунь, — зашипел Александр Михайлович, — и теперь я похож на негра.

— Вовсе нет, просто у тебя вид загорелого мачо. А ты, оказывается, оттеняешь волосы? Извини, не знала. — Я искренне попросила прощения.

Полковник закашлялся.

— Мне случайно в магазине подсунули тюбик, — наконец ответил он, — я не пользуюсь этим средством, а выбросить его руки не доходили. И куда я теперь с мордой цвета кофе?

— Два раза умоешься, и все сойдет. Лучше сядь, нам надо поговорить.

— Надеюсь, не о ерунде, — буркнул Дегтярев и плюхнулся в соседнее кресло. — Давай, начинай. Какова цель беседы? Изложи четко, ясно, коротко, не люблю пустой болтовни. Кстати, где пакет с лекарствами? Я положил его на кровать, и словно собака его слизала!

## Глава 16

На следующий день, медленно пробираясь через пробки к библиотеке, я предавалась мрачным мыслям. Дегтярев так и не вспомнил, по какой причине он пришел к Юлии Моргаловой. Не сумел он назвать и фамилию человека, который нанял его. Впрочем, тайной для Александра Михайловича осталось и то, чего тот от него хотел. Проследить за женой? Найти домашнего вора?

(Ну да, по последнему поводу часто нанимают именно частного детектива. Ведь если вы обеспеченный бизнесмен и обнаружили пропажу драгоценности или энной суммы денег, причем не где-нибудь, а у себя дома, вы не станете поднимать шум и писать официальное заявление в милицию. Нечистым на руку человеком вполне может оказаться кто-то из вашего ближайшего окружения, и огласка вам наверняка не нужна.)

Однако Дегтярев отмел мои предположения.

— Не помню, — бубнил он. — Ничего не помню, вообще! Вышел с работы, поехал домой... бац! Стою в чужой квартире, голова болит, меня тошнит, падаю на бок...

Помучив полковника некоторое время, я оставила его в покое. Но сегодня утром мы ухитрились поругаться.

Я спустилась в столовую около семи. Для столь раннего пробуждения имелась веская причина: мне хотелось застать врунью Жукову дома, я испытывала непреодолимое желание задать медсестре парочку вопросов.

Честно говоря, я не ожидала кого-либо встретить в столовой, но, к моему ужасу, там обнаружилась целая толпа.

— Уже встали? — выдохнула я.

— Едем на рынок, — словно Суворов, собирающийся перейти через Альпы, заявил Дегтярев, — утром самый большой выбор.

— Лучше пойти в магазин, — необдуманно ляпнула я. — Когда Оксана делала ремонт, она регулярно ездила в строительный гипермаркет «Касторама» и осталась очень довольна — всего полно, цены разумные.

— Рынок дешевле, — побагровел Дегтярев, — не спорь! Я знаю точно.

— Ладно, ладно, — пошла я на попятную, — езжайте куда хотите.

— Слушайте, — оживился Аркадий, — давайте и правда в этот гипермаркет смотаемся. У меня один коллега там все одним махом купил. День потратил и забыл про материалы...

— Я не намерен зря тратить деньги! — взревел полковник. — На рынке дешевле.

— Не всегда, — помотал головой Кеша.

— Не смей спорить! — разозлился полковник. — Я принимаю стратегические решения.

— Вместе со мной, — напомнил Андрей.

— Ну да, — слегка сбавил обороты Дегтярев.

— Думаю, надо рулить на рынок, — улыбнулся художник. — В магазине однозначно дороже, торговый центр тратится на зарплату продавцам, аренду помещения, электричество, рекламу, и все отражается на покупателях. А на рынке нужно только за место две копейки отдать!

— Точно, — подтвердил полковник. — Молодец, Андрюша.

— Но качество! — отстаивал свою позицию Кеша. — Гипермаркет закупает, допустим, краску у приличной компании, берет огромную партию дешево, опт ведь всегда меньше стоит. А мелкий предприниматель обращается к малоизвестным производителям, отсюда вытекает...

— Ой, не спорьте! — прервала Аркадия Тася. — Давайте я съезжу в «Кастораму», а потом на рынок и составлю прайс-лист.

Я посмотрела на Волкову. Тася святой человек. Думаете, почему она живет у нас? Андрей лишился дома, очутился на улице, его сестра, похоже, не собирается оставлять несчастного в покое, продолжает попытки руководить Корундовым. Художник мягкий человек, он не способен послать авторитарную бабу по известному адресу, и Тася взяла на себя роль буфера между родственниками. Она сглаживает углы и слегка придерживает Динку, впадающую в ярость по любому поводу. Интересно, на чьей стороне Волкова? С кем она реально дружит? С Диной? Ну тогда моя бывшая однокурсница заслужила орден человеколюбия. И в молодые-то годы Дина была невыносима, а сейчас и вовсе превратилась в медведя гризли. Бедная Волкова, у нее, вечно озабоченной чужими проблемами, нет ни мужа, ни детей. Может, Тасе следует хоть изредка думать о себе?

— Мне совсем не трудно составить список цен, — говорила тем временем Таисия.

— Рулим на рынок! — одновременно рявкнули Дегтярев с Корундовым, а Кеша опять заговорил о «Кастораме».

Ситуация в столовой начала накаляться. Я незаметно выскользнула в коридор и была такова. Пусть покупают стройматериалы без меня.

Едва я села за руль, как ожил мобильный.

— Значит, ты не желаешь участвовать в семейном деле? — спросил Дегтярев. — Ладно, амнистирую. Кстати, куда ты дела пакет с лекарствами? Где «Кома мао» и прочее?

— Вручила тебе, — ответила я.

— Нет, — начал спорить толстяк, — не было такого.

— Отлично помню, как ты взял кулек и сунул его под пуловер!

— Зачем мне запихивать туда пузырьки? — повысил голос Дегтярев.

— В холл вышла Дина, и ты, наверное, не хотел, чтобы она видела лекарства, — предположила я.

— Нет! — уперся полковник. — Я никогда ничего не забываю, не теряю, не путаю!

— В самом деле? — язвительно осведомилась я. — Зато я хорошо помню, как некая личность, смыв с лица красящим шампунем средство для укладки волос, произнесла фразу: «Я бросил лекарства на кровать, а их как собака языком слизала».

— Не выдумывай глупости, — вздохнул Дегтярев. — Не надо искать оправданий собственной рассеянности, честно признайся, что потеряла таблетки или просто забыла зарулить в аптеку. Дарья, у тебя начинаются проблемы с головой, а я, слава богу, не страдаю провалами памяти. Да, кстати, помнишь загадку?

— Какую? — удивилась я.

— И ты еще что-то говоришь о чужих недостатках... — довольно заметил Александр Михайлович. — Про собаку, которая ищет наркотики. Какое слово сказал ей пассажир Сергей, когда псина обнюхивала его чемодан? Что он произнес, если это посчитали фактом, мешающим животному выполнить служебные обязанности? Мало того — представили дело как личное оскорбление песика и впаяли Сергею пятнадцать суток.

— Знаешь, я думала над этой загадкой, но...

— Никак не можешь найти отгадку, — радостно закончил за меня полковник. — Короче, купи необходимые мне средства. Все. Выполнить и доложить!

Из трубки полетели гудки. Можно, я не стану комментировать поведение толстяка? У меня просто нет слов.

К Жуковой я опоздала — Полина уже ушла из дома, на звонок в дверь никто не отреагировал. Решив не унывать, я приехала в больницу, поднялась в отделение, увидела на посту прыщавую блондинку и спросила:

— Где я могу найти Жукову?

— Сегодня не ее смена, — зевая, ответила девушка, — она выйдет завтра.

Выдержав и этот удар, я села в машину и покатила в НИИ проблем воспитания, проведя по дороге сеанс аутотренинга. «Спокойно, Дашута, — твердила я сама себе, — случаются порой неудачные дни, но завтра вновь засияет солнце. Жукова придет на службу, и ты заставишь ее рассказать правду. Хорошо, что Полина умелась из квартиры ни свет ни заря. Допрошу ее в больнице, тут она побоится скандалить, а в родных пенатах может устроить дебош».

На сей раз в пустом читальном зале за стойкой сидела маленькая, похожая на недокормленную птичку старушка. Сходство с голодным воробышком ей придавала «рваная» стрижка, выполненная явно непрофессиональной рукой, и слишком тонкий нос.

— Вы к нам? — обрадовалась она. — Хотите книжечку взять? Очень хорошо! Я заскучала тут в одиночестве. Открыла зал в десять, и ни одной души. Новенькая, да? В отдел к Сергею Юрьевичу нанялись?

— Я ищу Анну Иосифовну Кранц, — улыбнулась я.

— Уже нашли, — заявила библиотекарь, — вот она я собственной персоной.

— Вы ведь знакомы с Юлией Моргаловой? — сразу схватила я быка за рога.

— С кем? — удивилась Кранц.

— Может, общались с девушкой, когда она была Яценко?

— А, с Юлечкой! — встрепенулась Анна Иосифовна. — Ну конечно! Дочка покойной Лёки! Как она поживает? Наверное, замуж вышла. Вы упомянули сначала другую фамилию.

— Моргалова. Верно, Юлия была расписана с Николаем, своим соседом.

— Почему была? — мигом отреагировала Кранц. — Девочка развелась? О темпора, о морес![1] Нынче не встретишь крепкую семью. А от меня вы чего хотите?

— К сожалению, я принесла печальную весть.

Анна Иосифовна прижала узкие ладошки к бледным щекам.

— Сообщайте. После кончины моего дорогого Павла Яковлевича меня уже ничем не испугать.

— Юлия умерла.

— Боже! Она ведь молодая совсем, ребенок... Ужасно! — затрясла головой старушка.

— Родственников у девушки нет.

— Господи! Да, знаю... Конечно... — бестолково засуетилась Анна Иосифовна. — Лёка очень переживала! Она не хотела... боялась... очень старалась... Это трагедия! А если учесть необычайный дар... бедняжка жила в аду...

— Юля?

— Кто? — переспросила Кранц.

— Вы сказали: «бедняжка жила в аду». Кого вы имели в виду?

— Лёку, естественно, — сказала Анна Ивановна. — Сколько раз она у меня тут плакала! Сердце мое кровью обливалось, но помочь ей я не могла. Андрон был тиран, только она его обожала. И из-за Люси так переживала, каялась! Пыталась заменить Юле мать, но та... О господи! Я непонятно изъясняюсь?

---

[1] «О времена, о нравы»! *(лат.) — восклицание Цицерона.*

— Не очень, — призналась я.

Анна Ивановна поманила меня пальцем.

— Пойдемте сюда, за стеллажи. Осторожно, не ударьтесь о выступ.

Ловко лавируя между полками, она привела меня в каморку и заговорщицки прошептала:

— Кофейку? Пожарные строго-настрого запретили чайник держать, но у меня кипятильник, а о нем речи не было.

Я улыбнулась. Кранц похожа на второклассницу. То ли к старости стала такой, то ли всегда обладала менталитетом ребенка. Ей скучно в книгохранилище, куда редко заглядывают сотрудники, а тут появился новый человек. Анна Иосифовна не стала задавать мне вопросы, она вполне удовлетворилась брошенной посетительницей фразой про знакомство с Юлией и решила, что незнакомка пришла сообщить ей о смерти падчерицы Леокадии. А как поступает человек, узнав о чьей-то кончине? Вспоминает свои встречи с покойным.

— В разгар перестройки, — завела Анна Иосифовна, — директором у нас тут был Федор Сергеевич Панков. Ох, оборотистый был мужчина! НИИ кругом разваливались, а мы держались на плаву и даже новых сотрудников набирали. Это уж потом выяснилось, что начальство незаконным образом сдало загородную базу, пустило туда бандитов, подружилось с непотребными людьми и превратило пансионат в приют для уголовников. Панкова со скандалом уволили, НИИ захирел. Но два года мы роскошно существовали, нам с Еленой Георгиевной даже зарплату прибавили. Моя коллега — дама решительная, она сразу почуяла денежный ветер и пошла к Панкову с требованием увеличить штат библиотеки. Мол, хранилище набито литературой, каталог составлялся при царе Горохе, надо его почистить, внести исправления, а мы работаем через день, сидим и на абонементе, и в читальне, времени на архив нет...

Федор Сергеевич внял ее просьбам и принял на службу еще двух сотрудниц — Леокадию Бланк и Светлану Глаголеву. Анна Иосифовна оказалась в одной смене с Лёкой, чему была очень рада. Кранц этническая немка, ее родственники в начале двадцатого века прибыли из Мюнхена в Россию торговать мануфактурой, да так и остались в Москве навсегда. А Леокадия вела род от некоего Бланка, приехавшего в Россию из Пруссии в незапамятные времена, при Петре Первом. Двум дамам было о чем поговорить, а крепкая дружба началась с яблочного пирога. В семье Кранц сохранили его рецепт, бабушка объяснила Анне Иосифовне, как следует замешивать тесто, чтобы оно раскатывалось до толщины папиросной бумаги, а Леокадия таких тонкостей не знала. Кранц любит поболтать, поэтому, получив слушателя, она обрадовалась.

Леокадия оформилась на работу в январе, а в марте она не вышла на службу, сообщив о простуде.

Проведя очередной рабочий день в одиночестве, Кранц поехала домой. Анна Иосифовна любит в метро просматривать... глянцевые журналы. Не сочтите ее дурочкой, она образованная женщина, но перед входом в подземку частенько приобретает «глянец». Есть у библиотекарши такая слабость, и она ее стесняется. Муж и сын, узнав об интересе Анны Иосифовны к красивым фото и статьям о тряпках, стали бы насмехаться, поэтому она изучала издания в метро.

У продавщицы в ларьке не нашлось сдачи, и она сунула Кранц какую-то газету. Анна удобно устроилась на сиденье и развернула ее. Кранц, сразу сообразив, что ей в руки попало так называемое бульварное издание, решила выбросить отвратительное чтиво в ближайшую урну. Сложила газету и вдруг увидела фото... Лёки. Над снимком шел гигантский заголовок: «Экстрасенс спасает людей. Страшная трагедия в московском кафе. Трое погибших, среди них один ребенок».

Прочитав статью, Анна Иосифовна испытала шок.

Оказывается, она уже несколько месяцев работает с женщиной, которая обладает уникальными паранормальными способностями и ни намеком не обмолвилась о своих талантах. А ведь напарнице было о чем рассказать!

В газете говорилось о том, что в прошедшую пятницу некая Леокадия Бланк ворвалась в небольшое кафе, самый обычный стеклянный павильончик, которые в тот год словно грибы выросли по всей Москве, и закричала:

— Скорее уходите отсюда! Идет смерть! Будет тут через пять минут, уже катит по проспекту! Люди, умоляю, поторопитесь!

Москва огромный город, здесь можно встретить массу сумасшедших, поэтому немногочисленные посетители заведения не обратили на Леокадию ни малейшего внимания. Бланк, сообразив, что ее предупреждение не принято всерьез, начала хватать людей за плечи и орать:

— Быстрее, бежим!

Официантка возмутилась и решила вытолкнуть психопатку вон. Тогда Леокадия схватила двух маленьких детей, сидевших с родителями за столиками, и кинулась к выходу, за обезумевшей теткой рванулись родственники ребятишек. В павильончике остались только официантка и одна клиентка с маленькой девочкой, годовалой крошкой (старшую ее дочку сцапала Леокадия, муж понесся за похитительницей, а мать замешкалась — никак не могла вытащить малышку из высокого стульчика). И тут в стену павильончика на полной скорости вломился здоровенный грузовик. Хлипкое здание уличного кафе сложилось, как карточный домик. Женщина с ребенком погибли на месте, официантка попала в реанимацию. Жертв, несомненно, было бы больше, не схвати Леокадия двух детей и не побеги за ней часть посетителей...

Анна Иосифовна, пересказав по памяти газетную

заметку, допила чай и начала вертеть в руках пустую кружку.

— История имела большой резонанс, о ней написали почти все газеты. Лёку пригласили на телевидение в очень рейтинговую программу, и, ясное дело, тьма народа ринулась к ней, чтобы узнать свое будущее, — продолжала она. — Леокадия была скромным человеком, ей это все не нравилось. К нам в библиотеку помчался весь институт, но она наотрез отказалась заниматься предсказаниями. Исключение сделала только для Светы Глаголевой. О господи! Вот страх-то был!

— Вас напугал прогноз для коллеги? — спросила я.

Кранц отмахнулась.

— Не в том дело. Все знали, что у Светланы муж болен белокровием и доживает последние дни. Глаголева решила отвезти супруга в Израиль, где некий доктор обещал полнейшее его выздоровление со стопроцентной гарантией. Денег врач запросил немерено и потребовал их вперед. Причем он оговорился, что в случае неудачи их не вернет. Еще прибавьте стоимость билетов, номера в гостинице... Светлана решила продать квартиру и дачный участок. Уж как мы ее уговаривали: «Опомнись! Попадешь в лапы к мошеннику, останешься голой, босой». Но она нас не слушала, твердила: «Я должна использовать все шансы, иначе потом себя не прощу!» И тогда я попросила Леокадию...

Бланк сначала повторяла, что не хочет гадать коллегам, но Анна Иосифовна продолжала настаивать. И в конце концов Леокадия согласилась.

Светлана потом рассказывала Кранц, что никогда не испытывала подобного ужаса. Лицо Лёки во время сеанса окаменело, подбородок отвис, а из груди вдруг вырвался мужской голос:

— Света, узнаешь меня?

— Папа! — завизжала Глаголева и затряслась в ознобе. — Ты же давно умер!

— Не дури, — прервал ее голос, — мужу твоему уже здесь место приготовлено, жизни ему осталось не больше месяца. Не езди в Израиль, тот врач мошенник.

## *Глава 17*

Прогноз Леокадии сбылся со стопроцентной точностью. Муж Светы вскоре умер, а про того врача, шарлатана и обманщика, написали многие газеты. Благодаря Лёке Глаголева сохранила квартиру и участок, иначе жить бы ей бомжихой...

Анна Иосифовна снова включила кипятильник.

— Лёка была очень совестливой, человек редкой души. Знаете, она мучилась от своего дара, старалась не смотреть на людей в упор, отводила глаза в сторону.

— Почему? — удивилась я.

Кранц опустила пакетик с чаем в кипяток.

— Как-то в минуту откровенности Лёка мне сказала, что она впадает в транс, глянув в чужие глаза. Правда, говорила, что канал открывается не всегда, но часто. Леокадии же совершенно не хотелось знать о судьбах посторонних, вот она и пыталась избежать контакта. Удивительная женщина! Жаль, мы недолго вместе работали, дружба наша оборвалась сразу после увольнения Лёки. Она исчезла, как в воду канула. Правда, мы с ней пару лет назад совершенно случайно столкнулись в Подмосковье.

— Да ну? — изумилась я.

Анна Иосифовна закивала:

— Я поехала к приятелям на дачу, сошла на их станции, гляжу — Лёка.

— Неужели сразу ее узнали? — поразилась я. — Вы же много лет не виделись. Или я ошибаюсь?

— Да, да, — закивала Кранц. — Но у Леокадии была очень приметная внешность: ярко-рыжие волосы, не крашеные, собственные, от природы. Поверьте, такой цвет я более никогда не встречала. Просто пожар на голове! Они вились мелким бесом. Лёка очень гордилась пышной прической, носила распущенную гриву до лопаток. Да и как было справиться с такой буйной растительностью? В хвост стянет — резинка лопнет, попытается в пучок уложить — шпильки не держат. А еще у нее на ноге были следы от ожогов, очень заметные.

— От чего? — переспросила я.

Анна Иосифовна опустила в чай сушку.

— Знаете, как Лёка свой дар обрела? Подростком она пошла в поле за грибами и случайно наткнулась на провод, девочку сильно ударило током. Там было какое-то невероятное количество вольт! Лёка по непонятной причине осталась жива и обрела способность предсказывать будущее, но на коже у нее остались два уродливых пятна... Короче, иду я по перрону и вижу... Матерь Божья! Лёка! Волосы рыжие, юбка чуть пониже колен, у щиколотки след от удара током. На лице, правда, черные очки...

Анна Иосифовна не сдержалась и закричала:

— Леокадия! Дорогая!

Бывшая коллега не отреагировала. Она быстрым шагом шла к площади, где стояли автобусы и такси, но Анна Иосифовна, воспитанная и ненавязчивая женщина, отчего-то решила в тот день проявить настойчивость и побежала за ней, выкрикивая:

— Лёка! Это я, Анна Кранц.

Бланк притормозила.

— Не узнала меня? — запыхавшись, спросила Анна Иосифовна. — Увы, я состарилась. А ты все такая же!

— Вы очень хорошо выглядите, — возразила Лёка.

— Ты помнишь нашу библиотеку? — заулыбалась Анна Иосифовна.

Последовал кивок.

— Я там по-прежнему работаю. Приходи в гости, а? — радушно позвала Кранц.

Лёка сделала неопределенное движение головой.

— Институт впал в спячку, — выкладывала новости Анна Иосифовна, — Света Глаголева уволилась. Ты ее не забыла?

Леокадия странно поморщилась, но промолчала.

— А мы с Еленой Георгиевной тянем лямку, — не успокаивалась Кранц.

Лёка начала кашлять. И тут одна из машин, припаркованных около местного рынка, загудела.

— Я опаздываю, — коротко бросила Лёка, — до свидания!

Не успела Анна Иосифовна слова сказать, как бывшая коллега молнией метнулась к «Жигулям» и укатила прочь.

— Еще хорошо, что ты цела осталась, — раздался сбоку гнусавый баритон. — А то ведь ейный мужик мог тебе по сопатке насовать.

Кранц повернула голову — около мешка с семечками сидел помятый мужичонка в грязной клетчатой рубашке.

— Сэкономить хотела? — оскалился он. — Думала, на дороге поймаешь, так она прямо здесь вещать начнет? Ха! Ниче без денег не скажет!

— Кто? — изумилась Кранц.

— Да твоя предсказательница хренова, или как они ее там называют!

— Кто? — повторила Анна Иосифовна.

— К кому ты ща вязалась? — заржал пьянчужка.

— К Лёке, — ответила Кранц, — мы раньше вместе работали.

— А-а-а... — протянул алкоголик.

Анна была настолько поражена странной встречей с бывшей приятельницей, что продолжила беседу с маргиналом.

— Удивительное дело, я за эти годы состарилась, а у Леокадии на голове нет ни одного седого волоса.

— Красит небось, — прогундел мужичонка. — Ведьма! К ним на собрания много народу шляется, небось заработала на парикмахера.

— На собрания? — растерянно переспросила Кранц.

Алкоголик сплюнул, вытер рот рукавом и начал просвещать Анну Иосифовну.

Пару лет назад в деревне Михиево обосновалось общество «Бессмертная душа», на собрания туда может прийти любой желающий поговорить со своим умершим родственником. Леокадия была медиумом, при ее помощи происходило общение. Местные жители принялись сплетничать о приезжих, откуда-то селяне узнали: раньше организация находилась в другом месте, откуда их выжил православный батюшка. А в Михиеве церкви нет, народ в деревне в основном пьющий, думают не о боге, а о бутылке. Местный участковый Иван Котов, правда, заглянул к новым жильцам и был принят со всеми почестями, его накормили обедом и напоили чаем.

Иван потом зашел к сельской совести, бабке Филимоновне, и сказал:

— Нормальные люди, ничего плохого не делают, но сдвинутые. Она с мертвыми общается, устраивает людям свидание с покойными родственниками. С того и живут.

И действительно, в Михиево стали часто приезжать разные люди. Они набивались в избу к Леокадии, и там за плотно закрытыми окнами проходил спиритический сеанс.

— Наши бабы тоже к ней поперли, — плевался алкоголик. — Первой Верка понеслась — она сына схоронила, гроб из армии получила, цинковый. Вскрывать не дали, вот мать и маялась: кто в ящике? Может, она по чужому плачет. Леокадия ей четко сказала: «Твой парень, не сомневайся. Хочешь с ним поговорить?» Верка, само собой, согласилась. А потом бегала по деревне и всем рассказывала, как хорошо живется ее мальчику на небесах.

—...И таких, как та Вера, нашлось, конечно, много, — закончила рассказ старушка-библиотекарша. — Очевидно, деньги к Леокадии лились нескончаемым потоком.

Кранц быстрыми глотками осушила кружку и грустно добавила:

— Мне стало понятно: Андрон добился своего — сломал Лёку, сыграл на ее чувстве вины. Нехороший мужчина! Единственное его положительное качество — он живописью увлекался, картины писал. На мой взгляд, жуткие, Лёка мне одну показывала.

— Кто такой Андрон? — перебила я собеседницу.

— Отец Юлии и бедняжки Зоечки, муж несчастной Люси.

— Извините, но я ничего не знаю про Люсю и Зоечку, — пробормотала я.

Анна Иосифовна всплеснула руками.

— Я только что рассказывала про то, как Лёка людей в кафе спасла.

— Но вы не упоминали о Люсе и Зоечке.

— Неужели? — усомнилась Кранц. — Тут-то и самый смысл. Понимаете, Лёка рассказала мне, как было дело. Она шла по своим делам, и вдруг — накатило! Внутренним зрением она увидела, как грузовик врезается в павильон. Кровь, вопли, трупы... Лёка и ворвалась в кафе. Посетители приняли ясновидящую за сумасшедшую, но Бланк-то знала: самосвал уже едет по соседней улице, смерть торопится, вращает колесами... Вот тогда, на пике эмоций, Лёка схватила чужих детей, решила, пусть хоть они спасутся, и побежала прочь. Одной из «украденных» девочек была крохотная Юлия. Ее отец, Андрон, кинулся за Лёкой, вместе с ним ринулись и остальные. А вот мать Юли, Люся, задержалась, не смогла младшую дочку, Зою, быстро вытащить из детского стульчика, и они обе погибли.

— Ужасно! — покачала я головой.

— Согласна, — выдохнула Кранц. — Лёка потом мучилась, считала себя виновницей трагедии.

— По-моему, наоборот — она спасла людей.

— Конечно! Но Андрон был очень хитрый, настоящий змей. Он сразу понял, что талант Леокадии можно эксплуатировать, и начал давить на нее. Андрон буквально вынудил Лёку выйти за него... Один раз она не выдержала...

Кранц оперлась локтями о стол и заговорщицки зашептала:

— Понимаете, Лёка ни словом не обмолвилась мне о своих проблемах. После того происшествия она через неделю вернулась к работе, очень стеснялась славы, а про то, что вышла замуж, вообще никто не знал. Правда выяснилась совершенно случайно...

Под Новый год директор около полудня отпустил сотрудников домой. Анна Иосифовна побежала в магазин и с досадой поняла: забыла кошелек в комнате отдыха. Пришлось возвращаться назад. Представьте себе ее удивление, когда в помещении она застала тихо плачущую Лёку.

— Что случилось? — бросилась к ней Кранц. — Тебя обидели? Не дали премию? Обделили продуктовым заказом?

— Моя жизнь сплошной кошмар, — прошептала Леокадия, — беспросветный мрак и туман.

Анна Иосифовна обняла Лёку, и та выложила ей все о происшествии в кафе и о своей дальнейшей жизни.

...Похоронив жену, Андрон начал звонить Леокадии. Приглашал ее в театр, консерваторию, короче говоря, принялся откровенно ухаживать за ясновидящей. Лёке мужчина нравился, но она не собиралась замуж, а еще ее настораживало, что кавалер, едва став вдовцом, открыл охоту на новую жену. В случае преждевременной кончины супруги и ребенка все-таки принято соблюдать траур. Поскольку ухаживания Андрона становились навязчивыми, Леокадия высказала ему свои соображения. Его реакция была неожиданной.

— Я очень любил Люсю и Зою, — сообщил вдовец. — Но их больше нет, на руках у меня осталась Юлия. Как мне углядеть за крошкой? Малышку ждет незавидная судьба — круглосуточные ясли, детсад-пятидневка, интернат. Я-то ведь должен работать. Где выход из положения?

— Нужно найти хорошую, ответственную женщину... — наивно ответила Лёка.

— Уже есть одна на примете, — перебил ее Андрон, — это ты!

— Нет, нет, — замотала головой Бланк.

— Ты обязана! — заявил Андрон. — Раз лишила девочку матери и сестры, теперь искупай вину.

— Я? — охнула Лёка. — Они погибли из-за водителя!

— Нет, — погрозил Андрон ей пальцем. — Ты же знала, чем дело завершится?

— Да, — мрачно кивнула Бланк.

— Бросилась спасать людей?

— Верно.

— Схватила Юлю...

— Это спонтанно вышло, — жалобно промямлила ясновидящая, — никто меня слушать не хотел, вот я и решила детей спасти.

— Теперь ответь, по какой причине ты схватила не Зоечку, а другого ребенка?

— Юлю?

— Она была у тебя в одной руке. А во второй?

— Девочка, которая сидела рядом.

— Но почему не Зоя? — иезуитски вопрошал Андрон.

Леокадия растерялась.

— Не знаю. Юля первой попалась мне на дороге, затем я увидела другую малышку.

— Но не Зоечку!

— Пойми, — Леокадия прижала руки к груди, — я находилась в трансе, я не управляю собой в такие моменты.

— Ты предвидела беду! — гнул свое Андрон.

— Это было случайное озарение.

— Ты знала: Зоя застрянет в стуле, а Люся останется доставать ее.

— Нет, конечно! — взвилась Лёка.

— Неужели ясновидящая не видела всей картины? Тебе следовало брать стул вместе с Зоечкой и бежать. Вот тогда бы и Люся спаслась, и моя девочка, — безжалостно закончил Андрон. — Ты погубила их, теперь обязана поднимать Юлю.

Я не смогла спокойно слушать рассказ библиотекарши, возмутилась:

— Однако! Очень странный мужчина!

— Нет, не странный, — грустно отозвалась Анна Иосифовна. — Просто хитрый. У Андрона были далеко идущие планы. Помните, в начале девяностых годов страну захлестнула волна мракобесия — гадалки, колдуны, ведьмы... Наивный народ, уставший от политических потрясений, кинулся к знахарям, целителям, экстрасенсам. Конечно, среди них попадались и настоящие специалисты, но, думаю, таких один на миллион, остальные либо мошенники, либо искренне заблуждавшиеся на свой счет люди, которым казалось, что они обладают сверхъестественным даром, хотя никаких способностей у них и в помине не было.

О Леокадии и случае в кафе написали почти все газеты, Бланк словно получила сертификат качества. Спустя полгода о сенсации забыли, издания переключились на новые темы, но ведь Андрон всегда мог показать вырезки из газет.

В конце концов он сломил сопротивление Бланк, та вышла за него замуж, и Андрон приступил к претворению в жизнь следующей части своего плана. Он использовал ту же мотивацию: Леокадия погубила Зою и Люсю, теперь она обязана создать отличные условия для существования Юле и Андрону...

— Чистопробный мерзавец! — снова, не выдержав, возмутилась я. — Ладно девочка, но сам-то он тут при чем?

Анна Иосифовна развела руками.

— Отвратительный тип! Уверял, что от стресса,

вызванного гибелью первой жены и дочери, потерял здоровье.

— Леокадия пошла у него на поводу?

Кранц закивала.

— Увы, да. Она очень полюбила маленькую сиротку, стала называть ее доченькой, а девочка быстро забыла родную мать. Думаю, ради счастливого будущего Юлии Лёка и согласилась стать профессиональным медиумом. Дураку понятно, что ясновидящей заплатят больше, чем библиотекарю. Но она очень мучилась, даже сказала мне: «Порой мне кажется, что я обманываю людей. Вдруг я не будущее считываю, а свои фантазии?»

Анна Иосифовна секунду помолчала и переключилась на другую тему, вспомнив причину моего появления в библиотеке:

— Боже, какое горе! Говорите, Юля скончалась? От чего? Автокатастрофа? Господи, только что до меня дошло! Вы сказали: девушка одинока. Значит, и Лёка, и Андрон на том свете? Ну беда!

— Нет ли в вашей библиотеке той самой газеты, с сообщением про Бланк? — спросила я.

— Мы не храним периодику, — ответила Леокадия. — У нас только научная литература. А вы хотели почитать статью?

— Да, я занимаюсь сбором материалов по ясновидению, пишу диссертацию по этой теме.

— Думаю, я сумею вам помочь, — прищурилась Кранц. — Подождите, я сбегаю к телефону, аппарат у нас в коридоре висит...

Я покорно осталась сидеть на продавленном стуле. Через несколько минут Кранц вернулась и бодро сообщила:

— Если прямо сейчас поедете в библиотеку на улице Кондоготова, то заведующая, моя хорошая знакомая Олеся Николаевна Павлова, выдаст вам подшивку. Естественно, не на дом, просмотрите в читальном зале. Отправляйтесь сегодня. Павлова завтра уходит в отпуск.

## Глава 18

— Анечка сказала, что вы пишете диссертацию по гадалкам? — приветливо улыбнулась Олеся Николаевна, вручая мне пахнущие пылью газеты. — А я совершенно им не верю! Ну как можно предвидеть будущее, если его пока нет? Читайте спокойно, вам никто мешать не станет.

Я села за стол и начала перелистывать пожелтевшие страницы. Газета, в отличие от книги, живет всего один день, сенсации рождаются внезапно и быстро умирают. Неужели кто-нибудь из вас помнит, о чем кричала пресса год назад? Два? Десять? Изучение старых изданий крайне увлекательное занятие, в особенности смешно читать про всяческие планы и обещания. Тем людям, которые на самом деле хотят узнать историю России, могу посоветовать не покупать всякие книги, а зайти в главную библиотеку страны и попросить подшивки «Правды», «Известий» и журнала «Крокодил», допустим, за 1949 год. Почитаете постановления партии и правительства, изучите фельетоны и сами сделаете выводы. Передающаяся из уст в уста новость, как правило, чудовищно изменяется.

Пальцы мои стали серыми от пыли, в носу защипало, я чихнула и тут же увидела заголовок, кричащий об «удивительном спасении». Глаза побежали по строчкам.

«Посетители кафе «Одуванчик» были удивлены, когда в зал вбежала женщина и закричала: «Скорей уходите! Сейчас все погибнут!» Официантка Амалия Евстигнюк попыталась успокоить вошедшую, предложила ей сесть за свободный столик и сделать заказ. Но явно больная гражданка повела себя дико. Она сдернула со стульев двух девочек: четырехлетнюю Юлию и пятилетнюю Олю — и бросилась бежать. Отцы детей и мать Ольги кинулись следом за похитительницей. А мама Юлии, Людмила, осталась с младшей девочкой Зоей. И в этот момент в стеклянную стену кафе на полной скорости врезался самосвал. Прибывшая на место трагедии бригада милиции допросила участников события. Женщиной, спасшей детей и взрослых, оказалась сотрудница НИИ проблем воспитания Леокадия Бланк. «Я шла по улице и мысленно увидела, как грузовик врезается в павильон, — сказала она нашему корреспонденту. — Мне привиделось будущее, и я поняла, что обязана спасти посетителей кафе. К сожалению, присутствующие сочли меня сумасшедшей, поэтому и пришлось хватать детей. Я знала, что взрослые побегут за ними и тоже будут спасены». Увы, не для всех происшествие завершилось удачно, в кафе погибли Людмила и Зоя Яценко. Официантка Амалия Евстигнюк отправлена в больницу».

Я закрыла одну газету и открыла следующую.

«Ясновидение существует.

Мы уже писали о случае, произошедшем в кафе «Одуванчик», но сейчас хотим сообщить новые подробности. Водитель грузовика Владимир Коротков заявил об угоне машины. «Я зашел в кафе «Пинко» перекусить, — говорит шофер, — оставил самосвал на улице. Да, я его не запер, но кому он, на фиг, нужен? Такие машины не крадут, на ней ведь не покатаешься... А когда вышел, смотрю — нет самосвала. Пока соображал, что к чему, народ валом побежал, кто-то закричал, что на соседней улице машина протаранила стену кафе. У меня сразу появилось ужасное предчувствие — никак пьяный или наркоша мой грузовик угнал?» Дала показания и официантка Амалия Евстигнюк: «Ничего не помню, я очень испугалась, увидела только, как стекло падает, и кинулась за стойку, меня посекло осколками. Кто сидел за рулем, я не видела, вообще не поняла, что за машина. Вроде большая. Оранжевая? Может, и так. Я в обморок упала, очнулась в больнице, уйдите, голова болит».

Следующее сообщение я нашла через десять номеров.

«Водитель грузовика, протаранившего кафе, покончил с собой.

Вчера поздно ночью из окна чердака выбросился Владимир Коротков, проживавший по адресу: Холмская улица, дом 100. Накануне он был допрошен по факту угона его самосвала и отпущен. Нам удалось узнать, что в милицию пришел с заявлением свидетель, фамилию которого следствие тщательно скрывает, но мы сумели получить его показания. Приводим их полностью: «По факту заданных вопросов могу сообщить: я, находясь в кафе (от редактора: не «Одуванчик»), пошел в туалет и заперся в кабинке. В двери была щель, и я очень хорошо видел, как спустя некоторое время в сортир вошел гражданин Коротков. Он, очевидно, полагал, что находится в одиночестве, и вылез в окно. Я удивился его поведению, но остался сидеть на унитазе, потому что имел сильное расстройство желудка. Потом я ушел, но вскоре опять захотел в туалет и занял ту же кабинку, где сидел еще полчаса. Пока сидел на толчке, я увидел, как Коротков влез в окно, помыл руки и вернулся в зал. Спустя небольшое время поднялся шум, и все пошли смотреть на аварию, а Коротков заявил об угоне его самосвала и сказал, что не покидал кафе. Почему я сразу не сообщил о странном поведении шофера? У меня случилась болезнь желудка в виде поноса, которую я успешно лечил водкой. Оклемался и пошел в отделение». Очевидно, водитель грузовика, осознав тяжесть своего поступка, совершил самоубийство. Впрочем, до сих пор не доказано, кто находился за рулем в момент трагедии. Шоферу удалось ускользнуть сразу после аварии. У Владимира Короткова остался четырнадцатилетний сын Юрий. Официантка Амалия Евстигнюк, отпущенная сегодня из больницы, не дала никаких новых показаний».

Я лихорадочно листала газеты дальше.

«Сегодня к развалинам кафе «Одуванчик» пришли Андрон и Юля Яценко. На сороковой день после гибели Люси и маленькой Зои они принесли на место гибели своих любимых мамы и сестры скромные цветы. Вместе с Яценко в горестном молчании стояла и ясновидящая Леокадия Бланк. Семья Воронковых — Константин, Анастасия и крохотная Ольга — в акции не участвовали, они улетели к себе на родину, в город Владивосток. Официантка Амалия Евстигнюк тоже не пришла. Мы позвонили ей и спросили о самочувствии. «Я очень перенервничала и сейчас хочу поскорей забыть о пережитом», — призналась девушка. В следующем номере мы дадим большой материал о Леокадии Бланк, чья личность теперь вызывает огромный интерес».

Я не поленилась и прочитала интервью с ясновидящей. Никакой новой информации Бланк не сообщила, она лишь повторила историю о своем внезапном озарении.

В течение года газета вспоминала о Леокадии еще несколько раз. Последней была небольшая заметка под бойким заголовком «Новое счастье».

«Известная ясновидящая Леокадия Бланк сегодня сочеталась браком с Андроном Яценко, которого в свое время спасла от гибели. «Надеюсь, я стану хорошей матерью для сиротки Юлечки», — сказала нашему корреспонденту женщина, в необычайных способностях которой теперь никто не сомневается. Напомним вам, что Леокадия Бланк уберегла от неминуемой кончины и семью Воронковых. Мы позвонили во Владивосток, но поговорить с Константином и его женой не удалось — пара завербовалась на работу в Японию и покинула Россию. Если бы не редкий дар Леокадии Бланк, все присутствовавшие в тот роковой день в «Одуванчике» погибли бы».

Больше к теме аварии журналисты не возвращались, жизнь подбросила им новые «жареные» темы: в столице появился маньяк, в Москве-реке вынырнул крокодил, в одном из ларьков с шаурмой обнаружили чемодан с долларами...

Поблагодарив любезную Олесю Николаевну, я вышла на улицу, увидела вывеску «Кафешантан» и устроилась на открытой веранде.

Значит, после трагедии в «Одуванчике» Леокадия приобрела известность и, наверное, стала хорошо зарабатывать. Андрон не растерялся, женился на женщине и получил не только новую мать для своей дочери, но и обеспеченную супругу. Что же случилось потом? Какое отношение к тем событиям имеет Жукова? Она явно что-то знает! В подслушанном мной в супермаркете телефонном разговоре звучали странные фразы, но сейчас мне стало понятно, что речь шла не только о какой-то вещи, спрятанной Юлией, но и о Леокадии. «Шикарная гадалка! Отличный экстрасенс» — эта брошенная Полиной фраза явно относилась к Бланк.

Поразмыслив над ситуацией, я была почти уверена, что Юля дружила с Полиной и рассказала той о некоем секрете, семейной тайне. Может, Дегтярев занимался тем давним делом? Трагедией в «Одуванчике»?

Я выпила кофе, заказала еще чашку и начала вертеть пакетик с сахарным песком. Что, если Юлию убил человек, каким-то образом связанный с происшествием в стеклянном павильончике? Так, попытаемся рассуждать логически.

Юле в то время едва исполнилось пять лет, и вряд ли она помнила произошедшее. Наверняка она узнала о катастрофе позже — скорее всего, Леокадия рассказала падчерице, как погибли ее родная мама и младшая сестренка. В общем, нет ни единого повода, чтобы сейчас убивать Юлию... и все-таки он есть. Я просто пока не вижу мотива.

Однако можно предположить, как развивались события. Юлия поведала Полине о своей семейной трагедии, а медсестра заметила какую-то нестыковку и начала задавать вопросы. Моргалова удивилась и обратилась к кому-то из оставшихся в живых участников той истории. Почему? Не знаю. Что насторожило Жукову? Понятия не имею. Нет ответа на эти вопросы, но примем их как данность. Было нечто, способное сильно осложнить жизнь одному из людей, спасенных в «Одуванчике». Нечто вещественное, материальное. И Юля это спрятала. Что же это такое? Письмо? Деньги? Драгоценность? Опять не могу ответить.

Ладно, едем дальше. Юля связалась со своим убийцей и предложила ему выкупить компромат, но сообщила о своих планах лучшей подруге. Да, да, Жукова, несомненно, в курсе произошедшего и после кончины Юлии сама решила поживиться. Сначала договорилась с «клиентом», а затем пошла на квартиру к Юлии, чтобы взять тщательно спрятанную улику и... и... И как она оттуда ушла? Под дверью неотлучно стояла я, окна в апартаментах забраны решетками, к тому же рамы (не стеклопакеты, а старый вариант) были заперты изнутри на два шпингалета: верхний и нижний. Я сама видела! Уму непостижимо, куда подевалась Полина. Не утекла же она по трубе в канализацию... Хорошо, оставим и эту проблему, вернемся на пару дней назад.

Некто нанял Дегтярева в качестве частного детектива и о чем-то его попросил. Александр Михайлович поработал по этому делу, потянул за ниточки и поехал к Юлии домой. Наверное, он вошел в квартиру, когда в ней находился убийца. Преступник ударил Дегтярева и убежал. Почему он не убил полковника? Думаю, по чистой случайности — сильно растерялся, когда тот застал его у трупа Моргаловой, или посчитал Александра Михайловича мертвым. Но улика убийце не досталась. Теперь она в руках Жуковой, следовательно...

Из моей груди вырвался тяжелый вздох. Все мои рассуждения построены на зыбучем песке, ни одна из версий не выдерживает критики. Если вдуматься в ситуацию, то становится ясно: никаких улик, подтверждающих мои предположения, и в помине нет. Мне просто кажется, что дело обстоит именно так: Юлия имела на руках улику, способную скомпрометировать кого-то из участников событий в «Одуванчике»... Ладно, забудем про старые дела, допустим, та трагедия ни при чем. Упростим ситуацию. Юля обладала неким компроматом, она спрятала его и занялась шантажом, за что и была убита. Полина знала тайну подруги и решила, раз Моргалова умерла, можно ей самой подзаработать.

Я расплатилась по счету и пошла к машине. Мне просто необходимо найти Полину и вытрясти из нее правду. Сейчас поеду к ней и сяду под дверью. Рано или поздно она явится домой.

В кармане затрясся мобильный, я вытащила его и глянула на дисплей. Номер был незнакомый.

— Муся, — зашептала Машка, — ты где?

— Маня? — удивилась я. — Откуда ты звонишь?

— Со стройрынка, — еле слышно ответила девочка, — чем ты занимаешься?

— Всякой ерундой, — обтекаемо ответила я, — ничего интересного.

— Мусик, приезжай сюда.

— Зачем?

— Они сошли с ума, — сдавленно забубнила Маня. — Что мне делать с кучей трупов?

— Кто-то умер? — испугалась я.

— Пока нет, но скоро они загрызут друг друга, — нервно ответила девочка. — А еще меня тошнит от банок с краской. Я попыталась руководить ситуацией, только ничего не получилось. Кеша сбежал! Бросил меня! Такой хитрый — сделал вид, что ему позвонили, и ку-ку! Зайка, не будь дура, проделала тот же финт. Я тут с психами одна! Муся! Дегтяреву, кажется, нехорошо. Он такой красный! В смысле цвета лица. Почти синий.

— Говори адрес, — приказала я.

— Не день, а сплошной облом, — вздохнула Маня, сообщив координаты. — У меня телефон сперли! Пришлось купить новый и симку другую, чтобы тебе позвонить. А еще...

— Маша! — заорали издалека. — Марья! Где девочка? Маня!

— Поторопись, — прошептала Маруська и отсоединилась.

Когда я вошла в павильон, торгующий обоями, Дегтярев был уже не синим, а фиолетовым и не заметил моего появления. Александр Михайлович тыкал пальцем в рулоны и визгливо вскрикивал:

— Эти! Лучшие!

— Не хочу спорить, — пропела Тася, — но они неоправданно дорогие.

— Зато качественные, — подхватил Андрей, — и хорошая гамма, васильковая.

— Стеновое покрытие в синих тонах категорически не подходит для столовой! — заорала Динка.

— Почему? — удивилась я, забыв поздороваться с присутствующими.

— Голубой цвет возбуждает аппетит, — заявила сестра художника.

— Вот и хорошо, — кивнула я, — больше съедят.

— Очень плохо, — возразила Дина. — Не фиг жрать! Сколько денег придется на харчи потратить! Возьмем красные обои, они отбивают желание жевать.

— Зато вызывают агрессию, — высказалась Ирка некстати. — Ваня, Ваня, ты где?

Муж не отвечал. Очевидно, садовник, утомленный бурными спорами, решил отдохнуть и сбежал от шумной компании.

— Берем с цветочками? — предложила Таисия.

— Бред, — хмыкнул Дегтярев. — Предпочитаю геометрический узор.

— Фигня! — воскликнул Андрей. — Нужны обои с тисненой структурой.

— В смысле с пупырями? — ожила Ирка.

Корундов снисходительно посмотрел на домработницу.

— Да, используя вашу терминологию, именно с пупырями.

— Затрахаешься потом пыль оттудова выковыривать, — отметила Ирка. — Вон у Дарь Иванны спинка резная, так надо ватной палочкой каждую дырочку протирать.

— О чьей спине идет речь? Надеюсь, ты говоришь о кровати? — сказала я. — Кстати, не очень ты ее и чистишь.

— Но ведь надо! — скривилась Ирка. — Нет бы обычную спинку сделать — шмыганула тряпочкой и живи спокойно.

— Сколько стоит рулон вон тех, синих? — спросил Дегтярев у полной продавщицы, меланхолично читавшей новый роман Устиновой.

Наверное, женщина давно привыкла к скандалам и дракам в павильоне — она спокойно отложила томик и любезно поинтересовалась:

— Какие вам нужны? Дешевенькие?

— Да, — буркнул Дегтярев, — незачем переплачивать.

— Они не моются, — предостерегла продавщица.

— Так и не потеют, — отрезал полковник. — Чем хороша недорогая бумага — ее не жаль поменять. Так сколько?

— Три тысячи шестьсот сорок, — зевнула толстуха.

— Чего? — оторопел полковник.

— Уж не евро, рублей, — засмеялась тетка.

— За коробку? — потряс головой Александр Михайлович. — А сколько в ней рулонов?

— Цена указана за одну единицу, — пояснила баба и вновь сцапала детектив Устиновой.

— Больше трех тысяч за рулон? — обомлел полковник. — А нам надо... нам надо... Пошли отсюда!

— До свидания, — ожила продавщица. — Только можете больше по рынку не шастать, мой павильон самый дешевый, потому что я работаю с поставщиками напрямую.

— Мы уже всех обошли, — напомнила Маня, — она права. В соседней точке за такие же четыре штуки хотят.

— Они сошли с ума! — завопил полковник. — Все! Никаких обоев! Я сам стены разрисую!

— Значит, вам красочка нужна? — оживилась любительница детективов. — Опять же у меня дешевле. Вон баночки стоят...

— И сколько? — звонким голосом поинтересовалась Таисия.

— Дешевенькая? — с презрением уточнила торгашка. — С двухсот рублев начинается.

— Замечательно! — потер руки Андрей. — В конце концов, куски бумаги на стене — это прошлый день, лучше использовать краску. Любезная, покажите те, что по две сотни...

Баба лениво встала со стула, потянулась, засеменила в самый дальний угол будки, вытащила с полки крохотный флакончик, чуть больше пузырька с лаком для ногтей, и протянула художнику.

— Во! Держите! Швейцарское качество по лучшей цене.

У Корундова отвисла челюсть, а Машка ядовито спросила:

— Вы краску по каплям продаете? Как лекарство для глаз?

## Глава 19

Продавщица не успела подыскать достойный ответ.

— Ната! — заорали с улицы. — Товар прими!

— Ни сна, ни отдыха, — горестно вздохнула тетка и ушла.

— Цены здесь, однако, ломовые, — отметила Машка. — И где люди деньги берут? Новая квартира в жуткие бабки обходится, а еще ремонт.

— Воруют! — рявнула Дина. — Сволочи!

— Наверное, кредит берут, — предположила интеллигентная Таисия, — или по приятелям в долг собирают.

— Какого... ты пакеты вперемешку свалил! — завизжали на улице.

— Идите сюда! — приказал Дегтярев. — Давайте обсудим покраску стен.

Машка, Ира, Дина, Тася и Андрей обступили полковника, я же незаметно выскользнула наружу — очень хотелось курить.

— Вот урод... — шипела торговка, подбирая с земли упаковки с какими-то пластиковыми кружочками.

— Я не виноват, — оправдывался парень, стоящий у грязных «Жигулей», до отказа забитых товаром, — хотел побольше напихать. И еще у них сумок прихватил.

Я внимательно оглядела машину, внутри которой было множество фирменных пакетов с надписью «Касторама», и все, как один, туго набиты товаром. Так и не закурив, я вернулась в павильон и поманила полковника.

— Пойди сюда!

— Я занят, — отмахнулся от меня, как от назойливой мухи, Дегтярев.

— Все же отвлекись на пару секунд!

Александр Михайлович недовольно поморщился, но пошел ко мне.

— Что?

— Видишь во дворе «Жигули»?

— Ну?

— Ничего странного не заметил?

— Где? — засуетилась Маня, подскакивая к нам. — Кто?

— Обычный загвазданный автомобиль, — разозлился полковник, — не понимаю, почему ты отвлекаешь меня от выбора краски. Мы решили не заморачиваться с обоями.

— Оцени ситуацию: в магазин привезли новый товар...

— Эко удивление!

— Ассортимент разложен в фирменные сумки...

— Конечно! — фыркнул полковник. — Не навалом же обои сыпать.

— Прочти название на пакете, — потребовала я.

— Хватит! — топнул полковник.

— «Касторама», — озвучила Маня. — Ой, я поняла! Это тот строительный гипермаркет, про который ты говорила. Хозяйка там товар закупает, а здесь продает. Круто!

Александр Михайлович заморгал.

— Знаешь, почему она помощника именно туда посылает? — улыбнулась я. — Там и дешево, и качество хорошее. А мы, дураки, наживаться ей помогаем. Берем у нее втридорога то, что можно самим в «Кастораме» купить.

Дегтярев постоял пару минут и закричал:

— Нечего тут делать! Идиотов переплачивать нет! Поехали, я знаю отличное место! Андрей, бери пакет, вон там валяется! На нем адрес. Ну! Цыгель-цыгель ай люлю! Время поджимает! Шагом марш!

— Семь пятниц на неделе... — возмутилась Дина, но послушалась.

Я повернулась и чуть не упала. Мешок, лежавший под ногами, показался мне знакомым — бело-синий, с надписью «Вечная пломба». В ту же секунду я вспомнила: точь-в-точь такой стоял в квартире у Юли возле буфета. Интересно, зачем ей был нужен строительный материал?

— Едешь за всеми, — приказал мне полковник.

Я украдкой глянула на часы и закивала. Очень довольный Александр Михайлович резво поскакал к парковочной площадке, а я сделала вид, что заинтересовалась пластиковыми стульями. Сейчас Дегтярев и возглавляемая им ремонтная бригада помчатся в «Кастораму», а я поеду к Жуковой.

Дверь в квартиру медсестры вновь оказалась запертой, на звонки никто не отвечал. Я вышла во двор и села на лавочку. Минуты бежали... сложились в час... в доме начали гаснуть окна... В конце концов свет потух во всех квартирах, а на улице воцарилась сонная тишина.

Я встала с лавки и поехала домой. Жукова не придет. Скорей всего, у девицы есть любовник, у которого она осталась ночевать. Ну ничего, завтра рано утром я поймаю медсестру на работе и вытрясу из нее необходимые сведения. Будет запираться — напугаю ее или предложу ей денег.

Человечество делится на «сов» и «жаворонков», во всяком случае, так принято считать. Но мне более правильной кажется другая классификация: на ленивых и работоспособных. Думаю, мало найдется людей, охотно выскакивающих из постели в пять утра. Просто одни способны заставить себя вылезти из-под одеяла, а другие нет. Так называемые «совы» из второй категории, вот они-то и оправдывают свое нежелание работать физиологическими причинами.

Лично я «сова» по менталитету, но по образу жизни долгие годы являлась «жаворонком» и, честно скажу, никакого восторга, выползая ни свет ни заря из-под пухового одеяла, не испытывала. Ненавижу рано вставать! Еще хуже, если надо сразу уезжать из дома. Но сегодня альтернативы нет — Полину Жукову нужно отловить в начале рабочей смены. Мало ли что придет девушке в голову около полудня, еще отпросится и убежит. Но в восемь она обязана появиться в больнице.

Отчаянно зевая, я спустилась вниз и тут же налетела на Маруську, которая держала на руках Хуча.

— Муся, — зашептала девочка, — Хучик заболел.

— Что случилось? — испугалась я.

— Он не стоит, — зашмыгала носом Маня, — вот, посмотри.

Маруся поставила мопса на пол, отошла в сторону и сказала:

— Хучик, иди сюда!

Мопс сделал шаг и шлепнулся на бок.

— Господи! — перепугалась я. — Что с ним?

— Не знаю, — еле сдерживая слезы, ответила Маруська. — Надо ехать в ветакадемию, его сам Сергей Павлович обещал осмотреть.

— Это кто? — спросила я.

Манюня с укоризной глянула на меня.

— Муся! Сергей Павлович светило! Профессор! Академик! У него глаз — рентген. Держи Хуча, а я пока соберу все необходимое.

Сунув мне мирно сопящего мопса, Маня начала метаться по дому. Через десять минут, отдуваясь, она притащила большую, туго набитую сумку.

— Мы же не в Париж едем! — покачала я головой. — Что ты туда напихала?

— Самое нужное, — сообщила Манюня и начала загибать пальцы: — Бумажные пеленки, чтобы положить собаку, миску и бутылку воды...

— В поликлинике нет водопровода? — изумилась я.

— Есть, конечно, но отсутствует фильтр! — воскликнула Маня. — Хучу вредно пить хлорку. Еще я прихватила дропсы, чтобы собака не сопротивлялась при осмотре, пару игрушек, матрасик, плед, календарь прививок, ветеринарный паспорт...

— Хорошо хоть куст жасмина на месте остался, — улыбнулась я, — Хуч обожает под ним медитировать.

Но Маня не отреагировала на шутку.

Всю дорогу до клиники, где принимал чудо-профессор, она держала мопса на руках и угощала его дропсами. Хуч с охотой ел собачьи конфеты и преданно облизывал Машу. Мне он казался абсолютно здоровым и очень довольным жизнью. Больное животное, как правило, отказывается от любой еды. Я хорошо помню, как Снап заработал цистит. Ротвейлер тогда отворачивал морду от самых привлекательных лакомств: его не заинтересовали ни копченые ушки, ни восхитительные грызальные косточки, ни те же дропсы. А Хучик сейчас поглощает угощенье, как экскаватор землю.

Сергей Павлович тоже пришел в изумление. Правда, сначала мопсу сделали анализ крови, УЗИ и провели прочие исследования, и только потом профессор заявил:

— Кровь замечательная, все показатели в норме. Никаких патологических изменений в органах, даже нет врожденного сужения трахеи, что характерно для мопсов. Аппетит у него, судя по исчезающим на глазах дропсам, замечательный. Артрит отсутствует, травмы конечностей нет. Но... пес падает на бок! Это почему?

— Почему? — эхом повторили мы с Маней.

— Есть одно предположение, — протянуло светило, — правда, дурацкое.

— Говорите, мы к таким привыкли, — поторопила я врача.

Маня незамедлительно пнула меня по ноге, профессор продолжал:

— Видите ли, у вашего мопса слишком мощная передняя часть, и она, грубо говоря, перетягивает собаку.

— Но раньше-то Хуч нормально ходил, — напомнила я, — даже резво бегал.

— А сейчас начал падать, — пожал плечами Сергей Павлович.

— Хучик в последнее время как-то изменился, — согласилась Маня, — сзади усох, а спереди прибавил. Что же нам делать?

— Давайте понаблюдаем за ним недельку, — предложил профессор. — Посмотрим, как будет развиваться процесс. Непосредственной угрозы жизни я пока не вижу.

— Спасибо, — кивнула Маня и подхватила мопса.

— Поставь-ка его, — велел врач.

— Но собака падает! Не может ходить! — возразила Маня.

— Сейчас посмотрим, — улыбнулся Сергей Павлович, потом взял из коробки очередной дропс и сказал: — Хучик, иди, милый, угостись!

Мопс засопел, попытался сделать шаг, покачнулся, но удержался на лапах. Потом вздохнул и бочком-бочком начал подбираться к профессору.

— Ох и хитрый ты, парень! — засмеялся ветеринар. — Больше не привозите его, смотрите, он уже наловчился — прямо идти не получается, так он боком передвигается.

Я с сомнением покосилась на профессора. Может, он и великий академик ветеринарных наук, но причины падений Хуча так и не нашел!

Через час я доставила Маню и Хуча в Ложкино. Мопс выглядел невероятно довольным: утро не зря прошло, слопал не меньше двадцати конфет, а в обычный день больше двух не выпросишь!

Утешив расстроенную Маню, я поехала в больницу, поднялась в отделение и увидела на посту полную женщину в голубой хирургической пижаме.

— Вам кого? — сердито осведомилась она. — Посещения больных с семнадцати.

— Я ищу Полину Жукову. Вы не в курсе, где она? — ангельским голоском осведомилась я.

— Сама хотела бы знать, куда нахалка подевалась, — разозлилась тетка. — Вот молодежь! На работу не явилась! Да я себе такого даже в статусе старшей сестры не позволяю. Пусть только припрется, будет ей сюрприз! Из зарплаты вычтут. Идите вниз, в холл, там ее и ждите. Не мешайтесь под ногами, здесь больница, профессор рассвирепеет, если посторонних заметит.

Я вернулась на первый этаж, тупо просидела в продавленном кресле два часа и вновь поднялась в отделение. На сей раз за столом сидела девочка в белом халате, грудь ее украшал бейджик «Людмила».

— Жукова пришла? — бойко спросила я.

Людмила нервно оглянулась.

— Тс! Зачем она вам?

— Нужна, — обтекаемо ответила я, — по делу.

— Можете у меня информацию получить, — почти шепотом предложила девочка. — Кто вас интересует? В какой палате лежит?

— Я хочу поговорить с Полиной.

— Ее нет, — неохотно призналась Люда.

— Еще не появилась?

— А вы ей кто? — вопросом на вопрос ответила медсестра.

— Жукову мне рекомендовал приятель, — начала я врать. — Полина ухаживала за его парализованной мамой, и я хотела ей у нас работу предложить.

Людмила скривилась.

— У Ирки Зайцевой спросите. Они дружат, небось Ирка знает, куда Полька делась!

— И где найти Зайцеву?

— Идите в девятое отделение... или... Стойте!

Люда схватила телефонную трубку.

— Кать, ты? Здорово! Мила беспокоит, подтяни Ирку. А! Короче, скажи: к ней пришли. Ага! Ладно! — И она обратилась ко мне: — Вы идите в холл, сядьте недалеко от газетного ларька. Зайцева щас прибежит.

Я спустилась на первый этаж и уселась в неудобное жесткое кресло. Глаза начали закрываться, ноги потяжелели, заснуть мешал лишь резкий запах хлорки, который плавал в воздухе. Внезапно в «аромате» появилась еще одна нотка — добавилось нечто вроде валерьянки. Я приоткрыла правый глаз и увидела толстую девушку в белом халате.

— Вы меня искали? — отдуваясь, просипела она. — Я Ирина Зайцева. Мила Гладышева сказала, что вам сиделка нужна? Я сообщу мои условия, если подойдут, тогда обсуждать станем. Могу с вашим родственником через день сидеть, еда и напитки за счет нанимателя.

Я с некоторым сомнением посмотрела на толстуху. Не зря она, наверное, начинает с пункта про жратву — девушка слишком много ест. Иначе почему в столь юном возрасте она похожа на слонопотама?

— Так как? — поторопила меня Ира. — Будем беседовать или я не подхожу?

— Извините, пожалуйста, — приветливо улыбнулась я, — Людмила все перепутала. К счастью, я не нуждаюсь в ежеминутном медицинском присмотре, и дома пока все здоровы.

Ирина засопела, потом плюхнулась в соседнее кресло, оно жалобно скрипнуло.

— Ну Милка! — вздохнула Зайцева. — Опять перепутала. А я уж обрадовалась! Машину хочу купить. У родителей денег брать не желаю, сама заработаю. Тяжело ходить, буду ездить.

— Вам надо похудеть, — ляпнула я и тут же добавила: — Извините за бестактность.

Зайцева махнула рукой.

— Сама знаю, только с генетикой не поспоришь. Мама сто кило, папа за центнер перевалил. Разве у них могла Дюймовочка родиться?

— Папа с мамой друг другу не родня, — отметила я.

— В смысле? — удивилась медсестра.

— Общей крови у них нет, — пояснила я, — генетики тоже. Если в семье все тучные, значит, дело в вашем питании. Привыкли, наверное, есть сладкое, жирное, жареное.

— Мамуля шикарно готовит, — подтвердила Ирина. — И вы не правы. Вон Полина часто к нам забегала, мамкины пироги трескала, и ничего. Она ваще способна торт одна слопать и ни грамма лишнего не прибавить!

— Вы сейчас о Жуковой речь ведете? — обрадовалась я удачному повороту беседы.

— Ага, — кивнула Ирина.

— Дружите с Полиной?

— Ну... — промямлила толстуха. — А вы кто? Почему расспрашиваете?

— Разрешите представиться... — бойко завела я и на секунду замолчала.

Кем лучше назваться, чтобы девушка прониклась доверием к незнакомке? Журналисткой, которая служит в газете «Жизнь»? Дальней родственницей Полины, приехавшей из провинции? Вот только сотрудницей МВД представляться нельзя...

— Полковник милиции Дарья Васильева, — тут же само собой вырвалось у меня.

Я обомлела. Похоже, мой язык живет своей отдельной жизнью, не подчиняется мозгу и болтает всякую чушь. Сейчас Ирина сделает круглые глаза и замкнется. К сожалению, люди не жалуют оперативников и следователей. И потом, человек в звании полковника не станет сам носиться по городу и опрашивать свидетелей.

Но Зайцева отреагировала иначе. Она прижала пухлые ладошки к лоснящимся щекам и прошептала:

— Ой!

— Напугала вас?

— Ой! Я не виновата совсем!

— К вам у нас нет никаких претензий, я пришла узнать кое-что о Жуковой.

— Ее убили, да?

— С чего вам подобная мысль пришла в голову? — изумилась я. — Погибла некая Юлия Моргалова, близкая подруга Полины. Слышали о такой?

Ирина нервно оглянулась.

— Тут народу много... Вон Лариска из травмы пялится! Мигом по больнице разнесет, что Зайцева с милиционершей трепалась.

— На мне нет формы, — успокоила я медсестру.

Глаза Иры наполнились слезами. Я схватила ее за руку:

— Пойдемте в кафе! Тут рядом есть симпатичное местечко, поедим пирожков...

— У меня денег нет, — пробормотала девушка, — кошелек в сестринской оставила.

— Я угощаю. Можете отпроситься?

Ирина кивнула и вынула из кармана халата телефон.

Большая порция сладкого кофе и три эклера с шоколадным кремом, съеденные без остановки, вернули Зайцевой хорошее расположение духа. Вытерев губы салфеткой, она вдруг заявила:

— Полина — дрянь.

— Вы же подруги! — подначила я ее.

— Еще недавно я сама так считала, — надулась Зайцева, — но потом правда вылезла наружу.

Очевидно, толстуха была крепко обижена на товарку, и она все выложила начистоту.

...Зайцева знала, что Полина не москвичка. Она вместе с братом приехала из провинции, намеревалась поступать в медвуз, срезалась на экзаменах и теперь зарабатывает трудовой стаж в клинике, чтобы вновь штурмовать медицинский, но не на общих основаниях, а как рабочая молодежь.

Ирине было жаль Полю, у той не было практически ничего: ни собственной квартиры, ни родителей, ни денег. Жукова снимала жилплощадь вместе с братом и очень нуждалась. Нет, Полина не жаловалась, даже изображала из себя обеспеченную девицу, но Ира заметила, что она обедает в больничной столовой, и сразу поняла: денег у Поли нет.

— Странный вывод, — удивилась я. — Ну обедает человек на работе... Как это может прояснить его материальное положение?

Зайцева схватила четвертое пирожное.

— Наши ходят в кафе, — с набитым ртом выпалила она, — в больнице не принято на местной кухне жрать, хоть там тьма хавки остается.

— Почему? — поразилась я.

— Невкусно, — давясь куском, пробормотала Ирина, — и западло. На кухню только убогие забредают: нянечки, лифтеры. Шушера, одним словом.

Полина каждый раз, когда ее звали на обед, морщилась и отвечала: «Фу! Я по забегаловкам не хожу! В Москве есть всего два места, которые я посещаю, и оба расположены в другом районе».

Сотрудники после этого решили, что Жукова богата, по больнице поползли слухи о Полининых родителях-олигархах.

— Из Сибири она, — сверкая глазами, сплетничали бабы, — отец нефтяной трубой владеет, мать алмазами. Отправили дочурку в Москву на трудовое перевоспитание, а то она дома пила, гуляла и веселилась. Ей в столице пятикомнатную квартиру купили и в больницу устроили. Понюхай, мол, доченька, дерьмо, узнай, как денежки простым людям достаются. Только мамино сердце не камень, она Польке постоянно крупные суммы шлет...

Но Зайцева приметила, как «дочь олигархов», улучив момент, когда на кухне никого нет, тайком бегает на пищеблок и выносит оттуда кульки. Один раз Ирина засунула нос в пакет и обнаружила там несколько котлет. «Богатая» девушка позаботилась о своем ужине.

## Глава 20

По сравнению с Полиной Ира жила как принцесса — в двухэтажном особняке вместе с обожающими ее родителями. Осенью Зайцева справляла двадцатипятилетие и позвала на юбилей почти всех сотрудников отделения. Мать и отец Иры наняли выездной ресторан, в саду установили шатры, играл оркестр...

На следующий день Поля подошла к Ире и с плохо скрытым любопытством поинтересовалась:

— А твои предки кто?

— Отец крупный онколог, хирург, академик, — ответила Зайцева, — мама у него в помощниках. Она, кстати, кандидат наук, вместе у операционного стола стоят.

— А ты, значит, простой медсестрой работаешь? — удивилась Полина.

Ира кивнула.

— Да, у меня нет амбиций. На врача учиться сложно, потом ответственность большая. Если честно, я не хочу делать карьеру, надеюсь удачно выйти замуж, родить не меньше троих детей и жить для них и для мужа.

Жукова порозовела.

— Жених уже есть на примете?

— Нет, — горько ответила Ира.

— Приходи сегодня к нам в гости! — внезапно предложила Полина. — Мы с Сашкой, братом моим, будем рады. Недавно в столицу приехали, друзьями еще не обзавелись.

Едва переступив порог скромной «однушки», Ира сразу поняла, что больничные сплетницы врут — материальным благополучием у брата с сестрой и не пахнет. Полина была наблюдательна, поэтому засмеялась и, взяв из рук гостьи торт, сказала:

— Мы с Сашкой отцов не знали, а мама работает воспитательницей в детском саду. Дома у нас еще двое братьев остались.

— Ясно, — бормотнула Ирина.

— Хотим сами пробиться, — продолжала Жукова, — и непременно вылезем из нищеты. Конечно, с такой, как у тебя, стартовой площадкой было бы легче, но и нам удача улыбнется.

— Непременно, — кивнула Зайцева, испытывая отчего-то перед Жуковой чувство вины.

Ирину домой провожал Саша. Что греха таить,

симпатичный, веселый парень очень понравился девушке. Филимонов начал ухаживать за Зайцевой и делал это красиво — дарил цветы, приглашал в кино, рук не распускал — в общем, вел себя безупречно. И в конце концов Ира решила представить кавалера маме. Вера Сергеевна пришла в восторг и приготовила праздничный ужин. Саша приехал к назначенному часу, с двумя букетами. Один он подарил Ире, другой — жене профессора. За трапезой парень не совершил ни одного промаха, отказался от водки, смущенно сказал:

— Простите, я быстро пьянею, поэтому употребляю только сухое вино.

Жених не путался в ножах и вилках, не выходил курить, умело поддерживал беседу, показал хорошее воспитание вкупе с недурным образованием, сумел поговорить с профессором о греческих мифах, и стало понятно: парень их читал.

Ирина, которая побаивалась, что Саша произведет на самых значимых для нее людей неблагоприятное впечатление, расслабилась. Если бы к ее, Ириной, дочери пришел такой кавалер, никаких сомнений в нем у нее бы не возникло.

Саша был безупречен. Несмотря на предложение посидеть еще, откланялся ровно в девять вечера.

Ира стала убирать со стола, а родители ушли в кабинет. Через четверть часа отец крикнул:

— Ируся, зайди сюда.

Дочь понеслась на зов. Отец с каменным лицом сидел в кресле.

— Что случилось? — испугалась Ира.

— Скажи, у тебя с этим парнем любовь? — спросил Иван Петрович.

— Он мне нравится, — потупилась девушка.

— Вы уже... ну... гм... — замялся родитель.

— Нет! — Дочь вспыхнула огнем. — Мы даже не целовались! Папочка, я ничего плохого не делала!

Хоть Ира и справила двадцатипятилетие, в некоторых вопросах она чувствовала себя ребенком. А еще она боится огорчить родителей. Ясное дело, как отреагирует профессор, человек старой закалки, на известие о том, что дочка потеряла невинность до брака...

Но реакция отца на ее слова была весьма странной.

— Вот и плохо! — Хирург стукнул кулаком по столу.

— Ты о чем? — пискнула дочь.

— Любой нормальный мужик, — заявил отец, — если ему нравится женщина, начнет к ней приставать.

— Саша не такой! — возмутилась Ира. — Он отлично воспитан и любит меня.

— Все мужики такие! — не сдался хирург. — И воспитание здесь ни при чем. Вы сколько встречаетесь?

— Шесть месяцев, — пролепетала она.

— И он не пытался уложить тебя в постель?

— Нет, — помотала головой дочь.

— Отвратительно! — крякнул Иван Петрович. — Либо этот Саша импотент, либо педераст, либо ему нужны наши деньги.

— Папа, — впервые в жизни Ира решила поспорить с главой семьи, — ты не прав!

— Я никогда не ошибаюсь! — фыркнул Иван Петрович. — А давай проведем эксперимент?

— Какой? — напряглась Ира.

— Скажи своему Ромео, что я проиграл в карты московскую квартиру, загородный дом и все накопления.

— Папуля! — пришла в ужас Ирина. — Я не хочу врать!

— Ладно, — устало махнул рукой хирург, — иди спать.

— Саша хороший! — Девушка кинулась оправдывать возлюбленного. — Ты просто меня ревнуешь! Но не могу же я остаться старой девой? Основная роль женщины — жена и мать.

Иван Петрович кивнул.

— У меня был тяжелый день на работе, вот я и сорвался.

Ира расцеловала отца и убежала в свою комнату. Недоразумение разрешилось, у хирургов бывают изматывающие операции, просто отец сегодня пребывал в плохом настроении. Саша здесь ни при чем, он вел себя безупречно. Что же касается интимной близости, то она случится, как и положено, после свадьбы. Осталось подождать предложения руки и сердца.

Но Александр не торопился. Они по-прежнему ходили на прогулки и в кино, но бархатная коробочка с заветным кольцом так и не появилась из его кармана. Встречи стали редкими, теперь Саша звонил лишь по субботам и очень часто говорил:

— Ируся, извини, у меня дел выше крыши. Но ничего, я скоро решу все проблемы, и мы с тобой поедем в парк.

Зайцевой было не по себе. Один раз она, соскучившись по любимому, приехала в его двор и села на лавочку. Утром того дня Ира попыталась вытащить Сашу на свидание, но он ловко увильнул:

— Сегодня никак не могу, сижу в библиотеке, пишу реферат, провожусь до ночи — завтра надо сдать работу.

Парень, в отличие от сестры, учился-таки в вузе. Ира прокуковала на скамейке до полуночи и уже решила уходить. Не успела она подняться, как на тротуаре, ведущем к подъезду, показался Саша — он шел в обнимку с девушкой. Ирина прилипла к скамейке. Молодые люди дошли до двери и начали самозабвенно целоваться. У Зайцевой сердце упало — с ней Саша никогда не проявлял такой страсти.

В конце концов парочка юркнула в подъезд.

И тут Ирина потеряла самообладание. Она набрала номер мобильного Саши и услышала недовольное:

— Алло!

До сих пор Зайцева никогда не беспокоила его в

столь поздний час, и Александр безмерно удивился, поняв, кто его спрашивает.

— Выйди во двор, — потребовала Ира.

— Зачем? — еще больше поразился молодой человек.

— Лучше выполни мою просьбу.

— Я сейчас не могу.

— А придется! — заорала Ира.

Спустя четверть часа Саша вынырнул из двери подъезда, он был в халате и тапках на босу ногу.

— Я здесь! — вскочила Ира с лавочки.

— С ума сойти! — воскликнул Саша. — Что ты тут делаешь?

— Я видела тебя с девкой!

— Меня? — Парень изобразил изумление.

— Не надо! — топнула Ирина. — Вы целовались! Потом вошли в дом! И где сейчас эта проститутка? В твоей постели? Хорош гусь! Меня за нос водишь, а с другой спишь? И Полина молодец! Подругой называлась! Сестра твоя куда прячется? В ванной сидит, пока ты бабу трахаешь? И...

Горло перехватило судорогой, Ира заплакала. Саша сел на скамейку.

— Прости, — глупо сказал он, — очень некрасиво вышло. Это все Полина придумала. Она мною вертит, как хочет, сам не пойму, почему ей подчиняюсь.

Ирина вытерла лицо кулаками и зло рассмеялась:

— Отлично придумал. Полина тебе велит укладывать девку в постель?

— Да, — кивнул Саша. — Только не злись, дай я все объясню.

— Ну попробуй, — согласилась Ира и снова устроилась на лавочке.

— Мы нищие, — начал Саша, — ничего не имеем, впрочем, ты сама о нашем положении знаешь. Полька хорохорится, крутую из себя корчит, но вещи она в секонд-хэнде берет, а обедаем мы через день. Какие у нас шансы подняться?

— Думаю, не особые, — скривилась Ирина.

— Помочь нам некому, — понуро продолжал парень, — а тут ты Полю на день рождения позвала.

— Ясно, — протянула Ира, поежившись, — я ей показалась достойной кандидатурой на роль невестки.

— Верно, — простодушно подтвердил Саша. — Семья у тебя богатая, квартира, машина, дача, деньги. Отец известный хирург, профессор, может помочь Польке в институт попасть. Ты единственная дочь, так неужели предки хоромы молодой семье не купят? Конечно, ты толстая, не в моем вкусе, но...

— Заткнись! — рявкнула Ира.

Саша схватил ее за руку.

— Ируся, ты очень хорошая. Честное слово, ты даже понравилась мне как человек! Я даже стал думать, как тебе покорректней про диету намекнуть. А еще липосакцию можно сделать. Сбросишь килограммов пятнадцать и будешь красавицей! Загляденье! Ей-богу, я с серьезными намерениями в гости приходил!

— Что же помешало их осуществить? — прищурилась Ира.

— Ну... так Полька... — бестолково лепетал Саша. — Я хотел... в принципе... может, того... но Полина запретила...

— Сестра приказала меня бросить?

— Да, — кивнул Саша, — причем сразу. А я все тянул, постепенно отношения на нет сводил. Не хотел тебе боль причинить! Мне Юля, поверь, совсем не нравится!

Ирина заморгала, а Саша начал скрести в затылке.

— Понимаешь, — сказал он, — ты, конечно, толстая, зато веселая, прикольная, заводная. А Юля стройняшка, только характер у нее — жуть! Но Полина конкретно приказала: «Твой объект — Юлия! У нее миллионы немереные, чумовые деньги. Изволь ее трахнуть, к себе привязать и в загс отвести».

— Я тоже не бедная, — обиделась Ира.

— Я все знаю! — подскочил Саша. — Уж извини, но это дошло до Полькиных ушей...

— Что? — изумилась Ирина.

Саша заговорщицки зашептал:

— Твой отец игрок, спустил в карты квартиру, дачу, машину и подкожный запас!

— Откуда такие сведения? — отшатнулась Зайцева.

Саша погрозил ей пальцем.

— Ладно, не прикидывайся. А то ты не в курсе! Полинка мне все рассказала. Пришла с работы и приказала: «Хорош Ирку обхаживать, ее папашка нищий, нам такой хоккей не нужен. Есть другой интерес — Юля Моргалова».

— А где Полина эти сведения нарыла? — не успокаивалась Зайцева.

— Она с твоей матерью столкнулась, — пояснил Саша. — Случайно, в магазине. Ну и спросила: «Как дела?» А та чуть не заплакала и выложила правду!

Ирина молчала. Она хорошо знала, что отец вообще не играет в карты. Никакого состояния он по ветру не пускал, и дом, и квартира, и машина, и деньги — все на месте. Значит, Иван Петрович при помощи жены осуществил задуманный план и — оказался прав. Саша мгновенно переметнулся к другой бабе...

— Представляете, каково мне было? — спросила у меня толстуха, перестав жевать.

— В любой плохой ситуации есть светлая сторона, — ответила я.

— И что хорошего в моем случае?

— Было бы намного хуже выйти за Сашу замуж, родить парочку детей, а потом узнать истинную цену супругу.

— Может, вы и правы, — протянула Ира. — Только я с тех пор стараюсь с Жуковой поменьше общаться, даже перевелась в другое отделение.

— Думаю, вам следует знать, что Юля совсем не богата, — подбодрила я Зайцеву. — Я была у нее в квартире, там довольно убого. Жукова ошиблась в своих расчетах.

— Вы не знаете! Полина — это компьютер, — мрачно ответила Зайцева. — Она сначала все разведает и лишь потом решение принимает. Юлия в шоколаде! С орехами!

— Нет, нет, — заспорила я.

Зайцева снисходительно посмотрела на меня.

— А вот и да! Но счастья у Саши не получилось.

— Почему он в Болгарию уехал? — сменила я тему.

— Куда? — поразилась Ирина. — Мне Саша говорил про Прибалтику.

— Ладно, неважно. Интересно, по какой причине он уехал? Может, Полина нашла еще более богатую невесту, чем Юля? Не москвичку?

Зайцева с сожалением посмотрела на пустое блюдо из-под пирожных.

— Не думаю. Полина мечтает жить в столице, она отсюда никуда, а Сашка — ее пропуск в рай.

— Жукова вполне симпатичная девушка, сама может выйти замуж за обеспеченного человека.

Ирина засмеялась.

— Снова мимо! Полина не собирается себя ущемлять. Ей легче брата пристроить, а потом за его счет жить. А знаете, не так давно Сашка мне позвонил.

— Вам?

— Да.

— После всего?

— Я сама удивилась, — кивнула Ирина. — Разошлись мы ведь не по-хорошему... разбежались. И вдруг поднимаю трубку и слышу Сашин голос.

## Глава 21

Зайцева сначала удивилась, но через секунду обозлилась и весьма нелюбезно гаркнула:

— Зачем звонишь?

— Ирусик, — зашептал Саша, — помоги, умоляю!

Знаю, я поступил с тобой как сволочь, но, поверь, искренне считаю тебя другом. Я в беду попал! Выручай!

— Круто получается, — засмеялась Ирина. — Как все хорошо, так ты не появляешься, а чуть тебе хвост прижали, ты тут как тут.

— Думал, ты не захочешь со мной беседовать, вот и не звонил, — попытался оправдаться бывший кавалер.

— Верно думал, — подтвердила Ира. — Я и правда не желаю с тобой общаться. Пока.

— Ируся! — взвыл Саша. — Меня убьют! Умоляю! Спаси!

Зайцева хотела язвительно поинтересоваться, кто же угрожает жизни ничем не примечательного парня, но тут из трубки послышались рыдания, и у Иры защемило сердце.

— Ладно, — согласилась она, — приезжай в больницу. Позвони из холла, я спущусь.

— Мне там нельзя показываться! — закричал Саша. — Давай встретимся в «Быстроцыпе», в кафе у трех вокзалов. Возьми с собой тысячу баксов, рублями.

— Так тебе деньги нужны! — догадалась Ира.

— Да, да, я убегаю, сматываюсь!

— От кого? Куда? — Ирина засыпала его вопросами.

— Батарейка у трубы садится... — отозвался Саша. — Умоляю! Если не придешь, мне конец!

Наверное, многие сочтут Ирину не помнящей зла идиоткой, но девушка взяла у отца в кабинете доллары и помчалась на Комсомольскую площадь.

У кафе Зайцева начала озираться по сторонам. И тут к ней подошел старик с седой бородой и сказал:

— Привет.

— Не подаю попрошайкам, — отрезала Ира, — ступай мимо.

Но дедок еще раз повторил:

— Привет. — И тихо добавил: — Не узнала? Голосто у меня остался прежним.

— Саша! — ахнула Зайцева. — Ты?!

— Тсс, — прошипел «пенсионер». — Иди в «Быстроцыпу». Там народу тьма, на нас никто не обратит внимания.

Ирина послушно выполнила приказ. Пара устроилась в самом укромном уголке, «дед» снял шляпу, положил ее вверх дном и спросил:

— Бабки принесла? Клади в шапку.

— Ничего не дам, пока не узнаю сути происходящего, — уперлась Ирина.

— На Юлю охоту открыли, убить ее хотят. Если я не сольюсь, пойду в паре.

— Что ты натворил?

— Ничего! — в сердцах воскликнул Саша. — Случайно слишком много узнал, Юлька в недобрый час разболталась. У нее такое...

— Какое? — продолжала допрос Ира.

— Лучше тебе не знать.

— Тогда прощай, — заявила она.

— А деньги? — испугался Саша.

— Они идут в обмен на правду.

Саша поправил парик.

— И все же лучше тебе оставаться в неведении.

Медсестра глянула на парня.

— Когда деньги вернешь?

— Через месяц, — пообещал Саша. — Устроюсь, заработаю и вышлю.

— Нет, — усомнилась Ирина, — обманешь.

— Ей-богу!

— Не божись! Я отлично понимаю, что бабки назад не получу.

— Значит, не дашь? — чуть не заплакал Саша.

— Дам, — вздохнула Ира. — Но взамен хочу знать, что случилось.

— Поклянись, что Польке не вякнешь.

— Мы с ней не пересекаемся, работаем на разных этажах. И вообще, я совершенно не желаю вступать с Жуковой в контакт, — успокоила его Зайцева.

Саша помялся пару минут и выложил правду.

Юлия богата, достояние ее зарыто в земле, к нему хочет подобраться один человек, который вроде имеет право на деньги. Этот мужчина как-то связан с Юлей, вернее, с ее прошлым. Юля, естественно, не хочет делиться миллионами, а мужик не знает, где зарыты деньги. Юля ни за какие пряники не проболтается о захоронке. Дядька настойчив, он следит за Моргаловой, только та не дура, к своему кладу даже не приближается, живет тихо, скромно, никто и заподозрить не может, что она богата. Но охотник за деньгами умен, он хорошо понимает, что, убив Юлю, ничего не добьется, тайна уйдет на тот свет вместе с ней.

Устав от столь непростого положения, Юля рассказала правду своей новой и единственной подруге Полине. И Жукова предложила:

— Начинай тратить деньги.

Юлия наотрез отказалась принять предложение Полины, но та старательно обрабатывала Моргалову. Сашу сестра в подробности не посвятила, она только сообщила ему о богатстве новой невесты и приказала начать «охоту на дичь». Криминальную часть истории женишок узнал случайно.

Филимонову на мобильный позвонил какой-то человек. Голос говорившего был явно изменен, Саша даже не понял, кто это — баба или мужик, — он услышал бас с неожиданно визгливыми нотками.

— Хочешь жить? — без всяких предисловий спросил незнакомец.

— Набирайте правильно номер, — вежливо ответил парень.

— Хочешь жить? Тогда порасспроси Юлю, — продолжал мистер «икс».

— Какую? — удивился Саша.

— Моргалову.

— И о чем мне с ней беседовать?

— Вели вернуть чужое.

— Послушайте, — начал злиться Саша, — если

Юлька у вас чего-то схапала, я не при делах. Она мне никто.

— Вы любовь крутите, — хохотнул голос.

— Мы не муж с женой! Я не несу ответственности за чужие выкрутасы.

— Молодец! — одобрил собеседник. — Но, увы, теперь и ты в упряжке. В общем, так: идешь к Юле и заявляешь: «Верни чужое».

— Да вали ты! — огрызнулся Саша.

— Лучше послушайся, а то худо будет, — пригрозил инкогнито.

— Слушайте, — попытался урезонить незнакомца Саша, — оно, конечно, обидно, когда у тебя деньги тырят, но я вам пропажу не верну. Ну подумайте сами! С Юлей у нас ничего такого нет, пару раз в киношку сбегали. С чего бы ей меня слушать? И уж тем более про награбленное сообщать. Если человек бабки тырит, то...

— Ступай к Моргаловой! — прозвучал приказ. — Я говорю — ты делаешь!

Саша со злостью швырнул трубку на стол, но промахнулся, телефон упал на плитку и разбился. Вот здесь парень окончательно вышел из себя, теперь придется доставать новый аппарат. Именно доставать, потому что денег на поход в магазин нет.

На следующий день, слегка поостыв, Саша отправился на «Горбушку» в надежде отыскать там магазинчик с ворованными сотовыми. Чтобы найти симпатичную модель за не очень большие деньги, парень прошатался между рядами не один час и вернулся домой злой, как голодный медведь. Аппарат он приобрел, но за него пришлось отдать все деньги, даже на обратную дорогу не хватило, в метро Саша перепрыгнул через турникет, а потом зайцем скакал по платформе от тетки в форме, которая истошно вопила: «Ловите мерзавца!»

Саша очень проголодался. Добравшись до квартиры, он вынул ключи и... споткнулся. Сначала ему показалось, что сбился половик перед дверью. Он нагнулся, желая поправить коврик, и... совсем не по-мужски взвизгнул — у ног лежала дохлая кошка. Парень сразу сообразил: таинственный незнакомец решил запугать его и подбросил труп несчастного животного...

— Минуточку! — перебила я Иру. — Почему Саша пришел к такому выводу? Вполне вероятно, что акция была направлена против Полины. Я по опыту знаю, что многие странные события имеют очень простое объяснение, людям свойственно все усложнять. Может, это подростки «пошутили» или бедная животина умерла от инфекции? Неприятно, конечно, найти такой «подарок» у порога, но ничего пугающего в этом нет: хулиганство или болезнь киски.

Ира пожала плечами.

— Саша решил, что кошка для него! Он убрал останки и пошел к Юлии. И вот тут произошло самое странное: та не впустила его, сказала, что занята. — Ирина ехидно хмыкнула: — Занята она... Неужели уборку решила сделать? У нее в квартире такая грязь!

— Ирина, — строго сказала я, — а откуда ты знаешь, *что* у нее в квартире? Ну про грязь, например. Не иначе, ты ходила к ней?

Зайцева вскинула голову.

— Да, ходила! — с вызовом ответила она. — А что, нельзя?

— Зачем?

— Я хотела рассказать Моргаловой правду о Саше, — угрюмо пояснила Ира. — Что он сначала на мне хотел жениться, а когда узнал, что мой отец якобы деньги проиграл, к ней переметнулся. Из женской солидарности пришла, предупредить!

— Ясно, — кивнула я. — Визит прошел успешно?

— Она меня сначала впустила, даже на кухню провела, а потом выгнала, — мрачно ответила Ира.

— Ладно, это неинтересно, — отмахнулась я. — Дальше что?

— Ничего, — пожала плечами Ира. — Девка Сашу выперла, он в тот день с ней так и не поговорил. А потом решил бежать.

— Почему?

Зайцева начала пальцем собирать крошки с блюда.

— Мужик опять звонить начал! Или это баба была? Саша так и не понял. В общем, его пугали, требовали денег...

Я молча смотрела на Иру. Она мне сейчас врет? Или в самом деле поверила лжи, которую выдал ей Саша? Скорей всего, Юля, Саша и Полина влипли в малоприятную историю. Парень был очень напуган и намылился удрать, бросить девушек на произвол судьбы. Решение о побеге пришло в его голову спонтанно, вот ему и пришлось клянчить деньги у прежней возлюбленной. К Юлии или Полине он по понятным причинам обратиться не мог.

— И где Филимонов? — спросила я.

— Говорила же, он в Прибалтику уехал, — напомнила Ирина.

Я повертела пустую кофейную чашку. Может, Саша сначала убил Моргалову, потом треснул Дегтярева по голове не оставляющим следов предметом и, испугавшись содеянного, поспешил замести следы?

— Вы провожали его до поезда? — повернулась я к Ире.

— Нет, — коротко ответила толстуха.

— Откуда вы тогда знаете про Прибалтику?

— Саша сказал: «Я поеду в Ригу».

— И ваш разговор происходил в кафе «Быстроцыпа» на площади трех вокзалов?

— Мне что, сначала все повторить? — огрызнулась Ира.

— Нет, спасибо, не надо, — спокойно отреагировала я.

— Он встал, взял сумку, — словно не слыша меня, продолжала Зайцева, — и сказал: «Пока! Деньги верну через месяц. Я побежал, поезд через десять минут».

Я вынула сигареты. Поезда в Латвию уходят с Рижского вокзала, а Саша брал деньги у Зайцевой в забегаловке на площади, где расположены Ленинградский, Ярославский и Казанский. Значит, парень отчаянно врал. Либо он уехал не в Ригу, а, допустим, в Питер, либо находится в Москве. Столица огромна, спрятаться в ней плевое дело. Лично я предпочла бы затеряться в каком-нибудь спальном районе, где массово селятся гастарбайтеры. И Ире он точно наплел сто бочек вранья. Не было никаких звонков с таинственным голосом!

— Значит, Юлю таки убили? — с плохо скрываемым удовольствием уточнила Ира. — Допрыгалась! Очень хорошо, что я вовремя отошла от Жуковой с Филимоновым! Мои родители сразу их раскусили, и...

— Попытайтесь вспомнить, что Саша говорил о Юле, — оборвала я Ирину.

— Обеспеченная, много денег... э... была замужем... вроде ей богатство в наследство досталось... — наморщила лоб Зайцева. — Все!

— О ее подругах не упоминал?

— Мы с Сашей об этой идиотке много не говорили! — взвилась Ирина. — Это мне неинтересно! Между прочим, вы милиция, вам лучше знать! Чего меня терзаете? Я все рассказала! Саша в Риге, ищите его там.

— Спасибо за совет, — кивнула я, — непременно пошлю запрос. Но сейчас речь о Юле, о ее контактах. Можете кого-нибудь назвать?

— Конечно, нет, — хмыкнула Ирина, — Жукову допрашивайте!

— Ее нет на работе.

— Небось бухает.

— Полина алкоголичка? — удивилась я. — Позвольте вам не поверить. В больнице о девушке отзываются положительно.

Ира засмеялась.

— Да уж, она умеет прикидываться! Знаете, как

Жукова поступает? Два дня гудит, в выходные наливается. Я-то знаю! Еще когда мы дружили, она могла на пару дней исчезнуть, а потом появлялась, словно ничегошеньки не случилось. Куда уматывала? Бухала небось.

— Может, к любовнику ездила?

— Чего ж тогда она у него не поселилась? — развеселилась толстуха. — А все с братом в одной комнатенке теснилась?

— Разное случается, — вздохнула я. — Предположим, он женат и мог впустить любовницу только на время отсутствия супруги.

— Не-а, — затрясла головой Ира. — Я видела, какая она возвращалась: морда синяя, глаза красные, руки трясутся... Типичная картина похмелья. Женский алкоголизм хуже мужского, практически не лечится, но бабы до последнего держатся, стыдно им признаться. Вечером остекленевшие, утром как ни в чем не бывало на работу выходят. Порой дети о дружбе мамы с бутылкой не догадываются. Полина из таких. Жукова сегодня на службу не явилась? Это первый симптом конца. В следующую смену припрет, наврет про внезапную болезнь. Ей сперва поверят. И во второй раз прокатит, и в третий... А потом глаза у людей раскроются или Полину у шкафа со спиртом поймают. Ничем хорошим это не кончится! Я точно знаю! Еще увижу ее позор.

## Глава 22

Не продвинувшись в своих поисках даже на сантиметр, я поехала домой, пытаясь по дороге составить план действий.

Первое — необходимо еще раз побеседовать с Жуковой. Завтра в семь утра я приеду на квартиру к Полине. Почему не хочу сегодня встретиться с ней? Ведь вероятно, что Жукова скоро вернется из того места, где она, по словам Ирины, напивается до невменяемого состояния. А есть один нюанс.

В свое время Дегтярев рассказал мне о некоторых психологических аспектах ареста. Как сейчас помню, мы сидели в гостиной и смотрели детективный сериал. Неожиданно Александр Михайлович развеселился и стал считать ляпы, допущенные создателями ленты.

— Смотри, смотри, — тыкал он пальцем в экран, — эксперт берет улику голыми руками, без перчаток. Да еще время смерти назвал до минуты. Без вскрытия. Ну, специалист! И где понятые при обыске? Их не позвали?

— А еще группа ворвалась в квартиру рано утром, — добавила я. — Чего в восемь приехали? Вон, преступник спросонья глазами хлопает!

— Ну это как раз правильно, — неохотно признал Дегтярев. — Когда человека из кровати вытаскиваешь, он от неожиданности теряется и выкладывает правду. На мой взгляд, если есть выбор, лучше нагрянуть до восхода солнца, чем на закате. Имеются разные уловки, о них наши опытные сотрудники хорошо знают.

— И какие же? — заинтересовалась я.

— Ну, допустим: привез задержанного в контору — сразу допрашивай. Он в стрессе, времени обдумать ответы не было. Те, кто впервые оказывается за решеткой, очень нервничают, и есть большой шанс сломать преступника. Не удалось разговорить фигуранта — отправь в камеру и забудь о нем.

— То есть как? Совсем какое-то время с ним не беседовать?

Дегтярев кивнул.

— Психология. Вот смотри. Утром его взяли, допросили, но наш кадр стиснул зубы и решительно от всего открещивается. Увели его в камеру. И чем парень вечером занимался, как ночь провел? Безмятежно?

— Сомневаюсь.

— Я тоже. Он ворочался и размышлял, что завтра

на допросе скажет, продумал тактику, стратегию, подготовился, ждет вызова... и тут облом! Не позвали его никуда. Ни сегодня, ни завтра, ни послезавтра. И что прикажешь ему думать? Ведь допрос — это обоюдный обмен информацией, я у преступника правду выуживаю, но и он у меня кое-что узнать пытается. А тут полнейший информационный вакуум. Ясное дело, нервы разыгрываются, подготовленная линия поведения летит к черту. И тут наконец-то его вызывают! Ведет конвойный задержанного, а навстречу по коридору другой сотрудник сопровождает подельника нашего арестованного...

Александр Михайлович усмехнулся.

— Учись, пока я жив. Если попадешь в СИЗО, будь внимательна, не ведись на ментовские штучки, не попадайся на подставы. Ну, например: преступника и его приятеля в коридоре проводят мимо друг друга. Тебя насторожит такой поворот событий?

— Да нет. Что тут особенного? Коридор-то общий.

— Общий-то он общий, — кивнул Дегтярев, — только имеется строгое правило: если навстречу направляются двое задержанных, то один из конвойных приказывает своему подопечному: «Встать лицом к стене, ноги на ширине плеч, руки за спину, взгляд в пол!» А тут вдруг они спокойно топают мимо, можно даже подмигнуть. Почему? Не иначе как хотят, чтобы фигуранты хорошо разглядели друг друга. Конвой — он не размышляет, а действует автоматически, соблюдая инструкцию. И вдруг внезапный прокол? Нет, значит, такова была инструкция. И еще. Если попадешь в СИЗО, не ловись на примитивную удочку вроде заявления: «Ваш соучастник уже все рассказал, если хотите облегчить свою участь, признавайтесь». Скорей всего, у следователя ничего нет, он блефует. Держись намертво, требуй очную ставку, если хорошо знаешь автограф сообщника, проси показать подписанный им протокол. И помни: чем меньше говоришь, тем лучше. Если ты, конечно, не серийный убийца с сорока трупами в анамнезе.

— А почему маньяк должен откровенничать? — ошарашенно поинтересовалась я.

— Дольше проживет, — вздохнул полковник. — Станет по одному убитому выдавать, пойдет волокита: выезд на место преступления и так далее. Опишут одно дело, а мерзавец про второе сообщит, да еще будет путаться, где останки зарыл. Жвачка потянется на годы. Серийный душегуб понимает: ему лучше в СИЗО, а на пожизненном, при особом режиме, ой как несладко. Знаешь, что бы я сделал, назначь меня кто-то министром образования?

— Ввел курс изучения законов? — предположила я.

— Нет. Отправлял бы подростков на одно лето в лагерь, но не отдыха, а в исправительный, системы ГУИН[1]. Полюбуется дитятко на тамошние порядки, прочувствует их на себе и подумает: а ну как придется сидеть лет пять-семь? Брошу-ка я лучше сомнительные компании и возьмусь за ум.

— Жестоко!

— Зато действенно, — надулся Александр Михайлович. — Небольшая неприятность убережет от большой беды!

И наша беседа плавно перетекла тогда в спор о правильном воспитании, но я запомнила советы полковника. Поэтому сейчас решила использовать его опыт и приехать к Полине завтра рано утром.

У двери дома меня встретили повизгивающие собаки.

— Здравствуйте, милые. — Я присела на корточки и начала гладить бархатные морды. — Как дела?

— Шоколадно, — ответил кто-то из стаи.

Я непроизвольно плюхнулась на дорожку. Мне послышалось? Или один из наших псов освоил чело-

---

[1] ГУИН — Главное управление исполнения наказаний.

веческую речь? Скорее всего, полиглотом является старушка Черри, она слишком долго живет среди людей.

— Носятся туда-сюда, грязи на лапах нанесли, — продолжала пуделиха, — вот я ее и оставила во дворе. Хуч пионы сломал. Чего он в них полез? А Банди садового гномика снес, ну того, которого Тёма Маше подарил!

Я положила руку на спину Черри.

— Нехорошо ябедничать!

Пуделиха повернула голову и посмотрела на меня большими несчастными глазами. Если не знать, какую сытую жизнь ведет Черричка, то, поймав этот взгляд, легко поверишь в ее страдания. Правда, мопс Хуч выглядит еще большим мучеником. Похоже, он сегодня не доел из миски мясо — слишком много положили, не влезло, есть от чего переживать.

— Я просто докладываю обстановку, — обиженно засопела собака.

Нет, это не Черри, она не разевала пасть.

— А вы чего на земле сидите? Не холодно? — спросил голос.

Тут до меня дошло, что звук доносится сверху, я задрала голову, из окошка гардеробной свесилась Ирка.

— Это ты! — с облегчением воскликнула я.

— Кто ж еще тут порядок наведет? Уж, поди, не гости ваши! Домой хотите войти?

Хороший вопрос, если учесть, что я стою, вернее, сижу около парадной двери.

— Ну да, — кивнула я.

— Собак не впускайте!

— Они теперь на улице ночуют? — прокряхтела я, вставая.

Ирка кашлянула.

— Нет, конечно. Только чего их заводить, если через секунду они на улицу попросятся. Носятся, словно оглашенные, снуют между двумя домами.

— Тебе не кажется, что у Хуча фигура стала еще более странной? — спросила я.

— Ну... есть немного, — согласилась Ирка, — но ветеринар же сказал, что мопс здоров. Анализы в норме и все такое.

— Верно, — протянула я, — но непонятно, по какой причине у него холка растет! Сейчас он похож на портрет Шаляпина!

— Чего? — не поняла Ирина.

— Был такой певец, Федор Иванович Шаляпин, — объяснила я. — Вроде в Третьяковке висит картина, где он изображен в пальто с огромным бобровым воротником. На мой взгляд, не очень удачное произведение, нижняя часть у певца узкая, зато верхняя объемная, словно он нацепил на шею круг для плавания.

— Не люблю я по музеям шляться, — зевнула Ирка, — лучше дома у телика посидеть. А Хуч теперь не падает головой об пол, уже ловко ходит.

Словно желая подтвердить слова Ирки, мопс приблизился к ступенькам и начал подниматься к парадной двери. Я прикусила нижнюю губу. Умный Хучик сообразил, что движение вперед по непонятной причине затруднено, и преодолевал лестницу боком. Вы когда-нибудь встречали пса, который сначала поднимал бы правые лапы, переднюю и заднюю, ставил их на ступеньку, а потом подтягивал левые, ну и так далее?

— Кто его научил этому фокусу? — изумилась я.

— А кто научил Банди открывать у полковника в спальне тумбочку и тырить оттуда драже «Морской горошек»? — хихикнула Ирка. — Сам дотумкал!

— Пит-то здоров, — отметила я. — Может, отвезти мопса к другим ветеринарам?

— Лучшего врача все равно не найти, — возразила Ирка. — Профессор велел понаблюдать за псом неделю, вот и понаблюдаем. А Хучу не хуже. Ест так, что еда из ушей лезет, носится как ни в чем не бывало, падать перестал.

— Но он же ходит боком!

— И что? У него быстро получается, нечего волноваться. Ну открыть вам дверь? — заорала Ирка.

— Не кричи, вдруг кого разбудишь, — предостерегла я.

— Разве у нас люди в нормальное время лягут спать, — зазудела Ирка. — Дождешься тут покоя... Приехали с покупками! «Газель» заказали! Мешков нахапали! Балок! Железок! Деревяшек!

— И где это все? — испуганно огляделась я.

— Так у Тёмы. Слава богу, не сюда внесли. Знаете, чего Маша сказала? Ремонт — это прикольно! Все сейчас там и прикалываются, стены красят.

Я попятилась.

— Сами?

— Ну да.

— Они же не умеют!

Иркина голова исчезла из окна, я вошла в дом, за мной потянулись псы.

— А ну, идите назад, на стройку! — возмутилась домработница, выскакивая в прихожую. — Снуют взад-вперед, лапы в побелке... Шагом марш к Тёме!

Собаки молча выскользнули во двор.

— Очень уж ты строга, — вздохнула я.

— Пять раз полы подтирала.

— А следы остались!

— Где? — засуетилась Ира.

— Вон, белые, по коридору к лестнице ведут, — не преминула заметить я.

— Это не от лап, — констатировала домработница.

— Ты только секунду назад жаловалась на свору и не пустила ее в дом!

— Никто из собак не носит кроссовки, — тоном Шерлока Холмса заявила Ирка, — это полковник пробежал.

— Дегтярев дома?

— Угу.

— А ты говорила — все отправились делать ремонт.

— Александр Михайлович вернулся, — вздохнула Ира. — Ну вот, опять надо за тряпку браться...

— Значит, не все у Тёмы, — зачем-то уточнила я.

— Все!

— А полковник?

— Все без него.

— Следовательно, на стройке не все!

— Все!

Продолжая спорить, я не забывала удивляться собственной глупости, ну зачем веду абсолютно бессмысленный разговор?

— Ладно, — сдалась Ирка, — будь по-вашему! Все дома. У Тёмы астральные тела работают.

Я изумилась. Ирка обожает сериалы и передачи, где постоянно звучит закадровый смех, она самозабвенно читает «Желтуху» и верит всему, что печатается на ее страницах. Еще домработница никогда не упустит возможности приобрести журнал с названием «Истории из жизни» и будет обливаться слезами, читая о тяжелой судьбе звезды шоу-бизнеса, которая была бита мужем, порота свекровью, выброшена голой на мороз, но тем не менее сумела встать на ноги и сейчас молодая, красивая, белая и пушистая живет в скромном сорокапятикомнатном доме на Рублево-Успенском шоссе.

Но вот всякие штучки про астрал и прочее — не для Ирки, она не увлекается загробной темой. Неужели домработница изменила себе и посмотрела передачу из цикла «Мертвые среди нас»? Как-то я, включив после полуночи телик, наткнулась на странную тетку цыганского вида, которая заунывным голосом вещала про чистку ауры, взламывание чакр и стряхивание пыли с кармы.

— Ох, Дарь Иванна, — заговорщицки зашептала Ирка, — помните, я говорила про свою бабушку?

— Да, да, — кивнула я.

Естественно, я забыла про Иркины россказни! И вовсе не уверена, что она упоминала о родственнице в моем присутствии.

— Ой, — зашмурыгала носом Ира, — такая хорошая была, добрая, ласковая...

— Все бабушки милые, — согласилась я.

— А вот и нет! Вон у Ваньки грымза эфиопская! — вытаращила глаза домработница. — Иногда так хочется мужа прибить, прямо рука зудит. А потом вспомнишь, каково ему в детстве приходилось, и оставишь его в живых.

— У Ивана в роду были негры? — поразилась я.

— Господь с вами, откуда такую дурь взяли?

— Ты сама сказала: «Грымза эфиопская». А где Эфиопия? На Черном континенте!

— Ой, да она из-под Курска! — подпрыгнула Ирка. — Пьянь местная! Ваньку била. А моя такие пончики делала, но умерла! И секрет их с собой унесла, в смысле рецепт. Вот хочу поехать и узнать.

— Куда? — в изнеможении спросила я, отступая к лестнице.

Ирка большая мастерица взболтать чужой мозг до состояния омлета. Вроде начинаете с ней разговор, чувствуя себя нормальным человеком, а спустя четверть часа становитесь идиоткой.

— Вы, Дарь Иванна, неаккуратно людей слушаете, — с укоризной отметила Ирка, — я талдыкаю дятлом, а у вас все мимо ушей свистит. Повторяю: моя бабушка делала пончики. Никогда я потом похожих не ела. Типа «хворост». Рецепт она с собой унесла, в могилу. А я его узнать хочу.

— Кого?

— Рецепт.

— Какой? — Я совершенно потеряла нить беседы.

— Пончиков!

— Их бабушка пекла?

— Да.

— И она умерла?

— Точно.

— А ты намерилась выяснить, как делать то самое тесто?

— Верно.

— Боюсь, ничего у тебя не получится.

— Это почему? — уперла руки в боки Ирка.

— Извини, что напоминаю, но твоя бабушка умерла.

— И чего?

— Ира, с мертвецом нельзя побеседовать!

— Это вы так считаете. Можно, я завтра на пару часиков отлучусь? За рецептом поеду.

— На кладбище? — не выдержала я. — Не забудь прихватить жабу.

— Зачем? — разинула рот дурында. — Про лягушек ниче не говорили.

— Во всех колдовских действиях всегда присутствуют сушеные летучие мыши и жабьи лапы, — хихикнула я. — Еще может понадобиться цветущий папоротник и всякая мелочь вроде куриного яйца с иглой, в кончике которой смерть Кощея Бессмертного.

Высказавшись, я пошла наверх, добралась до спальни полковника и поскреблась в дверь.

— Можно?

Ответа не было.

Я прибавила звук:

— Разреши войти?

Снова тишина.

Беспокойство холодной змеей вползло в душу. Дегтярев в последние дни не очень хорошо себя чувствует, он частично потерял память. Может, врачи ошиблись, и удар по голове тут ни при чем? Вдруг у Александра Михайловича случился-таки микроинсульт, а сейчас произошел новый, и он в данный момент лежит на полу, беспомощный, не способный ни пошевелиться, ни ответить?

Покрывшись липким потом и забыв о правилах приличия, предписывающих не лезть в спальню даже близкого тебе человека без приглашения, я толкнула дверь и вломилась к Дегтяреву, как носорог в хлипкую хижину.

В горле стоял ком, тело сначала окаменело, потом мелко-мелко затряслось. Вы бы тоже перепугались до сосудистого криза, увидав жуткое зрелище, кое предстало моим глазам. На ковре, одетый в спортивный костюм, хрипел Дегтярев. Он лежал на правом боку в очень странной позе — его левая рука была отведена за спину, пальцы сжимали носок левой ноги, которую Александр Михайлович вывернул абсолютно нечеловеческим образом. Больше всего меня напугали вылезшие из орбит глаза полковника и ужасные звуки, вырывающиеся из его полуоткрытого рта.

— Милый, — еле перебирая чугунными колоннами, в которые превратились мои ноги, зашептала я, — не нервничай, сейчас вызову врача.

— М-м-м... — простонал приятель и судорожно заморгал, — м-м-м...

— Секундочку! — засуетилась я. — Скажи, что случилось?

— М-м-м...

— Тебе больно? — с надеждой воскликнула я.

Инсульт не причиняет физических страданий, он обездвиживает. И если полковнику больно, значит, инсульта нет. Но не успела эта радостная мысль укорениться, как я решила, что это инфаркт! Вот сердечный приступ причиняет боль.

— Солнышко, давай помогу тебе выпрямиться, — засюсюкала я и взяла Дегтярева за пальцы левой руки. — Ну, разожми лапку!

— М-м-м.

— Ой, не буду! Может, ногу попробуем разогнуть?

— М-м-м, — ответил полковник, и тут его скрючило еще сильней.

Я снова обрадовалась — это не сердце, а банальная судорога, у Александра Михайловича свело ногу, надо немедленно ткнуть в нее иглой и вызвать врача.

— Не волнуйся, любимый, — защебетала я и быстро отстегнула брошку, приколотую к футболке.

На день рождения Маня подарила мне изумительное украшение — круглый диск с изображением Хуча, я теперь ношу его постоянно.

— Прости, дорогой, сейчас тебе станет легче, — воскликнула я и воткнула иглу в бедро Дегтярева.

— А-а-а! — заорал он и сел.

— Ты выздоровел! — возликовала я. — Какое счастье!

— Зачем ты мне помешала?! — заорал полковник.

— Ты лежал на полу.

— И что?

— С выпученными глазами!

— И что?

— С красным лицом!

— Если бы я посинел, смотрелся бы хуже, — пошел вразнос приятель. — Когда человек помидорного цвета, значит, он жив, кровь в организме циркулирует.

— Но... я думала...

— Что ты делала?

— Думала, — растерянно повторила я.

— Боже! — застонал Александр Михайлович. — Только я сумел принять нужную асану, еле-еле дотянулся рукой до ноги, изогнулся белым журавлем, как появилась думающая Дарья и со всей дури воткнула в меня булавку.

— Кем ты изогнулся? — обомлела я.

— Белым журавлем.

— Зачем?

Дегтярев указал пальцем в экран работающего телевизора.

— Видишь? Там идет урок йоги. Инструктор сказал, что каждый человек должен выучить пару асан, то есть поз. Если их делать каждый день, то навсегда возвратятся здоровье и умственная полноценность.

Я вздрогнула, последняя фраза Дегтярева, несмотря на ее оптимизм, показалась мне зловещей. Если полковник хочет, чтобы к нему вернулись вышеупомянутые качества, получается, он считает себя больным и глупым?

## Глава 23

— А теперь, — прогундосили из телика, — необходимо стать черной крысой в животе розового бегемота. Данная поза мгновенно обучит вас китайскому языку и разгладит левую морщину на правой ягодице.

Ощущая себя Алисой в Стране идиотов, я уставилась на мерцающий экран телевизора, на котором красовался улыбающийся во весь рот молодой атлет с рельефными мышцами. Парень явно проводит целые сутки в тренажерном зале, соблюдает режим дня, и у него строго сбалансированный рацион питания. А еще он извел на себя ведро детского крема и сейчас блестит под лучами софитов, словно покрытый лаком комод. Интересно, почему стриптизеры и манекенщики полагают, будто извозюканное жиром тело весьма сексуально? Лично у меня моментально возникает желание протянуть красавцу губку и гель для душа. Ну скажите, вам хочется обнимать в постели существо, на ощупь напоминающее блинчик? Ладно, это сравнение не очень удачное, пусть будет сундук, облитый растительным маслом, самым лучшим, гипоаллергенным, без запаха. Но все равно я убегу прочь. И мне кажется, что парень, старательно натирающий тело, делает это не для того, чтобы превратиться в объект, на который, простите за глупый каламбур, как мухи на клейкую бумагу, станут липнуть девушки. Скорей всего ему нравится собственное изображение в зеркале, он принадлежит к семейству павлинов.

Тем временем качок весьма ловко встал на руки и согнул тело набок.

— Интересно! — ажитированно воскликнул полковник. — А это от чего?

— Он же сказал, — напомнила я, — от морщин на попе. Ты заинтересован в их устранении?

Александр Михайлович засопел.

— Только не вздумай повторять его ужимки, — предостерегла я, — память они тебе точно не вернут.

В ту же секунду в комнате раздался смех.

— Это моя спальня, — возмутился полковник, — что хочу, то и делаю! Вломилась и еще хохочет...

— Тут впору плакать. Я думала, ты веселишься, потому что понял собственную глупость, — вздохнула я.

— Хм, мы говорим, а оно ржет... — растерянно отметил Александр Михайлович.

— Звук идет из телевизора! — поняла я. — Странное сопровождение для программы, посвященной здоровью.

— И последняя поза, — засверкал слишком белыми и большими зубами тренер по йоге, — называется она «синий орел, выхватывающий деньги у простодушных козлов».

Вновь послышалось хихиканье. Камера отъехала чуть в сторону, и на экране появился бессменный ведущий программы КВН Александр Масляков.

— Мы увидели вариант москвичей, — как всегда, серьезно сказал он, — теперь ждем решение жюри.

Я шлепнулась на диван и постаралась сохранить невозмутимое выражение лица. Полковник заморгал.

— Это кто?

— Не узнаешь? — спросила я, пытаясь скрыть за кашлем рвущийся наружу смех. — Человек-КВН, автор любимой народом программы, уникальная личность. Обычно развлекательные шоу живут пару лет, а КВН держится на экране не одно десятилетие и по-прежнему на первом месте в рейтинге.

— Но при чем здесь йога?

Я уткнулась лицом в подушку и простонала:

— Ой, не могу! Участники конкурса издевались над модными методиками лечения. Следовало об этом раньше догадаться, по названию идиотских поз, которые принимал парень.

— Я пытался повторить действия клоуна? — побагровел Дегтярев.

— Да, — прошептала я, — ты копировал фигуры... прости...

Сдерживаться более не было сил.

— Некогда мне твои глупости слушать! — обозлился полковник. — Я зашел на секунду, надеть спортивный костюм. Небось у Тёмы в доме без моего наблюдения черт-те что творится. Когда придешь в себя и перестанешь изображать мешок со смехом, приходи на стройку. Увидишь, что мы придумали.

Я кивнула, толстяк порысил к двери. На пороге он обернулся и сказал:

— Никому не скажу, как ты налетела на меня, мирно смотревшего телик. Надо же было взять такое в голову: я копирую идиота, который кривляется на сцене! Я просто почесался, а ты невесть что возомнила.

— Я пойду с тобой, — немедленно откликнулась я.

— Ладно, — кивнул Александр Михайлович. — Только оставь дома колющие и режущие предметы. Еще я бы тебе посоветовал попить легкое успокаивающее и проконсультироваться у врача по поводу галлюцинаций.

Я не стала спорить с полковником, это всегда было пустым делом. Отлично знаю толстяка и понимаю, что он не способен признаться: «Ну и свалял я дурака! Принял участника шоу за целителя».

В конце концов, Александр Михайлович не виноват, ведь на экране часто показывают странных людей с дикими советами по здоровью. Недавно я попала на какую-то программу, во время которой старушка, облаченная в черное, готовила в студии лекарство, как она выразилась, «от всего». Основным ингредиентом панацеи было хозяйственное мыло, разведенное в керосине. Очень надеюсь, что редактор сего продвинутого шоу, представивший сумасшедшую бабку многомиллионной аудитории, сам ежедневно употребляет внутрь и снаружи данное средство и теперь добирается от своего дома до Останкина без машины, потому что у него появилась реактивная тяга.

— Кстати, — неожиданно спросил Дегтярев, — ты купила мне лекарство? «Кома мао»! Давно прошу!

— Нет, извини, забыла, — вздохнула я, решив не напоминать толстяку про им же потерянный пакет со снадобьями.

— Так у кого тут проблемы с памятью? — ядовито спросил полковник. — И разреши еще раз напомнить тебе про загадку! Собака ищет наркотики, сидит около таможенника и обнюхивает чемодан. Пассажир по имени Сергей возьми да и скажи двортерьеру одно короткое слово. На мой взгляд, парень решил глупо пошутить, но его задержали и впаяли ему пятнадцать суток за то, что помешал псу работать и оскорбил его при исполнении служебных обязанностей. Можешь назвать это слово?

— Нет, — призналась я. — Всю голову сломала!

— Ну и у кого беда с мозгами? — прищурился Дегтярев.

Дальнейший путь до дома Тёмы мы проделали молча.

— Муся, ремонт — это такой прикол! — заорала Машка, когда мы с полковником вошли в здание.

— У нас чистовая отделка, — поправил Корундов.

— Красим! — запрыгала Маня. — Гляди! Сюда, в гостиную!

Я вошла в большую комнату и удивленно воскликнула:

— Все стены разные!

— В этом-то и фишка, — пустился в объяснения Корундов. — Юг, запад, восток, север. Красное, желтое, розовое, синее. Понятно?

— Не совсем, — призналась я, — думаю, будет не очень комфортно находиться в таком интерьере, слишком резкий переход от цвета к цвету, нет полутонов. И потом, разве стены не надо подготовить к покраске? Конечно, я не специалист, но точно помню, что в нашем особняке их сначала штукатурили, потом зачищали и...

— Это вчерашний день, — отмахнулся Дегтярев, — теперь новые материалы. Вот, смотри, на банке написано: «Можно покрывать любые поверхности». Маня, не стой статуей Давида, работай!

Девочка кивнула и принялась возить по кирпичам валиком, который был прикреплен к длинной палке.

Я чихнула. Из Маруси не получится «статуя Давида», в крайнем случае она может изобразить Афродиту или Афину — ведь Давид был мужчиной. Но глупое сравнение не самая большая ошибка полковника! То, что творит бригада «отделочников» под его руководством...

— Очень хорошо, что я придумал поехать в «Кастораму», — продолжал Дегтярев. — Мы купили все необходимое в одном месте по нормальной цене. А кто-то настаивал на походе по рынкам!

Полковник в своем репертуаре. Бесполезно напоминать ему, что это была моя идея, в то время как он упорно рвался на стройряды.

— Удивительно, — вещал толстяк, — сколько теперь разнообразных материалов продается!

— Одних обоев сотни рулонов, — подала голос молчавшая до сих пор Таисия. — Помнится, когда мои родители собрались сделать ремонт, им пришлось неделю в очереди у магазина провести, отмечались в списках.

— И красок таких не было! — подхватил Андрей.

Я взяла банку и начала внимательно изучать этикетку.

— Если и дальше мы будем продвигаться такими темпами, — ликовал Дегтярев, — то к приезду Тёмы все закончим. Паркет прибить плевое дело, его можно листами купить, уже собранным.

— Тёме понравится, — подхватила Машка.

— Навряд ли, — охладила я их пыл. — Смотрите, то, что вы наносите на стену, стекает вниз каплями.

— Ну, — протянула Таисия, — так получается! Иначе не держится.

— Вот потому следовало обратиться к специалистам, — не успокаивалась я. — В любом деле есть свои тонкости, о которых дилетанты не осведомлены. Нельзя все знать!

— Дашенька, — ласково пропел Андрей, — вы не в курсе. Мы выбрали особый вид покраски — венецианский.

— Это с потеками? — ехидно поинтересовалась я.

— Верно, — абсолютно серьезно подтвердил художник. — Венецианская отделка имитирует потертости, трещины, проплешины.

— Скорей всего, ее придумали неумелые строители, чтобы скрыть собственные огрехи, — не выдержала я. — У вас получилась не стена, а кошмар! Жуть черная!

— Где вы увидели черный цвет? — испугался Корундов. — Мы не покупали ничего депрессивного, только яркие, жизнеутверждающие тона. Наша концепция оформления данной комнаты проста: жизнь продолжается, хозяин оптимист, в его доме нет места унынию и печали.

— Роскошная идея, — согласилась я, — но вот исполнение подкачало.

— Тебе не нравится? — расстроилась Маня.

— Извини, нет.

— Ой, Дашулечка, — кинулась ко мне Тася, — ты не расстраивайся, это легко переделать, главное, не нервничай. Мы, естественно, сделаем так, чтобы тебе пришлось по вкусу.

Мягкая рука Таисии легла на мое плечо, отчего-то мне сразу захотелось спать.

— Ты просто не обладаешь художественным вкусом! — рявкнул Дегтярев.

Мне стало обидно.

— Вовсе нет. Только я считаю, что каждым делом должен заниматься специалист. Не зря народ повторяет вслед за дедушкой Крыловым присказку про сапожника и пирожника[1].

— Экая ерунда! — вспылил Дегтярев. — Что тут сложного? Окунул валик в ведро и крась! Если с подобной работой справляется гастарбайтер с трехклассным образованием, то мы, люди с дипломами, легко выполним отделку!

— Высшее образование — это хорошо, но ведь там не учат грунтовать стены, — снова кинулась я в атаку.

— И почему ты постоянно вмешиваешься не в свое дело? — ядовито поинтересовался полковник. — Показывают тебе ремонт — похвали! Не нравится — уходи!

Тася покрепче обняла меня, и я испытала к Волковой чувство глубокой благодарности. Она добрая женщина, ей явно не хочется оказаться в центре скандала. В принципе, Александр Михайлович прав: если сама не участвуешь в процессе, не надо вмешиваться и учить других, пусть они получат то, что хотели. Метод естественных последствий, самая лучшая методика воспитания. Слышали о ней? Работает она просто, эффективность сто процентов. Поясню на элементарном примере.

Сын-подросток собрался в мороз идти на улицу без шапки. Мать говорит ему:

— Обязательно прикрой голову, иначе отморозишь уши.

— Мне жарко, — не соглашается недоросль.

— Обязательно прикрой голову, — повторяет родительница.

И что слышит в ответ? Все то же. Разговор продлится долго, в конце концов подросток заорет,

---

[1] В басне она звучит так: «Беда, коль пироги начнет печи сапожник, а сапоги тачать пирожник».

швырнет несчастную ушанку на пол и начнет топтать ее ногами. Мамаша зарыдает, пойдет за валокордином и подумает, что ребенок ненавидит ее, вырос хамом и так далее. Каков же результат затеянного ею скандала (да, да, ссору затеяла заботливая мамочка, требуя нацепить шапку, это надо знать четко)? Что имеем в сухом остатке? Родительницу с сердечным приступом, горькими размышлениями о воспитании и ребенка с испорченным настроением, с твердой уверенностью, что предки «отстойные жабы». Кстати, дитятко все равно отправится гулять без головного убора.

А следовало применить метод естественных последствий. Увидели, как чадо выруливает на мороз в плавках и снаряжении для подводной охоты, абсолютно спокойно ему скажите:

— Ты, наверное, не посмотрел на градусник, на улице дикий холод. Лучше бы оделся потеплее. И в ластах на льду скользко.

— Знаю, не маленький! — огрызается «деточка».

— Конечно, — соглашаетесь вы, — ты уже взрослый и сам способен за себя отвечать. Мое дело предупредить!

После этого заявления вы спокойно запираете дверь за сыночком, который отправился прогуляться по декабрьским улицам в маске для плавания, и идете пить чай с баранками. Если к утру у Митрофана появятся температура, кашель и насморк, это будут естественные последствия принятого им самим решения. В следующий раз парень натянет валенки и ушанку без вашего совета. Человек должен научиться нести ответственность за свои поступки, иначе вы до глубокой старости будете с ним лаяться по пустякам.

Этот метод работает всегда.

— Великолепно обойдемся сами, — злился Дегтярев, — без советчиков! Верно, ребята?

Маша сделала вид, что не слышит его вопроса, Андрей сосредоточенно измерял линейкой расстояние между окнами, Тася нежно гладила меня по плечу.

С одной стороны, присутствующие не хотели меня обидеть, с другой — не желали портить отношения с полковником. Один Хучик безоговорочно принял сторону хозяйки: мопс новым манером, боком, подошел к банкам с краской и принялся яростно лаять. Через пару секунд к нему присоединилась вся стая. Даже старушка Черри приняла участие в общей забаве, хотя обычно она не ходит на демонстрации.

— Вот, — рассердился Дегтярев, — даже псы хотят сказать: «Дарья, краска отличная».

— Краска-то, может, и отличная, — кивнула я, — только жаль, что собаки не умеют читать, а то бы заявили другое: «Чудесное покрытие для чугуна и стали, а горе-маляры наносят его на стену!»

Маня схватила одно ведерко.

— Ой, и правда! Тут написано: «Применять только для металлических поверхностей, можно наносить по ржавчине».

— И кто это купил? — заревел полковник.

— Ты, — прозвучал хор голосов. — Сам привез тележку с банками к кассе.

Полковник покраснел.

— Эй, Хучик, Бандюша, Снапун, Черричка, Жюли! — ласково защебетала я. — Домой, песики, нам пора спать!

— Пожалуй, я тоже пойду, — робко сказала Маня.

— Александр Михайлович, — кинулась к полковнику Тася, — не переживайте, ей-богу, ничего страшного! В хозяйстве пригодится! Завтра съездим в «Кастораму» и купим необходимое.

— Забор все равно надо красить, — подал голос Корундов. — Он как раз металлический, с ржавчиной. Краска не пропадет!

Дегтярев начал медленно бледнеть.

— А я и приобретал эмаль для изгороди! — выпалил он. — Зачем вы ее на стены мазать стали?

## Глава 24

Ровно в семь утра я подошла к двери Полины Жуковой и нажала на звонок. Конечно, сейчас медсестра обозлится, начнет кричать, но я уже знаю историю с Юлей и сумею правильно построить разговор. Но, увы, никакого движения за створкой не было.

Я вышла во двор и задрала голову. Вон окна квартиры Жуковой, занавески, похоже, раздвинуты. Куда же она подевалась? Живет у любовника? А почему не ходит на работу? Может, посидеть во дворе, покурить на лавочке, вдруг Полина заглянет домой?

Я устроилась на скамейке и услышала назойливый писк мобильного. И кому я могла понадобиться в столь ранний час?

— Привет! — бойко сказал Кондратьев.

— Доброе утро, — скрывая удивление, ответила я.

— Чего поделываешь?

— Сплю, — соврала я.

Огромное спасибо создателю мобильного телефона, с его изобретением жизнь лгуна стала намного проще.

— И как там Дегтярев? — продолжал Витька. — Почему он мне не звонит? Я волнуюсь.

В моей голове пронесся вихрь мыслей. Кондратьев заместитель полковника, хороший, опытный специалист, но, пока Александр Михайлович рулит отделом, для Витьки перспектив нет — место начальника оккупировано полковником. Конечно, я посмеиваюсь над толстяком, когда он дома создает штаб и пытается руководить домашними, но Дегтярев отличный профессионал, он служит на одном месте много лет, не убежал из органов даже в тот момент, когда их трясло, как мокрого хомяка под ледяным ветром. Генерал ни за что не уволит полковника, значит, карьера Кондратьева приторможена, и Витька это понимает. Но при всем своем профессионализме Александр Михайлович очень наивен в житейских делах, он искренне считает Витьку близким другом. Толстяк не понимает, что Кондратьев завидует ему.

Впрочем, не следует осуждать Кондратьева, он живет в стесненных обстоятельствах, не ладит с тещей, не рад рождению второго ребенка и не очень-то любит жену. Кондратьев считает полковника счастливчиком, который существует за счет богатой жены. И приходится снова и снова объяснять ему: мы просто друзья, капитал принадлежит Аркадию и Маше, а Дегтярев стал моим детям отцом, другого папы у них нет. Ох, не нравится мне звонок Кондратьева... Нос прямо чует неприятности, следует держать ухо востро...

— Отлично поживает! — воскликнула я. — Говорит, омуля наловил. Наверное, придумывает, привезет, как всегда, мелочь пузатую.

— Он где? — изумился Витька.

— На рыбалке.

— Послушай, хватит шутить. Я отлично знаю, что полковник решил подзаработать сыночку на ремонт и...

— Витюша, — перебила я его, — ну включи мозг! Тёма торгует брюликами!

— Полковнику, как всегда, повезло, — не удержал завистливого вздоха Кондратьев. — Получил сына готовым, пеленок не стирал, люльку не качал, и нате — детка в алмазах!

— И зачем Тёме материальная помощь?

— Я уже объяснял, у полковника комплекс плохого отца.

Я засмеялась.

— У Дегтярева прекрасное чувство юмора, он над тобой подшутил!

— Да? — растерянно поинтересовался Витька. — Александр Михайлович не ведет расследования?

— Конечно, нет! Он на Байкале. А тебя разыграл, нафантазировал про некое дело, даже один раз задание тебе дал, чтобы шутка выглядела как правда.

— А почему он мобилу отключил?

— Зачем ее в рабочем состоянии держать? — вопросом на вопрос ответила я. — Отдохнуть не дадут. Ты же первый ему названивать станешь! И потом, вспомни, ты мне сам сказал, что Дегтярев к тебе обратился всего один раз за справкой.

— Ага, — протянул Витька.

— А теперь представь, как бы полковник тряс тебя в случае настоящего расследования.

Витька протяжно вздохнул.

— Нам надо поговорить.

— Внимательно слушаю.

— Не по телефону.

— И о чем ты собираешься беседовать?

— Необходимо вызвать Александра Михайловича в Москву!

— Из отпуска?

— Да.

— Генерал требует?

— Нет.

— А кто?

— Неважно!

— Нет, Витюша, я тебе помочь не смогу. У меня нет его адреса, а сотовый, как ты только что верно отметил, у него отключен.

— Сказала же сама, что вы с ним общаетесь.

— Он мне сам звонит.

— Послушай, отдай мне свой мобильный, а? — сделал идиотское предложение Витька. — Полковник звякнет, а там я!

— Это невозможно.

— Почему? Купишь себе другой аппарат, — начал ныть Кондратьев. — Ну пожалуйста. Меня временно поставили на место Дегтярева, надо посоветоваться! Очень!

— Ты всегда хотел стать начальником, вот и попрактикуйся, — схамила я, глядя на окно квартиры Юли Моргаловой.

Мне показалось или там кто-то пошевелил занавеску?

— Очень надо, — стонал Кондратьев, — давай я приеду в Ложкино за аппаратом...

Я вскочила на ноги. Нет, определенно штора двигается, в квартире находится человек. У Моргаловой нет родственников, кто же там шарит?

— Ты дома? — не успокаивался Кондратьев.

— Нет, — случайно сказала я правду.

— Где же ты находишься в начале восьмого? А только что говорила, что дрыхнешь? — Витька решил поймать меня на лжи.

— Э... э... В Париже, — ловко нашлась я.

— Не понял.

— У нас дом во Франции, — вдохновенно врала я, — мы с Машкой сейчас на улице Ромуа, Дегтярев на Байкале.

— Вот черт! — буркнул Кондратьев. — Так хорошо слышно, словно ты в двух шагах от меня.

— Мобильная связь совершенствуется. Извини, у нас всего полшестого, спать хочется. До встречи! — прощебетала я и кинулась в подъезд, ругая себя на все корки.

Ну надо же оказаться такой дурой! Трезвонила в дверь Жуковой, удивлялась ее отсутствию, а она сейчас хозяйничает у Моргаловой. Ну, заяц, погоди!

Забыв о хорошем воспитании, я воткнула палец в звонок и со злорадством стала слушать, как за дверью дребезжит трель. Если Полина не поспешит в прихожую, я начну колотить в створку ногами!

Но дверь неожиданно распахнулась. Я хотела уже воскликнуть: «Привет, дорогуша, я соскучилась!» — но подавилась фразой.

На пороге стояла худенькая молодая женщина, в руках она держала тряпку.

— Вы кто? — одновременно воскликнули мы обе.

Потом незнакомка продолжила:

— Вам музыка помешала? Но я тихо радио включила. Неужели слышно?

— Какое право вы имеете находиться в этой квартире? Это жилплощадь Юлии Моргаловой, хозяйка умерла. Что вы здесь делаете? — свирепо спросила я.

В глазах женщины мелькнула растерянность. Я отметила, что она не слишком уверена в себе, и решила не выпускать птичку из когтей.

— Я работаю в милиции, соседи сообщили, что в квартиру Моргаловой влез вор. Ходит у них над головой, шумит, включил радио...

Сказав последнюю фразу, я замолчала. Грабители, как правило, пытаются сохранять тишину. И потом, ну каким образом преступник может топать у кого-то над головой, ведь Юля живет на первом этаже!

— Секундочку... — сказала женщина, бросила тряпку на пол, достала из висевшей на вешалке сумочки паспорт и протянула мне выписку из домовой книги, где значилось:

«Маргарита Михайловна Изотова, Кирсарская, дом один...»

Значит, не украсив косяк бумажкой с печатью, милиция не допустила халатности — нельзя опечатывать квартиру, если в ней прописаны люди. Надо срочно узнать, кто такая эта Маргарита Михайловна!

— Понимаю изумление соседей, — говорила тем временем женщина. — В пустой, как они полагали, квартире шаги... Меня здесь никто не знает, но тем не менее я нахожусь тут на законном основании.

— Давно вы уехали из этой квартиры? — спросила я.

— Я практически никогда здесь не жила.

— Но прописаны!

— Да, так порой случается, — кивнула Маргарита. — Мама вышла замуж за Андрона, и я была прописана тут вместе с Леокадией.

Я без приглашения вошла в прихожую и опустилась на табуретку.

— Вы дочь Леокадии Бланк?

Маргарита скорчила гримасу.

— Можно и так считать.

— Так дочь или нет? — настаивала я.

— Трудный вопрос, — пробормотала Изотова.

— Элементарный, — пожала я плечами, — родителей, я имею в виду биологических, бывает двое, отец и мать. Остальные приемные или воспитатели.

— Родила меня Леокадия, — сухо ответила Маргарита, — а через некоторое время она отказалась от ребенка, променяла меня на мужа.

— Это как?

— Очень просто, это весьма частая ситуация, — с горечью заявила Маргарита, — родят от одного мужчины, разойдутся с ним, за другого выскочат, а у того свое дитятко под боком. Неохота двоих тащить, одного бросают. Угадайте, кого выкинут? Кто в семье хозяин, тот со своей кровиночкой и останется. Знаете, как вышло со мной?

— Нет, — ответила я.

Маргарита сложила руки на груди.

— Я была маленькая, подробностей не знаю, родного отца не помню, да и маму тоже смутно, лица не опишу, только фигуру — высокая, прямо под потолок, волосы рыжие, густые... Вроде я тут жила некоторое время, потом Леокадия меня Марфе отдала, но по документам я здесь числюсь.

— Как же вас в школу взяли? — изумилась я. — Опять же детская поликлиника, справки, прививки..

Изотова засмеялась.

— Ну какая в нашем селе особая школа! В одной комнате три класса, всего десять учеников. Я девятилетку закончила, больше не училась, живу при Марфе, она целительница. Травами лечит, к ней со всей России едут. Она работает при монастыре, я ей помогаю. Марфа моя родная тетя, — пояснила Изотова.

— Сестра Леокадии?

— Верно, — закивала Маргарита. — Нам позвонили из Москвы, сказали, что Юля умерла. Уж как узнали, где я проживаю, неведомо, да на то она и милиция, чтобы людей искать. Конечно, Юля мне никто, совсем посторонняя, но похоронить ее надо по-христиански, отпеть, поминки справить... Хотя сомневаюсь, что она была верующей, в трех комнатах ни одной иконы, лба перекрестить негде.

Маргарита зябко поежилась и продолжала:

— Марфа велела ехать, а мне не хотелось. Мать ведь меня из-за Юлии бросила. Но Марфа... Там такая запутанная семейная история! От Леокадии людям только горе было.

— Наверное, вы ошибаетесь, — мягко сказала я. — Она, наоборот, спасла людей, ей дар помог.

Маргарита замотала головой.

— Нет, нет, все не так!

— А как?

— Не знаю, Марфа в курсе. И не нужна мне их квартира! — Маргарита с неожиданной злостью вскинула голову. — Одна беда от нее. Марфа говорит, что мне стоит пожить одной, но я не желаю. Похороним Юлю, я комнаты запру. В них смертью пахнет. Уж извините, раз вы убедились, что я не воровка, можно мне уйти? Боюсь на электричку опоздать.

— Куда вы торопитесь?

— Домой, — пояснила женщина, — село Варенцово, от станции на автобусе полчаса, а он два раза в день ходит. Если на электричку не успею, потом придется до вечера в райцентре куковать или пехом шагать, а это далеко, через лес. Я вчера приехала, вещи Юли осмотрела, всякие там формальности в милиции прошла, очень устала и здесь заночевала. Да не выспалась совсем! Домой хочу, вернусь, когда Юлю разрешат похоронить.

— Я на машине. Хотите отвезу вас?

— Господь отблагодарит вас за доброе дело! — обрадовалась Маргарита. — Сейчас только по комнатам пробегусь, форточки закрою.

Большинство людей, приди к ним утром милиционер, да еще женщина, начнут задавать вопросы. Кстати, я не знаю, есть ли среди участковых дамы, или эти должности занимают только мужчины. Но Маргарита живет в селе, проводит дни с тетей при монастыре и по-своему воспринимает мир. Очевидно, Изотова верит чужим словам, она наивна и во всем видит божью волю.

— Почему вы Изотова, если ваша мама Бланк? — спросила я, когда мы поехали в сторону МКАД.

— Не знаю, — равнодушно ответила спутница. — Наверное, фамилия мне от родного отца досталась.

В пути мы были больше двух часов, и я устала, поэтому очень обрадовалась, когда Рита сказала:

— Теперь вниз с горочки, и вот оно, Варенцово.

Я затормозила на пригорке и посмотрела вниз. Дорога спускалась к деревне, серо-коричневые дома стояли близко друг к другу, из многих труб, несмотря на июнь, поднимался сизый дым. А дальше за околицей, на холме, высилась церковь, вокруг которой тянулся белый, оштукатуренный глухой забор.

— Благостно, — перекрестилась Маргарита, — и тихо. Я от Москвы ошалела. И как вы только живете в таком гаме?

— Дело привычки, — пояснила я, — человек удивительное животное, ко всему приспособится.

Рита вновь осенила себя крестом и указала пальцем на добротный дом из серого кирпича:

— Вон там мы обитаем, у колодца.

## Глава 25

— Кого привела? — ласково спросила женщина в темном платке, когда мы с Ритой вошли в большую комнату.

Помещение выглядело непривычно — тут отсутствовали телевизор, компьютер и современная мебель. Зато было много самодельных полок, забитых старыми книгами, и черный телефонный аппарат, раритетный экземпляр с наборным диском, витым шнуром и здоровенной трубкой. Марфа сидела у окна, держа в руках томик. Заметив племянницу с гостьей, она сняла очки и положила их на массивный стол, накрытый самовязаной скатертью.

Рита живо перекрестилась на икону.

— Она из милиции, ей соседи на меня нажаловались, что топочу сильно! Тетечка, можно я ополоснусь после дороги? Устала очень!

— Иди спокойно, — кивнула Марфа. — Василий полный бак налил, словно почуял твое желание.

Маргарита юркнула за дверь.

— Так чего вы хотите? — уже не так приветливо осведомилась Марфа.

— Поговорить, — коротко ответила я. — Слышала, вы целительница?

— Денег я не беру, — пояснила Марфа, — но от подарков не отказываюсь. Только у тебя проблем нет, ты здоровее многих.

— Вот так, с лету, вы ставите диагноз?

— Чего кота за хвост тянуть, свое и чужое время зря тратить, — ответила знахарка. — Сразу вижу, есть проблема или нет. Тебя ничего не беспокоит, только мигрени бывают. Верно?

— Да, — удивленно кивнула я. — Откуда вы знаете?

— Видно, — пожала плечами Марфа. Она встала, открыла небольшой секретер, вытащила оттуда кулечек, протянула его мне и сказала: — Заваривай, как чай, на ночь и пей по кружке. Через месяц приезжай за новой порцией. И помни: для всех хорошей быть нельзя, отпусти лошадь, поставь чемодан, сразу легче станет.

Бормотание Марфы показалось мне странным, никакого смысла в ее словах, на мой взгляд, не было. При чем здесь скакуны и чемодан?

Целительница вернулась в кресло и улыбнулась.

— Дурой тебе кажусь?

— Что вы, конечно, нет, — торопливо сказала я.

— Не лги! — сурово оборвала меня Марфа. — Оттого у тебя и голова болит. От вранья.

Неожиданно мне стало весело. Я говорила, что не доверяю всяким экстрасенсам и травникам, хотя понимаю, что некоторые из них способны помочь больному. Но полностью поверить в лечение растениями мне мешает простое соображение: если бы сено могло спасти человечество от холеры, проказы, рака, красной волчанки и порфирии, все люди уже стали бы полностью здоровыми. А поскольку население земного шара продолжает болеть, значит, панацеи пока нет. И навряд ли деревенская тетушка может избавить меня от мигрени, которой страдают сотни тысяч людей. Кстати, за изобретение средства от изматывающей головной боли положена Нобелевская премия.

— Человек сам себя в гроб загоняет и сам оттуда вытаскивает, — продолжала тем временем Марфа. — Поройся в своей душе, и увидишь, почему тебе бывает плохо.

— Я давно пыталась понять причину своей мигрени, — ввязалась я в ненужный разговор, — но пока в этом не преуспела. Думала, что болезнь связана с едой, грешила на шоколадки, которые люблю лопать по вечерам, и перестала есть сладкое, но ничего не изменилось. Одна женщина посоветовала мне пить каждый день стакан натурального молока, из-под коровы, с сырым желтком.

— Вкусно? — хмыкнула Марфа.

— Омерзительно, — призналась я. — Терпеть не могу оба ингредиента.

— Пила? Давилась?

— Да, — вздохнула я.

— И, конечно, это не помогло, — констатировала знахарка.

— Почему «конечно»?

— У тебя голова с телом не в ладу, — пояснила Марфа. — Вот мозг с хозяйкой и пытается говорить на понятном ей языке. Скажи, ты знаешь, что сейчас у тебя в желудке происходит, какие там ферменты, бактерии?

— Нет, — растерянно ответила я.

— А и не надо, — закивала Марфа, — мозг без тебя справится. Вот только, если по глупости ты начнешь плохую еду употреблять, он подаст тебе сигнал. Слопаешь несвежие сосиски: тошнота, понос. Даже дурочке ясно: не ешь колбасные изделия. Не послушаешься — появится язва или гастрит. Коли опять не внемлешь — помрешь, мозг включит программу уничтожения, потому что идиоты плодиться не должны. Мигрень поражает людей, которые себя ломают. Соображаешь?

— Нет.

— Это просто. Допустим, ты не любишь мужа, но живешь с ним из-за детей. Хочешь писать картины, а работаешь бухгалтером, потому что мама так велела, ненавидишь кошек, но вынуждена ежедневно терпеть свекровину Мурку. Мечтаешь бросить все и уехать в деревню, а живешь в городе, боишься сделать решительный шаг. Ощущаешь себя виноватой перед всеми и изо всех сил пытаешься угодить окружающим... Причин много, но найти главную надо самой, порыться в душе, вычленить ее и устранить, вот тогда мигрень исчезнет. Ты ее сама посадила, сама поливаешь и в глубине души не хочешь избавиться от напасти, потому что она тебя в кровать укладывает и позволяет никого не видеть и никого не слышать. Мигрень болезнь не очень счастливых людей. Только ты ко мне не с гудящей головой пришла. И в милиции не работаешь, ведь так?

— Верно, — ошарашенно прошептала я. — Ваше объяснение причин мигрени оригинально, но в моем случае ошибочно — я довольна своей жизнью.

— Считать себя счастливой и быть ею — разные вещи, — сказала Марфа. — Вероятно, ты сама пока правды не знаешь, но она тебе откроется, жизнь длинная.

— Я проживу сто лет?

Старуха отвернулась к окну.

— Я не гадаю, не занимаюсь дурью, не вызываю духов. С вопросом о сроке жизни — это не ко мне. Вот сестра моя покойная, та бы тебе сейчас полный прогноз выдала. Хорошая была актриса!

— Вы говорите о Леокадии?

Марфа расправила юбку на коленях.

— А ты разве не о ней выспросить заявилась?

Я кивнула. Бабка протянула руку, открыла ящик стола, вынула курительную трубку и, набивая ее табаком из самодельного кисета, заявила:

— Сначала объясни, отчего ты любопытствуешь, а я уж потом язык развяжу.

Когда мой сбивчивый рассказ иссяк, Марфа уставилась в окно, затем сказала:

— Видишь монастырь?

— Да, — кивнула я, — похоже, его давно построили.

— Настоятельница знает точную дату, — подхватила Марфа, — вроде пятнадцатый век. Места здесь тогда были непролазные, глухомань, звери дикие, людей никого. Отчего же именно тут обитель поставили? Нет бы поближе к народу?

— Не знаю. Наверное, тем людям, которые основали монастырь, хотелось тишины и покоя.

— О! — подняла указательный палец Марфа. — В самую точку! Мать Деметрия, которая сюда первой пришла, привела с собой несколько женщин. Все они имели, как сейчас говорят, паранормальные способности. Уж и не знаю, верить в это или нет, но слух идет, что Деметрия читала мысли и могла летать над землей.

— Ну уж это навряд ли, — усомнилась я.

Марфа отложила трубку.

— Правды нам не дознаться. Только вспомни инквизицию. Скольких женщин в Средние века на кострах сожгли? А за что? Посмотрела на чужую скотину — и та сдохла, дала соседке чайку попить, а гостья нежеланного ребеночка выкинула... Обрати внимание, мужчин в этой когорте мало, мутация шла по бабской линии. Даже если учесть, что половина несчастных погибла невинно, окружающие донесли на них по злобе или из зависти, то все равно получается внушительная цифра. Кабы не инквизиция, остались тетки живы, родили б детей, у тех еще ярче изменения получились бы. Сейчас мы бы повсеместно телепатией владели. В России, слава богу, костры не пылали, но церковь знахарей и гадалок не приветствовала, травила их безжалостно. Вот Деметрия с товарками и подались сюда. Наверное, и впрямь обладали они неземной силой, но действовали с молитвой, возвели в глуши монастырь, хотели от людей отгородиться. Дурная слава имеет быстрые ноги, но и хорошая в пути не задерживается. Очень скоро весть о талантах Деметрии и ее монашек распространилась по округе, и к обители стали стекаться разные люди: больные, жаждавшие исцеления, здоровые, хотевшие научиться траволечению. Богомолки никому не отказывали, и в конце концов около монастыря образовалось село. Шли годы, обитель богатела, в селе на свет частенько появлялись необычные детки, с паранормальными способностями.

— Эй, постойте! — перебила я Марфу. — Тут нестыковочка. Если талантами экстрасенсов обладали основательницы монастыря, то с их смертью все и должно было закончиться. Дар нельзя вручить ученице, он передается генетически.

— Правильно, — согласилась Марфа, — так и было, от матери переходило к дочери.

— Но монашки не могут рожать детей.

— Почему?

— Они дают обет целомудрия.

— Э, милая... — отмахнулась Марфа. — Во-первых, какая-то женщина могла заполучить младенца и до прихода в обитель, добраться сюда уже беременной. А потом... Все равно рожали, тайком, и в село на воспитание отдавали. Вот наша бабка, например, никогда в обители не жила, а такое умела! Ее талант к моей матери перешел, от нее ко мне. У меня, правда, детей не получилось. Жаль, ветвь обрывается. Я давно заметила, как только в роду кто-то очень сильный поднимается, у него потомства нет. Словно Господь саженец обламывает, не желает, чтобы слишком пышно зацвел.

— А Рита? — напомнила я.

Марфа нахмурилась.

— Не моя кровь. Леокадии.

— Ваша сестра была очень талантлива, она спасла людей от смерти, даже в газетах писали, как...

— Охохоюшки! Лучше помолчи, — остановила меня Марфа. — Мать наша, заболев, просила меня: «Пригляди за Леокадией. Слишком она ребячлива, ума нет, может в любую сторону качнуться, еще прибьется к плохим людям... Лучше б ей в обитель пойти и там жить».

Марфа снова взяла трубку.

— Мы никогда монашками не были, ни бабушка, ни мама. Болтают, правда, люди, что Бланки — родственники какого-то колдуна из Германии. Вроде его Петр Первый привез, а ведьмак женился, и его дочь ушла в обитель. Только правды нам не узнать. Одно помню: дар этот по женской линии идет. Меня бабушка с трех лет обучала, по полям с собой таскала, травы показывала, книги читать заставляла. Так потихонечку-полегонечку и получилось. Я очень хорошо понимала: раз талант есть, он для людей. А у Леокадии ничего не было, она в отца уродилась. Тот был хороший человек, но обычный, как все, без внутреннего зрения. Всего лишь год у нас с Лёкой разница, только мне полной мерой отсыпалось, а ей ни крошки не перепало. Лёка умела лишь одно — подделывать чужие голоса, да так ловко, что даже родственники попадались на эту уловку. Леке нравилось дурить односельчан, и она часто подшучивала над соседями. Могла напугать, забасив, как местное начальство, или смешила одноклассников, изображая директрису...

То, что одна из внучек пустышка, умная бабушка поняла очень скоро. Но даже без таланта из Леокадии могла выйти хорошая травница, вот только Лёка не хотела ничему учиться. Подойдет бабушка в четыре утра к девочкам, скажет:

— А ну, вставайте, пора в лес идти, сегодня разрыв-трава зацветает.

И маленькая Марфа мигом вскочит, а Леокадия заноет:

— Голова болит, ножки не ходят, заболела я.

Вот только к обеду болезнь мистическим образом покидала Лёку, и она убегала играть со сверстниками. В конце концов бабушка махнула рукой и оставила внучку в покое. Леокадия, правда, знала простые рецепты, ну вроде того, что от температуры отлично помогает отвар из сушеных ягод малины, но этим ее познания исчерпывались.

В подростковом возрасте Лёка пострадала от молнии и с тех пор стала всех уверять, что может предсказывать будущее, но не хочет этого делать. Такие разговоры очень не нравились матери, она всегда останавливала дочь, приговаривая: «Не болтай, лучше учись». Но Леокадия не желала совершенствоваться.

А Марфа все шла вперед. Она даже стала во многом сильнее матери, вот только исполнить волю родительницы в отношении сестры не сумела...

Перед смертью мама позвала к своей кровати дочерей и сказала:

— За Марфу я спокойна. А вот о Леокадии душа болит. Нет в тебе, дочка, стержня. Ты способна как к хорошему, так и к плохому, куда тебя позовут, туда и завернешь. Слабая очень, да и капризная, своим желаниям потакаешь, они тобой управляют. Лучше в монастырь иди. Пообещай, что выполнишь материнский наказ.

— Хорошо, — закивала Лёка.

— На иконе поклянись, — велела мать.

Леокадия сняла со стены образ и поклялась.

— Ступай, — приказала ей мать. — А ты, Марфа, останься, есть разговор.

Когда Лёка выскользнула за дверь, мама прошептала:

— Марфа, ты за нее отвечаешь. Наделает ведь глупостей, наломает дров. Ох, есть у меня нехорошее предчувствие... Леокадии необходимо идти в обитель, там ее удержат от разрушительных поступков. Иначе беда, люди по ее вине погибнут, не спастись ее душе.

Марфа заверила мать, что исполнит ее волю. После похорон Леокадия подошла к сестре и спросила:

— Как деньги делить будем?

— Ты о чем? — поразилась Марфа.

— Зачем меня маменька из комнаты выгнала? — прищурилась Лёка. — Тебе про захоронку сообщила!

— Все богатство на виду. — Марфа обвела рукой комнату. — Гляди: книги, мебель да посуда.

— Теперь нас двое осталось, — напомнила Лёка, — некрасиво одной себе деньги грабастать.

— Можешь весь дом по камню разобрать, все равно ни копейки не найдешь, — воскликнула Марфа.

— Врешь, — не успокаивалась Лёка. — О чем тогда вы шептались, если не о захоронке?

— Мама велела за тобой приглядеть, — призналась Марфа, — просила напомнить тебе об обещании уйти в монастырь.

— Нет, — фыркнула Леокадия, — я в город уеду.

— Ты на иконе поклялась!

— И чего? Теперь сгнить тут? — скривилась Лёка. — У нас даже радио нет! Короче, забирай себе дом, мебель, козу, корову, книги, а мне выдай деньги.

Всю ночь сестры спорили, а к утру разругались окончательно. Лёка, наплевав на волю покойной матери, продала корову и с вырученными деньгами отправилась в Москву. Марфа осталась лечить людей в родной деревне.

Последующие годы от Лёки не было ни слуху ни духу. Она не писала сестре, не навещала ее — пропала в столице, словно утонула. Но Марфа чувствовала: Леокадия жива, и молилась за ее душу.

Однажды ночью Марфе приснился сон. Она открывает дверь, а на пороге стоит Лёка с маленькой девочкой. Сестра протягивает ребенка Марфе, пытается что-то сказать, но не может, с ее рук на землю падают капли крови. Лёка вся перепачкана ею, и от нее ужасно пахнет — так воняет разлагающаяся под полом крыса.

Через неделю, часов около девяти вечера (по деревенским понятиям, уже ночью) в избу постучали. Марфа распахнула дверь и невольно отшатнулась. На пороге стояла Лёка, одетая в красивое демисезонное пальто и кокетливую вязаную шапочку. За ее правую руку держалась маленькая девочка.

— Привет, — весело сказала сестра. — Пустишь? Мы погостить приехали.

В первую секунду Марфа отшатнулась, потом невольно посмотрела на пол у ног сестры. Естественно, никаких кровавых следов не было, и пахло от Леокадии духами.

— Входите, — посторонилась Марфа. — Как девочку зовут?

— Эй, — Лёка дернула ребенка, — не молчи, разинь рот!

Ребенок потупил глаза.

— Вот, послано мне несчастье! — обозлилась Лёка. — Дуру из себя корчит. Немедленно ответь тете, как твое имя?

Девочка стиснула губы.

— Змееныш, — прошипела Лёка и отвесила дочери оплеуху.

Голова малышки качнулась на тонкой шейке, крошка не удержалась на ногах и стукнулась лбом о стену. Очевидно, ребенок привык к такому поведению мамы, никаких воплей девочка не издала, она просто потерла рукой место ушиба.

— Маргаритой она записана, — зло сказала Леокадия. — Вся в отца пошла. Тот тоже с норовом, сволочь!

За чаем Лёка рассказала сестре свою историю.

Жизнь ее сложилась не очень счастливо. Леокадия устроилась в Москве, вышла замуж, родила девочку. Муж попался хамоватый, жили вместе с его матерью, очень капризной бабой. В конце концов Леокадия не выдержала и развелась, и свекровь выставила бывшую невестку за дверь. Лёка решила не сдаваться и обратилась в суд, но там ей объяснили, что делится только имущество, совместно нажитое супругами в браке. Леокадия же пришла в квартиру, которая была приобретена задолго до ее знакомства с мужем, и официально жилплощадь принадлежит свекрови. Впрочем, и при таком раскладе Лёка с дочерью могла бы претендовать на часть жилья, но оказалось, что хитрая тетка прописала жену сына без права на площадь. В общем, ступайте вон, пожалуйста.

## Глава 26

Леокадии пришлось сполна хлебнуть лиха. На алименты, которые ей платил муж, она сняла комнату в коммуналке, сдала Риту в круглосуточные ясли и начала зарабатывать... предсказаниями.

— Чем? — изумилась Марфа, прервав рассказ сестры.

— У меня есть дар, — на полном серьезе заявила Леокадия. — Я вызываю духа и узнаю будущее. Ты же помнишь, как меня молнией ударило...

— С ума сойти, — покачала головой Марфа.

— Тебе можно шаманить, а мне нет? — с вызовом спросила Леокадия. — Мы от одних родителей родились, обе талантливые.

— Я лечу людей травами и заговорами, — ответила Марфа, — никого не обманываю, за онкологию не берусь и аппендицит не отчитываю. В серьезных случаях людей в больницу отправляю. Кстати, денег я не беру.

— Но живешь хорошо, — констатировала Лёка. — Маменькину заначку тратишь?

— Уж сколько раз говорено! — рассердилась Марфа. — Не было в семье золота, основное богатство — книги. Мне люди дают, что не жаль. Один конфет принесет, другой платок, третий телевизор. Я за любое приношение спасибо говорю. Хозяйство веду, корову имею, огород.

— Ясненько, — ехидно констатировала Леокадия и продолжила свой рассказ.

Один раз она, идя по улице, ощутила болезненное волнение, перед глазами развернулась страшная картина: грузовик вламывается в маленькое кафе. Леокадия схватилась за виски, но видение продолжало терзать мозг, в голове зазвучал голос: «Иди скорей, спасай людей!»

Лёка бросилась по улице, влетела в «стекляшку» и стала требовать, чтобы посетители покинули зал. Конечно, ее сочли сумасшедшей, никто не собирался ей повиноваться. И тогда Лёка схватила двух детей и ринулась прочь.

— Решила, хоть их уберегу, — говорила она Марфе.

Завершилась история печально...

— Знаю, — кивнула я, перебив рассказчицу. — Погибли женщина и ребенок, жена и дочь Андрона. А старшая девочка, Юлия, спаслась вместе с отцом.

— Верно, — подтвердила Марфа, — за этого Андрона Лёка и вышла замуж...

Жизнь ее сразу засияла улыбкой. У Андрона была хорошая квартира, Леокадия перебралась на новое место жительства и задышала полной грудью. Но долго радоваться не пришлось — дочь Андрона и Рита никак не могли поладить друг с другом, названые сестры постоянно дрались. И Андрон стал устраивать жене скандалы, он твердил:

— Двоих нам не поднять, одну из девчонок надо отдать на сторону.

Угадайте с трех раз, от кого из детей решили избавиться...

— Пусть Маргарита у тебя перекантуется, пока мы ее в интернат оформим, — попросила сестру Лёка. — Сил больше нет с мерзавкой жить! Гадничает исподтишка, молчит, нарочно писается по ночам в кровать. Андрон прямо сказал: «Выбирай: я или она». Юля, кстати, совсем другая — ласковая, послушная.

Марфа не хотела брать на себя ответственность за чужого ребенка, поэтому твердо ответила сестре:

— Нет. Я не умею с детьми возиться. Переночуйте и утром уезжайте.

— Ладно, — неожиданно легко согласилась Лёка, — значит, не судьба.

Около семи утра Марфа вышла на кухню и увидела Риту, которая сидела у печки и играла щепками от поленьев.

— Есть хочешь? — спросила тетка.

Девочка кивнула.

— Молоко с хлебом будешь?

Снова кивок.

— А яичницу?

Рита еще энергичнее качнула головой.

— Тогда иди в курятник и принеси яичек, — велела тетка, — я пока чайник согрею.

Маргарита шмыгнула за дверь и очень быстро вернулась с пустыми руками.

— Там такая злая курица, — прошептала она, — клювается.

— Клюется, — с улыбкой поправила Марфа. — Это Кузьма, петух. Ладно, иди буди маму.

— Она ушла, — без тени сожаления сказала Рита.

— Куда? — изумилась Марфа.

— Туда. — Рита показала на улицу. — Темно было,

она велела мне быть послушной девочкой, она скоро придет и заберет меня домой.

Марфа опустилась на табуретку и стала разглядывать подкидыша. Ей следовало насторожиться еще вчера, в тот момент, когда Лёка абсолютно спокойно восприняла отказ Марфы. Сестра решила подбросить малышку, поэтому и не устроила скандала.

— Сколько тебе лет? — спросила у девочки тетка.

Рита сунула руку в карман платьица, вытащила плоский пакетик и гордо заявила:

— У меня есть документы, как у взрослой.

Вот так у Марфы и появилась воспитанница...

— Думаю, Лёка больше тут не появлялась, — вздохнула я, — вы растили девочку одна. Кстати, как вы узнали, что Юлия умерла?

Марфа указала на телефон.

— Я вылечила Сергея Андреевича, начальника из города, ему вечно по ночам плохо было, вот он и устроил мне телефон. Сначала мобильный дал, но он тут совсем не берет, тогда Сергей стационарный выбил. Из всех жителей лишь у меня аппарат есть, все сюда звонить ходят, и соседям на мой номер звонят, я их зову. Мне не жалко, пусть пользуются. Вот мне и звякнули из милиции. Очень вежливая женщина спросила: «Вы случайно не знаете, где сейчас находится Маргарита Михайловна Изотова?»

— Вот странно, почему они именно к вам обратились? — поразилась я.

Марфа начала выколачивать пепел из трубки.

— Ничего удивительного. Маргариту прописали вместе с матерью, Леокадией, в домовой книге указано, что девочка ее дочь. Думаю, когда ее начали искать после смерти Юли, обнаружили сведения о Леокадии, а там я, единственная сестра и родственница. Найти мой номер пара пустяков. Как мыслит нормальный человек? Есть тетя и племянница, иных родичей нет. Так где девушка? Либо у тетки, либо та ее адрес знает.

Я вздохнула. А еще она может быть у подруги, любовника или просто в командировке. Но, наверное, Марфа права, Маргариту искали, чтобы сообщить ей о смерти Юлии и предложить взять на себя хлопоты по погребению сводной сестры. Я не очень-то осведомлена о порядках, существующих в моргах, но наслышана, что их сотрудников ругают, если приходится оформлять похороны за госсчет — средства ограничены, лишнее тело никому не нужно. Ладно бы Юля была совершенно одинокой... Но в квартире оказалась прописана еще и некая Маргарита Изотова, вот люди и ухватились за возможность избавиться от трупа и от лишних расходов.

— Леокадия еще раз приезжала, — тихо сказала Марфа.

— Неужели она вспомнила о дочери? — изумилась я. — Почему же не забрала ее?

Марфа откинулась на спинку кресла.

— По счастью, в тот день Риты не было дома. Монашки приют держат, девочек-сирот воспитывают. Автобус у них есть, и по праздникам ученицы ездят на экскурсии. Троица тогда была, лето начиналось, все цвело, красотища стояла, аж дух захватывало. Настоятельница ко мне хорошо относится, да и понятно почему — я ее от артрита вылечила, и к Рите в монастыре благоволят, вот и предложили ей с воспитанницами поехать...

Марфа отпустила племянницу. Монашкам она полностью доверяет, те плохого детям не сделают, да и Маргарита уже была большая.

Проводив ее, знахарка стала заниматься своими делами, и тут вдруг ощутила неприятный запах. В первую минуту Марфе подумалось, что к соседям приехал ассенизатор с бочкой, и она обрадовалась — вызвать золотаря большая проблема, и, если он появился, его нужно затащить на свой участок.

Вытирая руки о передник, Марфа вышла на улицу

и поняла, что ошиблась, машины ассенизатора не было. Но мерзкая вонь так и плыла над деревней.

— Чего стоишь? — высунулась в окно соседка Нина.

— Чем у нас так воняет? — спросила Марфа.

— Сирень цветет, — ответила Нина.

— Нет, плохой запах.

— Я ничего не чувствую, — заявила Нина, — тебе кажется.

Марфа вернулась в дом, и тут дверь, ведущая из сеней в кухню, заскрипела. Знахарка обернулась — на пороге стояла Леокадия, одетая в темно-синее платье и красивые белые туфли.

— Пустишь? — кокетливо спросила она.

— Нет, — отрезала Марфа. — Зачем явилась?

Сестра округлила глаза.

— Ну и вопросик! Дочь моя здесь живет. Я по ней соскучилась, да и тебя давно не видела.

— Однако долго ты в гости спешила, — хмыкнула Марфа. — Рита уж и лицо твое забыла.

— Никак не могла вырваться, — сказала Лёка, — дел по горло!

— Вот и езжай назад, — хмуро приказала целительница, ощущая, как запах канализации заполнил помещение. — Нету Маргариты дома, да и хорошо, что нет, незачем девочке встряску устраивать. Или ты хочешь ее забрать? В Москву перевезти надумала?

— У меня отпуск, — заявила Леокадия. — Впервые за долгое время я приехала в родительский дом, и ты меня вон не выгонишь!

Марфа покосилась на часы. Мать-настоятельница, усаживая Риту в автобус, предупредила знахарку: «Не волнуйтесь, мы вернемся поздно, за полночь. Сначала экскурсию проведем, потрапезничаем, а затем воды из святого источника наберем и службу отстоим».

Леокадия без приглашения села на стул и сказала:

— Даже посторонних здесь ласково встречают, с

паломниками возятся, а ты родной сестре чашки чая не предложишь. Бутерброда с колбасой пожалела!

Марфа скрестила руки на груди.

— День сегодня постный, и магазинная колбаса нам не по карману, а воды мне не жаль. Тебе с мятой?

— Давай, — обрадовалась Леокадия.

— Чем занимаешься? — из вежливости спросила Марфа, наливая чай.

— Людям помогаю, — обтекаемо ответила Лёка.

— На врача выучилась? — уточнила сестра. — Или другим ремеслом овладела?

Лёка легла грудью на стол.

— Я медиум, очень известный, ко мне даже из других городов приезжают.

— Кто? — изумилась Марфа. — Что ж за служба такая? Впервые слышу.

Леокадия вновь засмеялась.

— Один раз я уже объясняла. У меня дар обнаружился, как у мамы.

Марфа нахмурилась, а сестра как ни в чем не бывало продолжала:

— Когда у людей умирают родственники, многих начинает совесть мучить. Приедут домой после похорон и плачут: не сказал в свое время мужу или жене слов любви, не признался в каком-то поступке, был жесток, невнимателен... Понимаешь?

Марфа кивнула:

— Да. Только этого уж не исправить, земная жизнь окончена, зато началась небесная. Надо заказать службу, усердно молиться.

— Много толку от битья лбом об пол! — отмахнулась Леокадия. — Я даю людям возможность на земле исправить положение. Они могут поговорить с покойным, все расставить на свои места и получить от них прощение.

— Каким образом? — изумилась Марфа.

Сестра спокойно отхлебнула чай.

— Я вхожу в контакт с духом умершего. Вернее, он

начинает говорить с моей помощью, я как бы временно становлюсь этим человеком. Очень трудно объяснить, это надо видеть. У нас есть помещение, специальный зал.

— У нас? — переспросила Марфа. — Кто еще с тобой этой дурью занимается?

— Андрон, — пояснила сестра, — муж. А ангел — это Юля, у нее способности. Юлечка — дочь моего супруга, ты должна помнить, я про девочку рассказывала. Она талантливая, очень хорошая, замечательно учится, умница, отличница. Не то что Ритка, та в отца букой уродилась!

У Марфы лопнуло терпение.

— Никакого дара у тебя нет. Единственное, что ты умеешь, — чужим голосам подражать, еще в детстве этому научилась. Вот и все твои таланты. Видно, хорошо тебе люди за обман платят — одежда у тебя недешевая, сумка красивая, серьги в ушах золотые.

— Я никого за нос не вожу, у меня дар, как у мамы, — возразила Леокадия.

— Не смей оскорблять память покойной! — вышла из себя Марфа. — Матушка никогда бесовщиной не занималась. Она людей лечила, прозорливой была, руками болезнь чувствовала, но вот колдовством не занималась. И уж тем более никого в заблуждение не вводила! Нельзя с покойными беседовать, языка у них нет!

— Обо мне газеты пишут! Вот! — засуетилась Леокадия и начала рыться в сумке. — Держи! Я ничего не придумала! Давно, правда, дело было, но я храню, как память. Рассказывала же тебе, когда Ритку привезла. Или ты забыла?

Марфа взяла ксерокопию статьи и медленно прочитала заголовок:

— «Экстрасенс спасает людей от гибели...»

— Это я, — гордо подхватила Лёка. — Да, и у меня открылись способности! Вот с тех пор людям и помогаю.

— Послушай, — Марфа растеряла остатки терпения, — мне с тобой в одной комнате находиться не хочется — от тебя дерьмом несет и кровью пахнет. Ступай себе назад, укатывай в Москву.

Леокадия побледнела.

— Что значит «кровью пахнет»? — едва слышно спросила она.

— У меня дара ясновидения нет, — жестко ответила Марфа, — я будущее не предсказываю, а лечу травами, заговорами и молитвой. Вот только от мамы и бабушки одну особенность получила. Помнишь Степана Залыгина?

— Печника из деревни? Вроде да, — растерялась Леокадия. — А при чем здесь он?

Марфа встала и открыла окно.

— Он пришел к бабушке грыжу заговорить. Я сидела тут, у шкафа, дорожку на пол крючком обвязывала. Уж и не помню, сколько мне тогда было, может, лет пятнадцать. Начал Степан на болячку жаловаться, а бабушка ему и говорит: «Грех на тебе смертный, покайся — и выздоровеешь. Если ты плохое совершил, ни за что тебе лучше не станет, никакое лекарство не поможет, пока не исповедуешься и не осознаешь, что натворил». Степан от бабушки как от огня шарахнулся и бежать, больше к ней не приходил. А через месяц за ним милиция прикатила. Оказывается, печник пустил переночевать мужика, убил его, ограбил, а тело в лесу схоронил. Ну я и спросила у бабушки, как она догадалась, что Степан преступник. И знаешь, что она ответила?

— Нет, — выдохнула Лёка.

Марфа облокотилась на подоконник.

— Она мне сказала: «От того, кто другого жизни лишил, запах идет, словно коровья лепешка воняет. Я его чувствую и твердо знаю: передо мной убийца. Вот только кого он и за что к праотцам спровадил, не назову». И у меня та же особенность. Пару раз приезжали больные, от них смрадом несло. Я всегда недужным говорю: болезнь дается за грехи, чтобы человек осознал и исправился. Кашель, грыжа, аллергия, рак, инсульт — это следствие, ищи причину в себе, найди ее и покайся. Вот как только поймешь — инфаркт у тебя от того, что невестку ненавидишь и поедом ее ешь, с той минуты тебе легче станет. А ты уходи! Начнешь шуметь, я участкового кликну. У меня здесь все друзья. Захочешь Риту отнять, не отдам, в монастыре скрою, туда власть не сунется. Она моя дочь, а не твоя. Скатертью тебе дорога, путеводная звезда над правым плечом.

— Я ее не убивала! — почти в обмороке крикнула Лёка. — Пальцем не трогала, даже не знала, что он задумал! А ты ведьма! Хуже всех! Откуда знаешь, а? Врешь все!

Марфа распахнула дверь.

— Иди вон. Накануне того дня, как ты с маленькой Ритой приехала, мне сон приснился. Ты в избу входишь, и с пальцев у тебя кровь капает. А потом ты взаправду явилась, и сразу дерьмом повеяло. И сейчас я стою, как в выгребной яме. Сама вони не ощущаешь? Лучше перестань людей обманывать! Ясновидящая... Нет у тебя дара, уж я-то знаю. И бабушка с мамой понимали: Леокадия — червивое яблоко. Вот только не увидели, сколь велика червоточина. Не знаю я, кому ты навредила, но привечать тебя не хочу.

Леокадия схватила сумку и была такова, Марфа села на диван и мысленно поблагодарила Господа за милость. Хорошо, что Риты дома не оказалось, девочка не присутствовала при трудном разговоре.

Слегка остыв, Марфа задала себе вопрос: зачем приезжала сестра? И не смогла найти ответ.

## Глава 27

Через несколько лет после визита Леокадии к Марфе приехал молодой человек. Парень назвался Юрием и начал жаловаться на аритмию. Марфа с сомнением покосилась на больного.

— Не вижу нарушений в твоем сердце, — сказала она.

— Вот так всегда, — расстроился Юра. — Очень хитрая болячка, начнется приступ, вызову «Скорую», а пока машина доедет, все в норму приходит. Врачи злятся, симулянтом меня обзывают. Но мне плохо! Можно, я у вас останусь? Вдруг болезнь проявится, и вы поймете, что надо делать?

— Ладно, — согласилась Марфа, которая почувствовала возбуждение, тревогу и страх, исходившие от гостя. — Посиди на лавочке во дворе, меня другие люди ждут.

— А можно в доме? — заканючил Юра. — Еще простужусь!

— Нет, — решительно ответила Марфа. — Для посторонних только эта комната, в спальни я чужих не пускаю. Хочешь — во дворе побудь, не желаешь — уходи.

— Ладно, — согласился Юрий и вышел из избы.

Марфа занялась другой больной. В самый разгар работы ее слух уловил тихий скрип и осторожные шаги. Риты не было дома, и целительница сразу сообразила, кто шастает по дому — Юрий. Извинившись перед посетительницей, знахарка осторожно вышла в коридор и прижалась к стене. Ждать пришлось недолго, дверь в комнату Риты отворилась, оттуда ужом выскользнул наглый парень.

— Что интересного нашел? — громко спросила Марфа.

— Черт подери! — закричал Юра. — Напугали меня!

— Не ори, — оборвала его целительница. — Отвечай, по какому праву в чужих горницах шныряешь? Если обокрасть решил, то зря стараешься, у меня ценностей нет.

— Я лечиться пришел, — протянул юноша, — от аритмии.

— Полагаешь, что я в спальне лекарство храню? — усмехнулась Марфа.

— Живот схватило, — изворачивался нахал, — туалет найти не могу.

Марфа засмеялась.

— Ну здорово! В деревенской избе унитаз всегда в центре зала стоит. Или будку во дворе не заметил?

— Не знал, что у вас нет канализации, — нелепо оправдывался Юрий.

Знахарка выставила парня на улицу и тщательно заперла дверь изнутри. Когда прием больных был закончен, Марфа вышла в палисадник и увидела Юру на скамейке.

— Уезжай домой, — велела она. — Никакая болезнь тебя не гложет, аритмию ты придумал, чтобы у меня подольше посидеть. Хитро! Небось у матери нелады с сердцем?

Юра заморгал.

— Да. Откуда знаете?

— Догадалась, — хмыкнула Марфа. — Ты здоровее многих. Чего хотел?

Юрий сжал руки в кулаки.

— Леокадию ищу, вашу сестру.

— Зачем она тебе? — изумилась Марфа. — Она здесь не бывает. Мы редко видимся.

— Она убила мою маму, — по-детски шмыгнул носом Юра. — А сначала папу...

— А ну, ступай в дом, — приказала Марфа.

Гость вошел в комнату и завел рассказ.

Его отец, Владимир Коротков, покончил с собой. Он работал шофером на самосвале и получал неплохую зарплату. У Владимира было повышенное давление, от которого частенько кружилась голова, но Коротков тщательно скрывал недомогание от коллег и начальства — боялся потерять работу. Сам-то он не ощущал никакой тревоги, ведь водит не автобус или маршрутное такси, за чужие жизни не отвечает.

Однажды Владимиру за рулем стало плохо, он потерял управление тяжелой машиной, и та врезалась в стену маленького уличного кафе. Водитель испугался, убежал с места происшествия, зашел в какое-то бистро и сделал вид, что давно там сидит.

— У меня угнали грузовик, — объяснял он милиционерам, которые быстро вычислили, кто хозяин самосвала, — я ничего не знаю, обедал себе спокойно.

Но, увы, ложь быстро раскрыли, Короткова должны были судить за убийство двух человек: молодой женщины и ее крохотной дочки. Но водитель сам наказал себя — спрыгнул с чердака дома. Юре в то время едва исполнилось четырнадцать. Легко ли подростку осознавать, что родной отец не только убийца, но еще и трус, побоявшийся нести наказание?

Мама Юры, Вера Павловна, постаралась, чтобы сын не очень страдал. Она продала хорошую квартиру, приобрела другую, похуже, перевела сына в новую школу. Одноклассники ничего не знали о трагедии, у половины школьников не было отцов, никто не интересовался, куда подевался папа Короткова.

Год назад Вера Павловна умерла. Перед смертью она открыла сыну правду о преступлении отца.

— Твой папа был очень жадным, — шептала она. — Прямо голову терял, когда деньги видел, трясся весь, готов был рубли любой ценой получить. Вот и влез в неприятность. Его ведь наняли, он в кафе не случайно вломился.

— Кто нанял? — обалдел Юрий.

Вера Павловна закрыла глаза.

— Не знаю. Муж однажды вечером сказал: «Завтра мы из нищеты вылезем, я получу огромадные бабки». И на следующий день протаранил на своем грузовике кафе.

Мать с трудом перевела дыхание и попросила сына:

— Не осуждай отца. Он был не самый хороший человек, но его соблазнили, пообещали денег. И я даже не знаю, дали их ему или нет. Лишь одно мне известно: не один он в деле был, имелся заказчик.

Похоронив мать, Юра решил заняться поисками правды и сумел раскопать ту давнюю историю. След привел к Леокадии.

— Что же она сделала? — поинтересовалась Марфа. — Ты говорил, будто она твою маму убила, но выходит, что Вера Павловна своей смертью умерла, от болезни.

Юра нахмурился.

— Я не могу правды сказать. Леокадию ищу! Думал, что она у вас.

— Ты ошибся, — хмыкнула Марфа. — У меня давно связь с сестрой оборвалась. Если очень хочешь ее найти, домой к ней сходи, на городскую квартиру. Она прописана в Москве, небось сумеешь концы найти.

— Да я был там. Живет по тому адресу ее приемная дочь, Юлия. Она уверяет, что мачеха умерла. И что муж ее тоже на тот свет убрался, — протянул Юрий.

— Вот оно как... — вздохнула Марфа. — Значит, мы совсем чужие. Ничего у меня не стукнуло, не почуяла я кончины сестры. И зачем ты сюда прикатил, раз Леокадия покойница? Чего хочешь?

— В глаза ей посмотреть и пару вопросов задать, — мрачно ответил Юра.

— Похоже, ты опоздал, — покачала головой Марфа, — с покойной не побеседуешь.

Юра оглянулся по сторонам.

— Мне на самом деле-то он нужен!

— Кто? — не поняла Марфа.

— Андрон, муженек ее. Он жив!

— Тебя не понять, — вскинулась Марфа. — То говоришь, он упокоился, то живехонек... Уж остановись на чем-нибудь одном! И так, и эдак не получится.

Юра опустил голову.

— По документам он мертвый, а реально нет. Думаю, и Леокадия с ним.

— Зачем сестре прикидываться умершей? — поразилась Марфа.

Юра встал.

— Лучше вам не знать! Она многим людям беду принесла.

— Кому? — совсем расстроилась Марфа.

— Хотите спасти жизнь сестре и ее падчерице? — неожиданно поинтересовался Юра, проигнорировав вопрос Марфы.

— Грех желать смерти любому человеку, — ответила целительница, — и неважно, кто он, родственник или посторонний.

— Так вам не безразлична судьба Леокадии и Юлии? — наседал Юра. — Я только поговорить с вашей сестрой хочу, но есть и другие...

— Кто? — спросила целительница.

— Те, кого Леокадия на самом деле убила, — торжественно заявил Юрий. — Их родственники живы, они отомстить захотят!

— Послушай, — устало сказала Марфа, — я никак не пойму, чего тебе надо. Сначала ты сказал: Лёка твоих родителей на тот свет отправила, да только выяснилось, что отец сам себя порешил, а мать спустя много лет от болезни преставилась. Теперь о других каких-то убийствах тараторишь. Странно мне тебя слушать!

— Я думал, она здесь скрывается, раз в Михиеве ее нет, — пробормотал Юрий. — Да жива ваша сестра и по-прежнему людей убивает! А Юля, скорей всего, правду знает. Ей тоже смерть грозит.

— Значит, и падчерица убийца? — усомнилась Марфа, которая заподозрила, что Коротков душевно болен.

— Ох, лучше б мне Леокадию увидеть... — не ответив, снова завел Юра.

После того как парень наконец покинул избу, Марфе стало не по себе.

К ней приходят разные люди. Встречались среди них и те, кто совершил в своей жизни нехорошие поступки. Мало кто из последних начинает сразу исповедоваться перед знахаркой, человек сообщает, что у него болит, и ждет чудодейственного исцеления. Но Марфа всегда чувствовала: у него есть какая-то душевная заноза, и старалась объяснить, что ему надо прежде разобраться со своими грехами, иначе здоровым не стать. Чужие тайны Марфу не волновали, знахарка никогда не хотела их узнавать, посетителю предстояло самому копаться в собственной душе. Но всегда, когда в избу входил человек, совершивший убийство, она ощущала неприятный запах.

В случае с Леокадией это был невыносимый смрад, и Марфа понимала: Юрий не соврал. Целительнице крайне не хотелось, чтобы сестра снова появилась в ее доме...

Марфа примолкла.

— А дальше что было? — поторопила я ее.

Знахарка расправила на столе скатерть.

— Из Москвы позвонили, сообщили о смерти Юли. Приятная такая женщина была на том конце провода, похоже, очень усталая, вежливая. Тихо спросила: «Простите за беспокойство, не знаете ли вы случайно, где живет Маргарита Изотова?» Ну и закрутилось. Хотя, если честно признаться, горя я не ощутила, только жалость. Рано девушка на тот свет ушла, не выполнила земное предназначение. Самой мне в город ехать тяжело, вот я и отправила Риту, хотела...

На короткое мгновение Марфа замерла, потом решительно продолжила:

— Маргарите надо судьбу устраивать, а какие у нас женихи? Два инвалида, три пьяницы — вот и вся ярмарка. Давно хотела ее в столицу отправить, только куда? Из родственников была одна Леокадия, а от нее следует держаться подальше. А теперь у Риты квартикира имеется, есть где жить. В Москве можно пару себе найти, семью завести, детей родить. Я не одобряю молодых женщин, которые в монастырь идут, для служения Богу нужен особый склад характера, Рита им не обладает. Впрочем, я тоже не сумела бы в обители жить, не мое это.

— Вы не побоялись девушку одну в город отпустить? Похоже, Москва Риту утомила и напугала, — отметила я.

Марфа сложила руки на коленях.

— Это с непривычки. Потихоньку обвыкнется. Вот вчера-сегодня съездила, одежду для похорон отобрала. Завтра у нее еще дело будет, затем на кладбище надо ехать, квартиру прибрать, вещи разобрать — забот надолго хватит. Начнет регулярно ездить и освоится.

— Наверное, вы правы, — кивнула я. — Скажите, а тот Юра оставил свой телефон?

— Нет, — помотала головой Марфа.

— Может, адрес сообщил?

— Просто уехал, — вздохнула Марфа. — Очень нервничал. Руками все время за лицо хватался, потел, видно, тяжело ему было со мной беседовать. А еще... Я хоть и сказала ему, что он здоровее многих, когда парень про аритмию врал, да все ж заметила — у него язва желудка. Посоветовала ему травки попить и велела лекарства купить, антибиотики, трихопол. А он возьми да закричи: «Я венерическими болезнями не страдаю!» Начала ему объяснять, мол, нынче врачи знают, что язву вызывает особая бактерия, на нее трихопол губительно действует, но Юрий слушать не стал, покраснел и ушел. Ну зачем, глупый человек, мается, когда можно за месяц выздороветь? Вот если язву запустить, она до больницы доведет.

— Вы рассуждаете, как доктор! — воскликнула я.

Марфа усмехнулась.

— На врача я не тяну, а вот на фельдшера запросто.

— Откуда только про бактерии знаете!

Целительница указала на одну из полок.

— Журналы выписываю по медицине, очень полезное чтение.

Распрощавшись с Марфой, я села в машину и немедленно набрала телефон Пищикова. Артур имеет кучу знакомых. Сколько раз я убеждалась, что его связи безграничны.

— Газета «Жизнь», — промурлыкал приятель, — я весь внимание.

— Привет, писака! Ричард здоров? — завела я беседу издалека.

Не так давно Артур купил шарпея и теперь трясется над ним, как над младенцем.

— О! Привет! — обрадовался Артур. — Риччи цветет и даже, на мой взгляд, слишком колосится, его определенно надо посадить на диету. Представляешь, я решил купить ему на зиму попону. Заранее побеспокоился, а то расхватают. Обмерил Риччи... Нет, ты не поверишь! У него объем шеи больше, чем у меня.

Я засмеялась.

— Почему не поверю? У нас дела еще круче, Хуч обогнал хозяйку по размеру талии. А последнее время вообще разъелся как на дрожжах — обзавелся «воротником» из жира, ошейники стали малы. Пора у него еду отнять, но не получается.

— А что мешает урезать порцию? — заинтересовался Артурчик.

— У Хуча такой взгляд... — вздохнула я. — Большие карие глаза, вечно несчастные... Мопс смотрит на тебя с таким видом, что тут же создается впечатление бедной, замученной собачки... Рука сама к холодильнику тянется.

— Аналогичная ситуация, — вздохнул в ответ Пищиков. — У тебя хоть места много, есть где лапы размять, и собака не одна, другие псы могут Хуча растормошить, а у меня просто санаторий для рахита: сжевал завтрак и на диван, в мягкие подушки.

Мы еще немного поболтали о собаках, потом я обратилась к основной теме:

— Артурчик, помоги, пожалуйста.

— Чем могу? — деловито откликнулся журналист.

— За Машей ухаживает молодой человек.

— Господи! — перебил меня Пищиков. — Уже? Выросла невеста. Ну, Дашка, теперь держись! Приведут к тебе зятя и не спросят.

— Вот-вот, — подхватила я, — ты меня понимаешь. Появился некто Юрий Владимирович Коротков, сирота. Отец вроде самоубийца, работал шофером, совершил аварию, погибли люди. Дело было лет пятнадцать назад. А мать у парня скончалась. Других подробностей я не знаю. Машка молчит, словно партизан, даже адреса не сообщила.

— Понятно, — отрезал Артур. — Наша девка заневестилась, а ума нет. С другой стороны, и я в ее возрасте идиотом был. Сейчас усе разрою, пробью твоего Короткова по своим каналам и звякну. Не занимай телефон.

— Спасибо, Артурчик. Понимаешь, Дегтярев на рыбалке, а этот Юра каждый день в гости приходит, сидит до ночи.

— Не надо Александру Михайловичу вмешиваться, — перебил мен Пищиков, — вдруг что-то нехорошее про парня выплывет, полковник тогда тебе печень проклюет, начнет орать, что в дом неизвестно кого пустила. Пока не гони волну, я уже по второму телефону нужного человека набираю. Кстати, ты подписку на «Жизнь» оформила? Поторопись, сейчас дешевле, у нас идет акция. Дом у моря разыгрываем, и еще сотни призов на разный вкус.

— Думаю, ты мне самые интересные номера так пришлешь, — засмеялась я.

— У нас все выпуски супер, потому что над ними работают такие профи, как я, — не забыл похвалить себя Пищиков.

## Глава 28

Только я выехала на основную магистраль, как мобильный пронзительно заверещал. Артур не отложил дело в долгий ящик, нарыл сведения и спешит поделиться ими со мной. Конечно, некрасиво было использовать имя Мани, но Пищиков очень любит девочку и наверняка пропустил «кавалера» через мелкое сито. Прости, Манюня, но по-другому мне Короткова не найти. Мой замысел сработал, сейчас я все узнаю.

— Слушаю! — радостно воскликнула я. — Говори, записываю!

— Два яйца... — заорали из трубки, — обычное дело, ничего хитрого!

Глупая шутка меня поразила. Артур не любит пошлых анекдотов и генитального юмора.

— Сода и мука, — неслось тем временем из телефона, — жира побольше, его надо раскалить до белой дымки на поверхности...

— Послушай, — вклинилась я, — если с яйцами мне хоть что-то понятно, то при чем здесь сода с мукой?

— А как иначе? — забасило у меня в ухе.

И только тогда я сообразила: на связи Ирка, а не мой любимый папарацци.

— Ну вы даете! — возмущалась домработница. — Хотя чего удивительного, сами не умеете, вот и не понимаете.

— Немедленно успокойся, — велела я, — и объяснись! Что у нас случилось? Дегтярев велел подмешивать в раствор куриные яйца? Решил действовать по старинке? Хочет, чтобы дом Тёмы, как храм, простоял тысячу лет? Или он задумал клеить обои как в советские времена — на сваренный из муки и воды клейстер? Отвечай четко, без дурацких всхлипов.

— А я так и говорю! — Ирка понеслась в атаку. — Я узнала рецепт пончиков!

— А-а, — растерянно протянула я.

— Съездила с Тасей к одной тетке и разведала.

Я с облегчением вздохнула.

— Вот теперь понятно. Ты поехала к подруге Волковой, которая сообщила тебе, как готовить пончики. Ируся, я очень ценю твое желание заменить покинувшую нас повариху Катю, но, честно говоря, я собиралась нанять кухарку. Только не подумай, что я не верю в твои способности стряпухи и...

— Пончики моей бабушки! — перебила Ирка. — Вы че, забыли?

— Ты отправилась к подруге Таисии, чтобы узнать ваш семейный рецепт? — поразилась я.

— Да! Вернее, нет! Мне его бабуля сказала! Сама, лично! — ликовала Ирка. — Ей там хорошо! О, так здоровски! Я еще туда поеду.

— Куда? — осторожно спросила я.

— К бабушке.

— Чьей?

— Ну не к вашей же! — заорала Ирка. — К своей!

— Она умерла, — напомнила я.

— В нашем мире да, — продолжала вопить домработница, — а в астральном она жива! Но только не показалась мне лично. Говорила словами. Верка сказала: она не приходит.

— Кто? — в изнеможении поинтересовалась я. — Бабушка?

— Ихняя медум.

— Кто?

— Медум, — уже не так уверенно повторила домработница, — типа переводчик между умершими и нами.

— Может, медиум?

— Во! Точно! Сейчас спит в астрале, но скоро выйдет и того... начнет...

— Ирина, немедленно объясни все по порядку! — приказала я. — Где ты была?

Спустя десять минут мне удалось, отбросив шелуху, добраться до ядрышка.

Позавчера Таисия взялась помогать Ире убирать со стола. Я не увидела в этой ситуации ничего странного — Тася любит всем помогать. В процессе сбора тарелок женщины стали обсуждать кулинарные рецепты. В какой-то момент Ирка сказала:

— Моя покойная бабушка умела готовить потрясающие пончики. Жаль только, что рецепт не сохранился.

Таисия приблизилась к Ире и тихо спросила:

— Хотите узнать, как бабуля пончики жарила?

Ира кивнула:

— Конечно. Но ничего не выйдет, бабусечки нет в живых.

И тогда Волкова поведала домработнице удивительную историю: когда человек заканчивает земную жизнь, его тело становится ненужным душе, но астральная сущность остается навечно. И у Таси есть знакомая, общающаяся с потусторонним миром. Медиум. Если к ней приехать, то можно узнать рецепт пончиков.

Ирка пришла в полнейший восторг, и сегодня утром Таисия отвезла ее на сеанс, где дурочка получила возможность пообщаться с давно умершей родственницей...

— И сколько ты ей заплатила? — перебила я Иру, дивясь человеческой глупости.

— Сто долларов, со скидкой, — торжественно сообщила домработница. — И бабушка пришла, несмотря на карканье Верки.

— Кто такая Вера?

— Дайте договорить, — обозлилась Ирка, — ща поймете.

Я замолчала, а Ирка снова затараторила.

Тася привезла дурочку в какую-то деревеньку в Подмосковье и велела подождать на улице. Мол, медиум сразу двоих не принимает. Ирина устроилась на лавочке, и к ней незамедлительно подсела женщина, назвавшаяся Верой.

— С покойным поговорить пришла? — деловито осведомилась она.

— Да, — подтвердила Ира.

— У них тут новый медиум, — зашептала Вера. — Старая спит в астрале, вот она была знаменитая, а эта так, шалава. Не очень-то у нее хорошо получается, через раз ошибается. Раньше знаешь сколько тут народу было? Тыщи! А сейчас раз-два — и обчелся, потому что медиум теперича плохой. Ты деньги-то вперед не давай.

Женщины поболтали еще некоторое время, потом вернулась Тася и отвела Ирку в дом...

— Ладно, — сказала я, — сделай одолжение, больше никуда не езди. Рецепт пончиков можно найти в любой кулинарной книге, а она намного меньше сотни долларов стоит.

— Дарь Иванна, — понизила голос Ира, — вам туда тоже сходить можно. Медум судьбу предскажет.

— Спасибо, не хочу.

— Со своей бабушкой побеседуете, — не успокаивалась Ира, — порасспрашиваете ее. Мертвые откровеннее живых!

У меня дрогнуло сердце. Афанасия была замечательной, необыкновенной женщиной[1]. Картежница, любительница острых ощущений, она воспитывала меня одна и ни разу не обмолвилась о том, куда делись ее дочь с зятем.

В раннем детстве я считала Фасю мамой, но потом разобралась в сути вещей и начала приставать к ней с вопросом:

— Где мои родители?

Афанасия сначала говорила:

— Твои папа и мама были полярными летчиками, они погибли в авиакатастрофе.

---

[1] О необыкновенной бабушке Даши Васильевой рассказывается в книге Дарьи Донцовой «Бассейн с крокодилами», издательство «Эксмо».

Лет до восьми я в это верила, но, позрослев, засомневалась и поинтересовалась:

— Почему у нас нет семейных фотографий?

Фася не моргнув глазом ответила:

— Пожар был, все сгорело, ничего не спасли.

Я удивилась:

— Бабуля! Но у нас есть серебряная сахарница, ложка, солонка... Ты говорила, что их заказал прадедушка к твоему рождению. И почти целый сервиз сохранился! Значит, что-то из огня вытащили?

Бабушка быстро перевела разговор на другую тему, и с тех пор, стоило мне проявить любопытство, она постоянно уходила от ответа. Лет в четырнадцать я сообразила: Фася просто не желает говорить правду, и насела на нее.

— Ты считаешь меня маленькой? Думаешь, я все неправильно пойму?

— Да, — кивнула Фася, — я непременно открою тебе правду, но лишь после твоего двадцатипятилетия, не раньше. Кстати, можешь не рыться по шкафам — там ничего нет, ни документов, ни снимков. Я их давно уничтожила.

Истину я так и не узнала, бабуля унесла ее с собой в могилу. Про родителей мне известно только одно: они когда-то существовали. Правда, иногда всплывают воспоминания, очень смутные, о какой-то странной комнате без окон, где я сижу в одиночестве. Потом приходит толстая тетка в мятом белом халате, грубо хватает меня за руку и тащит по коридору... Я отбиваюсь, плачу... Все. Дальше провал...

— Так поедете? — спросила Ирка. — Поболтаете с бабулей.

— Если она при жизни молчала, то и после смерти рта не раскроет, — вздохнула я.

— Медум ее заставит, у ней мертвецы говорят даже против своей воли!

Я решила прекратить глупую беседу.

— Спасибо, но нет. Во-первых, я не верю в такие

глупости, а во-вторых, считаю непорядочным силой вынуждать астральное тело к откровенности. Если человек решил похоронить тайну вместе с собой, то пусть она с ним и останется.

— По-вашему, это глупости, — обиделась Ирка, — а рецепт пончиков-то у меня! Сегодня их приготовлю.

Из трубки понеслись гудки.

Я вцепилась в руль и неожиданно испытала желание позвонить Волковой и сказать: «Ты посвятила жизнь чужим людям, не имеешь своей семьи, поэтому слишком активно помогаешь другим. Но не следует перешагивать некую грань, отделяющую разумное от глупости. Допустим, Ира очень хотела получить рецепт пончиков, которые в детстве казались ей очень вкусными, но устраивать спектакль с медиумом — это уже слишком».

Хотя, надо признать, Ирка счастлива — сбылась мечта ее жизни.

Я затормозила у светофора. Нет, нельзя в подобном тоне беседовать с Тасей, она не способна ни на мошенничество, ни на обман. Вероятнее всего, Волкова искренне верит в возможности медиума.

Телефон вновь ожил, и на сей раз это оказался Артур.

— Газета «Жизнь» узнает все! — воскликнул он. — Юрий Владимирович Коротков, слава богу, коренной москвич с постоянной пропиской. Женат не был, несудим, не привлекался. А теперь держись за стул. Знаешь, кем он работает?

— Ну?

— Ни за что не догадаешься!

— Сделай одолжение, говори.

— Он частный детектив! — воскликнул Артур. — С лицензией, оформлен по закону.

— Интересно... — промямлила я.

— Тебе он подходит, — засмеялся Пищиков, — будете вместе расследованиями заниматься, а вот для Машки он явно не та кандидатура.

— Почему?

— Староват, — деловито отметил Артурчик. — Зачем девочке взрослый мужик? Тебе ж ее за деньги выдавать не надо. Хочешь, я среди наших ребят ей кавалера подыщу? В редакции полно отличных парней, молодых.

— Коротков богат?

— Средней обеспеченности. Квартира в Бутове, не больно престижный район, машина «Жигули» десятой модели, правда, новая. Дачи нет. По твоим меркам он голытьба, а по моим — вполне ничего. Кстати, интересный штрих: за последние пятнадцать лет они с матерью сменили кучу квартир, но после ее смерти Юрий перестал переезжать.

— Можешь дать мне телефон Короткова? — перебила я журналиста.

— Легко. Домашний и мобильный. Записывай.

Я схватила ручку и блокнот. Сколько Маша ни учила меня «вбивать» цифры прямо в мобильный, я так и не научилась, лучше уж по старинке воспользуюсь обычной бумагой. Ну какая я молодец, знала, к кому обратиться за помощью! Только Артурчик с его связями способен за считаные минуты нарыть кучу информации.

## Глава 29

Дома Короткова не оказалось, зато по мобильному он отозвался сразу.

— Алло, — раздалось из трубки.

— Юрий?

— Да, слушаю.

— Мне порекомендовали вас как хорошего специалиста.

— В чем проблема?

— Не хотелось бы по телефону.

— Хорошо, приезжайте в офис.

— Когда? У меня очень срочное дело, безотлагательное.

— Вообще-то я занят по горло, — заявил детектив, — но если вы попали в неприятность...

— Натуральная катастрофа! — плаксиво проныла я.

— Записывайте адрес. Кстати, я работаю за наличный расчет, вы должны будете оставить некую сумму в качестве предоплаты.

— Ладно.

— И на расходы по транспорту.

— Согласна.

— Еще на непредвиденные нужды. — Коротков явно вошел во вкус.

— У меня нет проблем с деньгами.

— Когда прибудете? — спросил детектив.

— Трудно точно назвать время, я на машине, а в городе пробки.

— Можете не нервничать, — согласился «Пуаро», — я никуда не денусь.

Я мысленно потерла руки. Похоже, у детектива плохо идут дела, хоть он и пытался внедрить в мое сознание мысль о своей невероятной загруженности. Безмерно занятый сыщик не станет ждать клиента часами, назначит ему встречу на определенное время. И условие о немедленной выплате денег многое прояснило.

Еще больше о материальном положении Юрия рассказал его офис: крохотная, едва ли пятиметровая комнатенка, находящаяся под крышей какого-то затрапезного учреждения, выживающего в наши непростые времена за счет сдачи служебной площади. В кабинете с огромным трудом поместился маленький письменный стол и два стула.

Стены в помещении были грязно-серого цвета. Я вздохнула. Наверное, Коротков очень ленив, сегодня ремонт стоит недорого, можно поехать в «Кастораму», купить краски, обои... Впрочем, пожухшим выглядел и хозяин. Юра казался каким-то застиранным, мрачным, а узкое лицо и длинный нос делали его похожим на усталую лису, у которой постоянно случаются неприятности (звери, как и люди, делятся на удачливых и бедолаг, это я точно знаю).

— Это вы звонили? — оживился Юрий, откладывая газету.

— Да, — приветливо улыбнулась я, — абсолютно верно.

Коротков окинул меня быстрым взглядом, его маловыразительные глаза изучили мои сумку, туфли, часы... Детектив, очевидно, подсчитал стоимость аксессуаров и стал еще любезнее.

— Садитесь, — засуетился он, — в чем бы ни состояла ваша проблема, вы обратились по адресу, я выполню любое задание.

— Так уж и любое... — усмехнулась я.

— В рамках закона, — кивнул Юра. — У меня обширные связи, я буквально прохожу сквозь стены.

— Моя дочь отговаривала меня от похода к вам, — продолжала я кривляться, — предлагала обратиться в «Пинкертон», у этой фирмы многолетний опыт работы, сотни сотрудников, шикарный офис...

— Недостатки — прямое следствие достоинств, — бросился в атаку Юрий, — иметь под началом пару тысяч человек, наверное, прикольно. Но у семи нянек дитя без глазу. Когда орда детективов работает по вашему делу, то никто в него душу не вкладывает, не переживает. А я целиком окунусь в проблему.

— Хорошо бы, кроме личной заинтересованности, обладать еще и большими возможностями, — я упорно изображала недоверие, — небось сотрудники «Пинкертона» сделают звонок по телефону и сразу получат инфу, у них везде свои люди. А вам понадобится месяц для поисков тех же сведений. Нет, видно, дочь права, прощайте.

— Стойте, — вскочил Юра, — у меня офигенные контакты. Хотите проверить?

— И как мы это сделаем? — спросила я.

— Легко, — засмеялся Коротков. — Мы знакомы?

— Нет.

— И я даже не знаю вашего имени.

— Верно.

— Значит, заранее подготовиться не мог.

— К чему?

Юра оперся ладонями о столешницу и навис над ней.

— Назовите мне свои паспортные данные и название банка, в котором держите деньги. Вы человек обеспеченный, это видно по одежде, часам и всяким мелочам вроде прически. Стрижетесь ведь в дорогом салоне, так?

— Ваша наблюдательность поражает, — стараясь не рассмеяться, ответила я.

— Следовательно, имеете кредитку, — продолжал Коротков, — небось не одну, а несколько. Вы кому-нибудь сообщали о размере своего состояния?

— Конечно, нет, — улыбнулась я.

— Говорите название банка, и спустя десять минут я узнаю сумму вашего вклада до копейки, — азартно воскликнул Юра.

Я представилась, Коротков схватил телефон.

— Секундочку, — остановила я его, — сразу хочу предупредить: у вас ничего не получится. Наша семья является вип-клиентом, ею занимается один из ответственных сотрудников, простой клерк не сумеет подобраться к информации. Коды, пароли, система безопасности... Вы взялись за невыполнимое дело.

— Сидите смирно, — приказал Юра, — это пустяковая проблема.

— Ладно, — согласилась я, — посмотрим.

Спустя некоторое время детектив протянул мне листок и спокойно сказал:

— Это цифры с кредитки, она присоединена к счету Воронцова Аркадия Константиновича, вашего сына. Вы имеете безлимитный доступ к средствам. Если захотите, можете воспользоваться счетами во Франции, Швейцарии и Лондоне. Вам открыты все финансовые потоки, кроме доходного депозита, но им не воспользуется и сам Воронцов, таковы условия договора и...

— Хватит! — Пораженная, я остановила Короткова. — Кто в банке слил вам эти сведения?

— Самое ценное — найти информатора, — улыбнулся Юрий и еще больше стал похож на голодную лису. — Знаете, с изобретением компьютера человечеству стало удобнее жить, но вот полностью сохранить тайну гораздо труднее. В прежние времена банковские клерки гордились умением держать язык за зубами, а в нынешние достаточно иметь под рукой талантливого хакера — и тю-тю секретики... Я убедил вас в своих возможностях?

— Более чем, — кивнула я.

— Значит, работаем? — обрадовался Юрий. — Этот трюк производит впечатление на всех потенциальных клиентов. Выкладывайте, зачем вам понадобился детектив.

Я положила ногу на ногу и вынула сигареты.

— Начать придется издалека. Вот уже много лет меня связывают дружеские отношения с полковником Александром Михайловичем Дегтяревым...

По мере моего рассказа Коротков менялся в лице. Где-то в середине повествования он начал пить воду из здоровенной пластиковой бутылки, затем принялся закидывать в рот мятные конфетки.

— Насколько я понял, — сказал он, когда я замолчала, — вам нужна информация лично от меня?

— Верно, — согласилась я. — Что вы знаете о Юлии? Отчего считаете ее убийцей?

— Думаете, ваш гражданский муж оказался в ненужном месте в неурочный час, за что и получил тяжелым предметом по голове? — хмыкнул детектив. — Надеетесь, отыскав того, кто убил Юлю, выйти на мерзавца?

— Примерно так.

— И зачем вам преступник? — поморщился Коротков. — Обстоятельства разрулились. Моргалову вот-вот похоронят, ваш супруг здоров. Ну забыл кое-что, с кем не бывает...

— Убийца может опять напасть на Дегтярева, — пояснила я. — О том, что у Александра Михайловича амнезия, не знает никто, кроме нас с Оксаной. Если я найду ответы на свои вопросы, то полковник, вполне вероятно, вспомнит произошедшее и обретет уверенность в себе, а то он совсем пал духом.

— Вы просто жена декабриста, — неумно схохмил Коротков.

Я обозлилась. Вот еще один идиот, не верящий, что между мужчиной и женщиной могут существовать чисто дружеские отношения. Ведь я подчеркнула: Дегтярев мой друг, не более того.

— Уважаемый Юрий, — отчеканила я, — я не должна объяснять вам мотивы своего поведения. У вас есть товар, я купец. Назначайте цену, я выпишу чек. Только что вы убедились в моей платежеспособности. Если не хотите связываться со мной, так и скажите, я уйду без скандала. Но предупреждаю, прямо от вас я поеду в «Пинкертон», и тамошние сотрудники раскопают все, что связывает вас всех в один узел — Короткова, Юлию и убийцу. Вам все понятно? А еще я имею хорошего друга, Артура Пищикова, корреспондента газеты «Жизнь». Он быстро пишет, сообщает только правду, но иногда истина бывает пострашнее самой злобной клеветы...

Юрий откинулся на спинку стула, потом живо схватил лист бумаги, нацарапал на нем цифру и пододвинул мне листок.

— Устраивает?

Я вычеркнула последний ноль.

— Так лучше.

Коротков сделал новое исправление.

— Мне более приятной кажется такая сумма.

— Складывается ощущение, что вы продаете адрес убежища Бен Ладена! — возмутилась я. — До сих пор я наивно считала информацию о местонахождении террориста номер один самой дорогой, но сейчас вижу, что ошибалась. Урезаю запрос!

Азартно поторговавшись, мы наконец пришли к консенсусу. Нежно поглядев на чек, Юрий спрятал его в ящик письменного стола, театрально откашлялся и начал рассказ.

Мальчику едва исполнилось четырнадцать лет, когда его отец Владимир умер. Юрий не знал подробностей его гибели, Вера Павловна постаралась оградить ребенка от стресса и отправила его на некоторое время к своей сестре в город Мурманск. Там Юра провел почти полгода, а когда вернулся, был потрясен: мама поменяла квартиру, доучиваться подростку предстояло в новой школе. О судьбе отца Вера Павловна сообщила сыну сухо:

— У папы случился гипертонический криз, он потерял сознание за рулем. На беду, самосвал влетел в уличное кафе, погибли два человека: женщина и ребенок. Началось следствие, у отца не выдержало сердце, и он умер.

Юрий поверил матери. Если честно, он не очень любил отца. Владимир был суров, неприветлив, знал только один метод воспитания — ремень — и частенько поколачивал сына, который не отличался ни особым умом, ни усердием, ни хорошим поведением. Наверное, Владимир, как все родители, хотел своему ребенку добра, но, к сожалению, он пускал в ход только кнут, забыв про пряник.

Справедливости ради следует признать, что тумаки доставались и Вере Павловне. Муж обвинял ее в неумении вести хозяйство и постоянно попрекал все возрастающими расходами на еду.

— Я работаю на унитаз! — бесновался Владимир. — Моей мечте никогда не сбыться!

Юра лишь фыркал, слыша последнее заявление. О чем должен мечтать человек? О полете в космос, покорении горных вершин, свершении подвигов! А отец? Знаете, что было заветной мечтой шофера? Двухэтажный дом на берегу реки, в которой водится рыба.

— Заслужу пенсию, — бубнил старший Коротков, — и сяду на берегу с удочкой. Солнышко поднимается, поплавок дергается, рядом бутылочка пивка... Лепота! А ты дура! Из-за твоих дырявых рук я скопить ничего не могу! Опять мясо купила... Не баре, перловки пожрем, зато на старости лет как люди жить будем.

Идея прожить большую часть жизни в нищете ради того, чтобы в старости иметь возможность трясти удочкой, казалась мальчику абсурдной. Но что он мог поделать? Юра был одет хуже всех в классе, а о новых игрушках мог лишь мечтать.

Но тут отец умер, и Вера Павловна моментально забыла об экономии. Коротковым было трудно, на зарплату уборщицы особо не разбежишься, но мать засучила рукава и принялась работать почище ездовой собаки. Вера Павловна служила в метро, мыла подъезды, бегала по чужим квартирам, наводя порядок, не гнушалась ничем и — баловала мальчика. Очень скоро у Юры появились вполне приличная одежда, магнитофон, часы и деньги на кино.

Жалел ли сын об отсутствии папы? Ответьте сами на этот вопрос.

Вера Павловна разрешала сыну все, под запретом была только одна вещь: мать категорически запретила ему ездить на старую квартиру и общаться с прежними друзьями. Но кто же из подростков слушается старших?

Через полгода после возвращения из Мурманска мальчик поехал на Холмскую улицу. Почему не раньше? Вера Павловна переехала в Химки, это противоположный конец Москвы, на дорогу нужно было потратить более двух часов в один конец. Короткову было просто лень тащиться в такую даль, но в конце концов он поехал.

Родной двор встретил его неприветливо. Когда Юра вежливо поздоровался с бабой Клавой, предводительницей всех местных сплетниц, та сначала поджала губы, а потом заявила:

— Ну и ну! Неужто Верка тебе разрешила? Надо же! Отравила Фатиму и съехала. Убийца она, как и ейный муж! Тьфу!

Юра решил, что баба Клава от старости тронулась умом, и пошел к приятелю Антону. Но друг, увидав Юру на пороге квартиры, судорожно зашептал:

— Беги скорей к гаражам, ща приду.

Короткову пришлось просидеть у железных боксов почти час, прежде чем появился Антон.

— Мне че, делать не фиг? — налетел на приятеля Юра. — Торчу тут как идиот!

— Я ждал, пока родители уйдут, — пояснил Антон. — Мне ведь запретили с тобой дружить. Остальным ребятам тоже.

— Эт-та почему? — изумился Юра.

— Твой отец убийца, — заявил Антоша, — он двоих пришил. Думаешь, отчего тетя Вера с квартиры съехала? Народ в нее пальцем тыкал.

— Офигеть! — подскочил Юра. — А то, что у Сережки Фанова брательник Пашка троих пристрелил, ничего? Фановы-то на месте. И никто им ничего не говорил, когда Павлуху закатали.

— Он честный браток, — ответил Антон, — разборка приключилась на бандитской стрелке, Пашка конкурентов в капусту покрошил. А твой папахен женщину с ребенком насмерть задавил.

— Так не нарочно же! — Юра попытался оправдать отца. — Он в обморок упал за рулем, давление подвело.

Антон заржал.

— Кто это тебе рассказал?

— Мама, — растерялся Юра. — А че?

И лучшего друга понесло. Коротков слушал с разинутым ртом. Оказывается, Вера Павловна была с сыном не откровенна. Да, Владимир снес своим грузовиком кафе, но это был крохотный кусочек правды, далее шла сплошная ложь. Чувств водитель не лишался, гипертонического криза у него не было. Старший Коротков воспользовался суматохой, возникшей на месте аварии, и сбежал. Убийца добрался до небольшого кафе, уселся там как ни в чем не бывало, съел обед, а затем заявил об угоне самосвала.

— Ты че, матери поверил? — хихикал Антон. — Да о твоем папахене газеты написали. Оранжевая смерть!

— Почему оранжевая? — растерялся подросток.

— А такой цвет был у его самосвала, — пояснил Антон. — Хорошо, его не судили! Сам себя наказал.

— В смысле? — напрягся Юра.

Антон вытаращил глаза.

— Ты че, не знаешь, что с папахеном случилось?

— Он умер, — пожал плечами Коротков, — от сердца

Антон хлопнул себя по бедрам.

— Ну блин! Он с чердака сиганул. Видать, совесть заела.

— Кто? — отшатнулся Юрка.

— Дядя Володя, — с горящими глазами произнес друг. — Че, ты правда не в курсах? Или прикидываешься?

— Живо рассказывай! — велел приятелю Юра.

Домой Коротков вернулся словно в тумане и целую неделю мучился проблемой: говорить ли маме, что ему теперь известна правда? Потом он успокоился: отец-то мертв, зачем разбираться? В конце концов, мать оберегала его, своего сына. Вера Павловна замечательная, у нее есть только один недостаток — она обожает менять жилье. Вот и сейчас она опять решила переехать.

В восемнадцать лет Юру взяли в армию. Он служил в особых войсках, которые охраняют заключенных. Вернувшись домой, Коротков устроился на работу в милицию и честно протрубил в отделении несколько лет.

— Вас взяли? — удивилась я. — Несмотря на историю с отцом? Мне Дегтярев говорил, что его проверяли не один день.

Юра нахмурился.

— Сравнили! Когда ваш полковник начал работать?

— Ой, давно, — вздохнула я.

— Сейчас все по-другому, — пояснил частный сыщик. — Во всяком случае, в тот год, когда я заявление принес, меня быстро оформили. Да и не судили отца, он вроде как невиноватым помер.

— Ясно, — кивнула я. — Что же вы службу бросили?

Коротков усмехнулся.

— А то вы не догадываетесь... Зарплата крошечная, льгот нет никаких, а геморрою выше крыши. Мы с двумя приятелями подумали и организовали агентство. Теперь сами себе хозяева, нужны бабки — работаем, есть деньги — отдыхаем. Мне немного надо, семьи нет, мама умерла. Вот накануне смерти она мне правду-то и открыла.

## Глава 30

Некоторое время назад Веру Павловну свалил инфаркт. Юра постарался, пристроил ее в хорошую клинику, но женщине не стало лучше. Коротков каждый день навещал мать, привозил фрукты, соки, интересные книги, поставил в палате DVD-проигрыватель.

Через две недели Вера Павловна сказала сыну:

— Видно, помирать мне скоро...

— Что ты, мамочка, — испугался Юра, — не говори ерунды.

— Мне отец сегодня приснился, — пояснила Вера

Павловна. — Веселый такой, улыбался и говорил: «Готовься, Верка, скоро тебя встречу. Не боись, уже жду».

— Глупости! — вскипел Юра. — Не может такого быть!

— Почему? — прошептала Вера Павловна. — Существует царствие божье.

— Только самоубийц и мерзавцев туда не пускают, — ляпнул Юра и прикусил язык.

Вера Павловна посерела.

— Так ты знал!

— Ну да, — неохотно кивнул сын.

— И давно?

— С четырнадцати лет.

— Прости меня, Юрочка, — заплакала Вера Павловна. — Я ведь в первую очередь о тебе думала: ну каково жить, зная такую правду. Враз сестре позвонила, тебя в Мурманск отправила, вовремя успела. Ты только сел в поезд, а мне из отделения звонят: приходите тело опознавать, Коротков из окна выпал. Только, Юрочка, сдается мне, Володя не сам сиганул.

— Да ладно, мам, — отмахнулся сын, — я уже не маленький, много чего понимаю. Отец потерял управление автомобилем, въехал в кафе, погибли двое: женщина и ребенок. Вместо того чтобы остаться на месте происшествия, он решил скрыться, и ему это удалось. Ну а потом выяснилась правда.

— Нет, сыночек, — прошептала мама, — не так все было.

— А как? — вскинул брови Юра.

— Помнишь, отец о домике мечтал? На берегу реки?

— Ага, — кивнул парень.

— А денег на него у нас не было... — протянула Вера Павловна. — Уж как Володя ни жмотился, ничего не получалось. А потом реформы пошли, накопления в пыль превратились. Другие мужики зубы сцепили и вновь наверх полезли, а мой муж нас с тобой колотить стал, виноватых нашел. Слабый оказался, а тут соблазн...

Уж неизвестно каким образом, но на Короткова вышел мужчина, который предложил ему поучаствовать в спектакле. Владимиру следовало протаранить грузовиком уличное кафе «Одуванчик» и получить за это немалую сумму. Часть денег наниматель заплатил авансом. Он легко уговорил Короткова, сказав:

— Никакой опасности нет, просто нужно наказать хозяина кафе. План простой. Ты идешь в кафе «Пинко», заказываешь запеканку из языка — они ее полчаса готовят, а сам рулишь в туалет. Там есть окно, вылезаешь во двор, садишься на свой самосвал, разбиваешь стену «Одуванчика», заведение в двух шагах от «Пинко», и рысью назад. Через то же окно возвращаешься в сортир, затем в зал. В «Пинко» всегда до черта народа, никто не заметит отсутствия одного посетителя. В случае чего скажешь: живот прихватило, на унитазе корчился. Потом выйдешь на улицу и «обнаружишь» угон грузовика.

Владимиру этот план показался замечательным. Еще больше ему понравилась сумма, обещанная за работу, и шофер согласился. Заказчик уверенно заявил:

— «Одуванчик» будет пуст, смело вламывайся.

Шофер выполнил свою задачу. Вот только наниматель ошибся — прямо у стены, представлявшей собой большое окно, очутились женщина и крошечная девочка. Обе погибли. Владимиру удалось бежать, он вернулся в «Пинко» и даже съел запеканку. Потом все пошло по сценарию, разработанному мужиком. Милиционеры вроде поверили в рассказ Короткова, но потом у них возникли сомнения, Владимира начали вызывать на допросы, раз, другой, третий. Коротков нервничал и больше обычного распускал дома руки. Вот Вера Павловна и решила отправить сына к сестре: пропустит мальчик две недели занятий в школе, так это не беда.

Не успела мать посадить Юру в вагон и вернуться

домой, как ей позвонили из милиции с сообщением о смерти мужа.

В отделении с несчастной вдовой обошлись сурово. Хмурый мент жестко рубанул:

— Твой мужик убийца, вскрылись новые детали. Я ему позвонил, велел приехать, думаю, мы бы его задержали. А он с чердака сиганул — то ли зоны испугался, то ли совесть замучила. Собаке собачья смерть!

Вера Павловна в ужасе позвонила сестре, и они вместе решили: Юре незачем знать правду. Мальчику известно, что отец совершил аварию, но не более того. Необходимо срочно менять квартиру, убегать в другой конец Москвы, а парню идти учиться в новую школу. Юре мать скажет, что отец умер от инфаркта. Подросток задержался у тетки на полгода. И только на пороге смерти мама рискнула открыть правду: Владимира убили.

— Отчего Вера Павловна пришла к такому выводу? — в нетерпении спросила я. — Ну не тяни!

Юрий хмыкнул.

— Мать в деталях вспомнила последний день жизни мужа. Утром, еще до моего отъезда, ему звякнули из отделения и велели прийти к трем часам. Отец задергался, занервничал и был очень рад, когда мы ушли на вокзал, хотя до этого без конца орал: «Придумала лоботрясу каникулы! Ему надо двойки исправлять, а не к тетке кататься, никуда его не пущу!» Мать до последнего боялась, что он меня дома оставит, поэтому мы на вокзал утром засобирались. Поезд в четыре отходил, а мы из дома выскочили в одиннадцать. Отец как раз трубку повесил, когда я рюкзак схватил. Подошел он ко мне и вдруг сказал: «Давай, сына, не переживай, все перемелется». Я слегка прибалдел, думал, он скандал затеет, а тут человеческие речи...

Мать с сыном спустились во двор, и тут Вера Павловна сообразила: билет-то остался в спальне, на трюмо. Велев Юре посидеть на лавочке, она вернулась в квартиру. Ей не хотелось слышать комментарии мужа по поводу ее забывчивости, поэтому она старалась не производить шума. На ее счастье, супруг разговаривал в кухне по телефону.

Вера Павловна на цыпочках прокралась в спальню, схватила билет и тихонько шмыгнула назад в прихожую. Но тут услышала громкий голос мужа, полагавшего, что он в квартире один.

— Не надейся, что я буду молчать! — орал Коротков. — Подставил меня по полной! Кто обещал, что в «Одуванчике» никого не будет, а? Вот тебе со мной прицепом и идти. А, не хочешь... тогда гони еще бабки! Я на мокруху не подписывался, она других денег стоит! Не надейся, мне своя шкура дороже! Ладно, привози сегодня бабло, тогда промолчу. В три иду в ментовку, если до этого не расплатишься, давай без обид — каждый за себя. У меня, кстати, кой-че на тебя есть! Верно, он самый, конверт. Ха! До тебя только сейчас доперло? Ошибочка у тебя вышла!

Вера Павловна выскользнула из квартиры, проводила сына на вокзал. А потом ей сообщили о смерти мужа. Когда первый ужас прошел, она сопоставила факты и поняла: в деле есть тот, кто задумал аварию, и он сумел выйти сухим из воды.

Через неделю после похорон Вере Павловне позвонил мужчина. Он очень вежливо попросил:

— Сделайте одолжение, позовите Владимира.

— Он умер, — ответила вдова.

— Как? — поразился мужик. — Не может быть! Такой молодой! Господи, что же мне делать?

— Случилась беда? — спросила Вера Павловна.

— Скорей глупость, — бормотнул незнакомец. — Уж извините, я понимаю, что вам сейчас не до меня... Вы уже раздали вещи мужа?

— Нет, — ответила Вера Павловна, — я пока не занималась одеждой.

— Моя просьба может показаться вам странной... но... Не посмотрите на письменном столе Владимира или по карманам... конверт для авиапосланий... самый обычный... он пустой... но с адресом... — объяснял незнакомец. — Мне прислали письмо, очень важное, я его прочитал, хотел ответить, спохватился, а конверта нет. Еле вспомнил, что сунул его в стопку глянцевых журналов. Я отнес их на помойку, а там как раз ваш муж проходил, попросил журналы ему отдать. А мне разве жалко? В общем, не стану грузить вас подробностями, я сумел найти координаты вашего мужа, позвонил ему, он нашел конверт и велел сегодня за ним приехать, мы на ста долларах сговорились. Я уже и деньги приготовил. А он умер! Господи, мне так нужен адрес, от него многое зависит. Пожалуйста, посмотрите, не лежит ли где конверт.

— Перезвоните через час, — вздохнула Вера Павловна.

Ровно через шестьдесят минут мужчина вновь побеспокоил вдову.

— Вроде нашла, — неуверенно сказала Короткова. — Конверт весь в марках, но только он адресован женщине.

— Верно! — воскликнул незнакомец. — Боже, вот счастье! Спасибо! Можно приехать?

— Пожалуйста, — разрешила Вера Павловна, — я весь день дома...

Юрий прервал рассказ и закурил.

— Наверное, ваша мама была очень наивной женщиной, раз поверила байке «барона Мюнхгаузена», — отметила я.

Коротков кивнул.

— В некотором роде вы правы. Мать доверяла людям. И потом... Отец имел мерзкую привычку тащить в дом всякие предметы с помоек. У него это называлось проявлением хозяйственности. Поэтому история с журналами не показалась маме странной. Да еще не забудьте, в каком состоянии она находилась: совсем недавно похоронила мужа и пребывала в смятении...

Но последующие события быстро привели Веру Павловну в чувство.

Незнакомец оказался очень мил. Он был похож на священника — борода, усы, очки. Представился Андреем и попытался всучить Вере Павловне сто долларов.

— Такие большие деньги! — отшатнулась вдова. — Ни за что не возьму!

— Я предполагал, что вы откажетесь, — улыбнулся Андрей. — Хоть конфеты примите. Вот. Ну все, я побежал! Огромное спасибо!

Не успела Вера Павловна ахнуть, как Андрей исчез, на серванте остался набор шоколадных конфет, очень дорогой. Но только Юрина мама не могла попробовать лакомство — у нее незадолго до трагических событий диагностировали диабет.

Просто выбросить дорогие конфеты вдова не могла, в гости к ней никто не ходил, нести коробку на работу не хотелось. В конце концов она сообразила, куда ее деть. Позвала к себе дворничиху Фатиму и сказала:

— Мне надо окна помыть, а сил нет. Давай договоримся так: дам тебе сто рублей и этот набор.

Фатима согласилась. Через два дня пожилая татарка скончалась от сердечного приступа. Никто не удивился: женщина целыми днями таскала тяжести, вот и надорвалась. Фатима жила одна, семьи не имела, милиция случившимся не озаботилась. К тому же Фатима совсем не по-мусульмански любила выпить... Чего же странного в ее смерти?

После похорон дворничихи к Вере Павловне неожиданно пришла полубомжиха Катя, женщина неопределенных лет, и потребовала:

— Давай лавэ.

— С какой радости я должна тебе деньги? — удивилась Вера Павловна. — Ступай прочь, проспись.

— Ты Фатьку отравила! — затрясла грязными патлами Катя. — Она от тебя с коробкой пришла и сказала мне: «Садись, Катюха, ща такие конфеты грызанем! Мне их Верка за мытое окно дала». Тока я сладкое ни-

ни, меня тошнит от него. Я лучше водочки, это для здоровья полезней. Так и сделали, Фатька одну конфету хлоп, вторую, третью... потом на кровать легла, пожаловалась: «Ой, плохо!» — и померла. Это ты ее конфетами отравила! Яду подсыпала! Дашь бабок — промолчу.

— Иди вон, — решительно заявила Вера Павловна и вытолкала бомжиху.

Вечером вдова легла спать, провертелась в жаркой постели и вспомнила, как покойный муж орал в трубку: «У меня кой-че на тебя есть! Верно, он самый, конверт...» Затем сопоставила эту информацию с визитом Андрея, подарившего ей конфеты, внезапной смертью Фатимы и окончательно лишилась сна. Значит, к ней приходил тот самый мужчина, который затеял историю с «Одуванчиком». Зачем ему понадобился конверт, Вера Павловна не знала, но в том, что ее хотели отравить, не сомневалась...

Юрий замолчал и мрачно посмотрел на меня. Я с нетерпением ждала продолжения рассказа.

— Мать потеряла покой и натурально помешалась. Она быстро перебралась на другую квартиру, и началось! Проживем год — и опять переезд. Мне сначала даже прикольно казалось: каждый раз новые люди, новые учителя. Но потом надоело. Я начал возмущаться, а мать вечно какие-то объективные причины находила. Первый этаж, очень страшно; последний этаж, слишком жарко; на стене гостиной грибок; дом стоит в нехорошем месте; у нее на соседей аллергия... И так до бесконечности; пока она не заболела, не успокоилась. Впрочем, мое присутствие ее как-то сдерживало, а когда я в армию ушел, она за два года ухитрилась шесть раз прописку сменить. Командир меня к нотариусу отпускал-отпускал, потом не выдержал и спросил: «Слышь, Коротков, твоя мать что, того?» Я и сам стал ее сумасшедшей считать. Хотя, если разобраться, она полностью адекватная: говорит нормально, хозяйство ведет, на службу ходит. Чего еще надо? А переезды... Мало ли у людей фишек...

И только перед смертью Вера Павловна открыла тайну: она боялась оказаться в руках убийцы.

— Только он адрес разведает, а я уже в другом месте, — шептала умирающая. — Юрочка, пообещай, что долго в одном месте жить не станешь. Я этого Андрея в нашем дворе видела! С бородой и усами!

Юра дал матери обещание и пошел к лечащему врачу с просьбой вызвать к больной психиатра. Похоже, у Веры Павловны от переживаний окончательно снесло крышу.

На следующий день Короткова умерла. Юра похоронил мать, а еще через неделю в его квартиру влезли воры и перевернули все вверх дном...

Детектив опять прервал рассказ. Встал, распахнул окно, вытряхнул на улицу окурки из пепельницы и, провожаемый моим укоризненным взглядом, сел на место.

— Очень мне история с ограблением не понравилась, — сказал он. — Конечно, не исключено, что в дом вломилась обычная шушера. Мама незадолго до кончины въехала в очередные хоромы, с новыми стеклопакетами. А что думает мелкий тырщик? Изучает фасад многоэтажки. Ага, свежие рамы, значит, хозяева недавно ремонт делали, небось денежки водятся, либо техника хорошая или шуба на вешалке. Подбирает ключи, и вперед. Вполне вероятно, что именно так и произошло, но тут мне вспомнился мамин рассказ... Короче, я решил покопаться в семейной беде, выяснить, что к чему. И такое выползло!

— Какое? — Я засучила от нетерпения ногами. — Хватит предисловий, переходи к сути!

## *Глава 31*

Юрий начал с дела отца, позвонил кое-кому из приятелей и добрался до папок. Стало ясно, что был свидетель, который, находясь в кабинке туалета, через дырку в двери видел, как Владимир вылезал в окно, а потом возвратился в кафе тем же способом. Коротков выписал адрес парня, поехал к нему, но поговорить не смог: свидетель год назад женился на немке и укатил в Германию. Зато официантка из «Одуванчика», девица по имени Амалия Евстигнюк, рассказала ему кучу интересного.

— Я тот день до смерти не забуду! — зачастила Амалия, вспоминая события рокового дня. — Тот мужик... э... как же его звали... ну у кого жена с дочерью погибли...

— Андрон, — подсказал Юрий, недавно читавший дело.

— О! — подняла палец Амалия. — Он их словно сам на смерть определил. Так спорил!

В душе Юрия проснулась ищейка.

— С кем? — вздрогнул он.

— Да с женой, — затрещала Евстигнюк.

Из бестолкового, изобилующего ахами, охами и ненужными подробностями рассказа Юрий вычленил главное, и оно выглядело странно.

Когда Люся, держа на руках маленькую Зоечку, вошла в «Одуванчик», она сказала мужу, который вел Юлю:

— Сядем в глубине.

— Там кухня, — поморщился Андрон.

— Не хочу у окна, — уперлась жена.

— Смотри, как там здорово, — начал уламывать ее супруг.

— Чего хорошего в дороге? — нахмурилась Люся.

— Я сяду за столик у окна, — категорично заявил Андрон.

— А я нет, — отрезала Люся.

— Вечно ты недовольна, — упрекнул муж, — постоянно ноешь: сижу дома, устала от детей... Я решил сделать тебе сюрприз, зову в кафе, а ты затеваешь свару, где сидеть.

— Мне не нравится, когда вот так, спешно, — надулась Люся. — Прибежал, детей схватил... Надо было заранее предупредить, я бы голову помыла.

— Зануда, — не сдержался Андрон.

— Дурак, — не осталась в долгу баба. — Все, я ухожу!

— Стой, милая, — муж дал задний ход, — не будем ссориться, сядем у окна, поедим.

— Нет, устроимся там! — Люся ткнула рукой в глубину зала.

— А я здесь! — заявил Андрон. — Точка, я сел!

Жена с лицом мученицы устроилась напротив. Амалия принесла меню, а пара опять принялась собачиться.

— Дайте детский стул, — потребовал муж.

Амалия пошла выполнять просьбу, но ее остановила мать девочек.

— Спасибо, не надо.

— Почему? — изумился муж.

— Юля так посидит.

— Не о ней речь! О Зое.

— Я возьму ее на руки.

— Тебе будет есть неудобно.

— Не беда.

— Несите стул.

— Не надо никакого стула.

— Вы уж определитесь, — вздохнула задерганная Амалия, — а то я не знаю, кого слушать.

— Ставьте стул и тащите еду, — приказал Андрон.

Когда официантка принесла заказ, пара опять лаялась. Андрон крепко привязал Зою ремнем к сиденью и тщательно закрепил столик, а Люся стонала:

— Дурацкая идея! Не дай бог, пожар случится, как ребенка доставать...

И ведь будто напророчила беду! После того как Леокадия, возвестив о надвигающейся смерти, схватила Юлю и еще одну девочку, сидевшую рядом, и бросилась бежать, Андрон вместе с родителями второй крошки кинулся за ясновидящей, а Люся, рыдая, пыталась вытащить Зою из стульчика.

— Получается, муж сам их убил, — говорила Амалия. — Сядь они в глубине кафе, грузовик бы до них не докатил, он аккурат в их места у окна вломился. А еще папаша так девчонку притачал! Ремень запутал, столиком прижал. С одной стороны, это правильно, нехорошо, если младенец с высоты бухнется, с другой — держи Люся Зою на коленях, беды бы не случилось, подхватила бы ее и унеслась. Может, мать несчастье чуяла и поэтому спорила с мужем?

Юрий поблагодарил Амалию, а затем решил выяснить, где до того происшествия жила Леокадия. Для бывшего мента раздобыть такие сведения несложно, и уже очень скоро Коротков сидел на кухне в коммуналке, одна из комнат которой некогда принадлежала Бланк. Жильцов тут было много, это оказалась огромная, старинная барская квартира в доме постройки начала двадцатого века. Сколько человек обитало в многочисленных комнатах, Юра так и не понял, но он обнаружил трех старух — так сказать, коренных жительниц. Бабушки, несмотря на почтенный возраст, легко вспомнили Леокадию и вывалили кучу сведений о бывшей соседке. Одна из пенсионерок, например, самозабвенно рассказывала о том, какой жадной была Лёка. Вывод о ее скаредности дама сделала, любуясь на постирушки Леокадии (белье та, как и все жильцы, развешивала на чердаке).

— У самой все целое, красивое, новое, — самозабвенно загибала пальцы старушонка, — а у ее мужа трусы рваные, ношеные-переношеные, да и майки как рядно. Видать, сильно она его любила, раз на себя все деньги тратила. А еще у Лёки любовник имелся! Импозантный мужчина. Она его сюда приводила, когда законный супруг в командировки уезжал.

Вот так по словечку, по обмолвкам, по крупинкам Юра собрал мозаику и поразился полученной картине.

Прочитав статьи в газетах об удивительном прозрении ясновидящей, Коротков решил, что Леокадия была не знакома с Андроном, их отношения начались после того, как пифия влетела в «Одуванчик» с целью спасти людей. На тот момент Лёка уже была в разводе, а Люся вместе с Зоей погибли в кафе. Короче говоря, встретились два одиночества и объединили свои судьбы. Но после посещения коммуналки выяснилось, что Андрон был любовником Леокадии задолго до случившегося несчастья.

Чем дальше в лес, тем толще партизаны! Юрий принялся рыться в давнем деле с утроенным усердием и выяснил подробности о семейной жизни Андрона и Люси. Счастливой ее назвать было трудно. Мужчина приехал в Москву из медвежьего угла — Фонарино, его родное село, не обнаружить даже на военной карте. Довольно быстро он женился на москвичке Люсе, у них родилась дочь Юля. Вроде все путем. Но Короткову во дворе дома, где проживала пара, наболтали разное. Кто-то из баб категорично заявил:

— Ха! Люська Андрона обманула! Зойка не от него родилась!

Юра ухватил ниточку и размотал весь клубок. Люся всю жизнь любила Федора из девяностой квартиры. Правда, тот был женат, разводиться не собирался, но и упускать падающую в руки девушку не хотел. Федор был строитель, зарабатывал ремонтами, а Люся попросила его обновить свою квартиру. Ясно как белый день, одной переклейкой обоев дело не обошлось. Потом Люся вышла замуж за Андрона, родила Юлечку, но отношений с Федором не прервала. Через несколько лет брака на свет появилась Зоя. Местные сплетницы, увидав вторую дочь Люси, замерли в предвкушении феерического скандала. Девочка была до противности похожа на любовника матери: те же смоляные волосы, раскосые глаза, даже родинка на подбородке. Всем было понятно, кто постарался сделать ребеночка. И Андрон, похоже, тоже заметил, потому что внезапно начал приходить с работы домой днем. И вот странность! Уедет законный муж на службу, Люся отведет Юлю в детский сад, вернется домой, и через полчаса в ее подъезд ужом проскальзывает Федор с инструментом — вроде как кому-то из соседей ремонт идет делать. Только все вокруг понимали, куда мастер рулит на самом деле.

Когда Андрон впервые свалился жене как снег на голову — приехал домой в неурочный час, сплетницы затаились. За десять минут до появления законного мужа к любовнице проскользнул Федор, и он не убегал. Ну, сейчас начнется драка между мужиками! Но тишину не нарушали крики, муж через час ушел в самом распрекрасном настроении, а спустя некоторое время из подъезда, насвистывая, выплыл Федор. Вот тут кумушки обалдели. Это как понимать? Мужчины договорились?

Юрий остановился и посмотрел на меня.

— Ладно, не хочу в деталях повествовать о том, как вел расследование, скажу лишь суть. Леокадия и Андрон были любовниками. Мне неведомо, где они познакомились, да это и неинтересно, важно иное. До трагедии в «Одуванчике» Леокадия никаких талантов к ясновидению не демонстрировала, предсказаниями не баловалась, жила как все. А дочь Андрона маленькая Зоя стремительно вырастала из пеленок и с каждым днем все больше становилась похожа на Федора.

Коротков оперся на локти и резко спросил:

— Понятно?

— Пока нет, — растерянно ответила я.

Если честно, я ощущала себя полнейшей дурой. Ведь читала старые газеты и знала, что Амалия Евстигнюк жива. Почему не поехала к официантке? Отчего не поинтересовалась, где жила Леокадия Бланк до брака с Андроном? По какой причине я не опросила соседей из дома на Кирсарской? Почему зациклилась на Полине Жуковой? Вот Юра начал копать глубже и, похоже, открыл истину.

— Да очень просто, — продолжал детектив, — Андрон решил убить разом двух зайцев. Дурацкий получился каламбур, но суть передана точно. Очевидно, Леокадия рассказала любовнику о своей семье: о бабке, матери, Марфе, и тот сообразил, каким образом можно качать деньги из народа. Лёку надо представить ясновидящей, уникальной бабой, предсказывающей будущее. И лучший способ ее разрекламировать — дать в газетах материал о необычайных талантах Леокадии. А как это осуществить? Конечно, писаки за деньги согласятся на все, но сколько же надо иметь средств, чтобы охватить много изданий? Вот Андрон и придумал гениальный пиар-ход. Леокадия ворвется в кафе... Дальше понятно. Каков подлец! Мало того, что он раскрутил любовницу, так еще и убрал неверную жену вместе с чужим ребенком.

— Вот почему он настаивал, чтобы семья села у окна! — подпрыгнула я.

Юра хмыкнул.

— Дошло наконец.

— И Зою примотал к стульчику, запутал ремнем! Якобы боялся, что девочка упадет, а на самом деле понимал, что мать не оставит дочку, начнет вытаскивать ее из стула, а в этот момент в «Одуванчик» вломится Владимир на грузовике. Но ведь план мог не сработать! Допустим, Люся не пошла бы на поводу у мужа и села в глубине кафе. Или устроила бы Зою у себя на коленях.

— Однако случилось именно так, как хотел Андрон, — заявил Юра. — Более того, мерзавцу удалось обмануть сотрудников милиции. Вначале происшествие сочли несчастным случаем и закрыли дело. Кабы не парень с поносом, сидевший в сортире, никто б и не узнал, что водитель злосчастного самосвала лазил в окно. Думаю, отец не покончил жизнь самоубийством — его обманом заманили на чердак и скинули вниз.

— Неужели экспертиза не способна определить: сам человек прыгнул или его выпихнули?

— О господи! — закатил глаза Юрий. — Естественно, эксперт мигом начнет задавать вопросы. Произошло ли падение при дополнительном ускорении? Все ли повреждения на трупе от падения с высоты? В каком положении лежало тело на земле? И каким было само падение?

— Оно бывает разным?

— Конечно, прямое, ступенчатое, свободное, несвободное... Вот только один нюанс. Знаешь, когда умер отец? — Коротков вдруг перешел со мной на «ты». — Как раз на носу был конец квартала — надо было отчеты сдавать. Зачем процент раскрываемости портить? К тому же дело казалось ясным: автомобиль потерял управление, вломился в кафе, водитель удрал, хотел выкрутиться, но открылись новые обстоятельства, менты начали копать, шофер испугался и сиганул с чердака. Может, совесть его замучила. Дело закрыли, вздохнули свободно, от начальства по шапке не получили, пошли отдыхать. Никаких больших людей в деле не было, кто шум поднимать станет? Увы, такое случается сплошь и рядом.

— Вот, значит, как Леокадия стала ясновидящей... — пробормотала я.

— Ага, — кивнул Юрий. — И к ней сразу попер народ. Но Андрон был не дурак. Он вскоре понял, что предсказаниями заниматься стремно, поисками пропавших — тоже опасно: Лёку живо раскусят, не было у нее ни малейшего дара.

— А вот у Марфы он есть, — тихо сказала я. — То-то ей снился сон про сестру, у которой руки в крови, и дурной запах ее преследовал. Леокадия знала, что Люся и Зоя обречены на смерть, и не отказалась участвовать в спектакле.

— Жадная она очень, — пожал плечами Коротков, — деньги для нее главное. Нет, пойми меня правильно, я тоже купюры люблю, и сейчас продаю тебе инфу, но все же есть дела, на которые я никогда не пойду за хрустящие бумажки. Хотя, может, мне не предлагали хорошую цену?

— Давай не будем задаваться философскими вопросами, — вздохнула я. — У меня есть сильное подозрение, что основная масса человечества наступит на моральные принципы при виде чемодана с миллионами. Об этом лучше даже у себя, родной, не спрашивать!

— Но убийство — это все же слишком, — покачал головой Юрий. — Хотя я на службе навидался всякого. Ладно, продолжу. Андрон решил пойти оригинальным путем. Газеты тех лет были полны объявлений от ясновидящих, гадалок и экстрасенсов.

— И сейчас такого добра навалом, — подхватила я. — Убирают венцы безбрачия, чистят карму, меняют судьбу, продают талисманы, отворачивают соперниц, приманивают любимых...

— Но пятнадцать лет назад народ был наивнее, легче велся на такие штуки, — не согласился Юрий. — А Андрон придумал замечательный ход. Он объявил Леокадию медиумом.

— Зачем? — удивилась я.

— Да это ж просто, как чихнуть, — усмехнулся Юрий. — Знаешь, какое количество людей ощущает свою вину перед умершими? Родители ушли на тот свет — и начинаешь мучиться: был с папой и мамой груб, не сказал им слов любви, вот бы повернуть время вспять... Но, увы, это невозможно. А Леокадия вызывала дух усопшего, и — пожалуйста, общайтесь, говорите что хотите.

— Она не боялась разоблачения?

— Нет.

— Но почему?

Коротков встал и распахнул окно.

— Ну, во-первых, решившись связаться с родственниками в загробном мире, люди сильно нервничают, и Андрон, который выступал в роли помощника медиума, всегда поил посетителей микстурой. Говорил им: «Вам необходимо расслабиться. Леокадия очень чуткая, улавливает любые колебания, ваша нервозность помешает ее работе, и сеанс сорвется. Так что глотните настоечку...» Поэтому в помещение, где шло представление, люди попадали уже под кайфом, у них кружилась голова, закладывало уши, снижалось внимание. Во-вторых, пока клиент успокаивался, Андрон ловко выведывал у него информацию и передавал Леокадии. Ну, допустим, он очень участливо интересовался: «Хотите с отцом поговорить? И как его звали?» — «Иван Иванович». — «А от чего же он умер?» — «Операцию на желчном пузыре неудачно сделали»... Даже столь крохотной порции сведений Лёке хватало, чтобы задурить человеку голову. А в-третьих...

Юрий уставился в окно.

— Что? — жадно спросила я.

Коротков вынул сигареты.

— Мне удалось найти нескольких бывших клиентов, и все они в один голос твердили: «Мы вступали в полутемную комнату, там сидела женщина, она начинала вызывать дух, и в какой-то момент появлялась белая фигура. Становилось холодно, дул ветер». Как проделывали подобный трюк?

— Может, в зелье подсыпали галлюциногены? — предположила я.

— Да нет, очень уж одинаковые видения у разных людей, и ощущения тоже. Сквозняк, легкий скрип, запах сырости, потом белая фигура. Но она молчала, за нее говорила разными голосами Леокадия.

— Да уж! — покачала я головой. — Марфа вскользь обронила, что сестра с детства обладала только одним талантом: могла пародировать чужую речь. Она без проблем говорила басом, тенором, сопрано.

— Мошенники! — Юрий стукнул кулаком по подоконнику. — И убийцы. Я совершенно уверен, что Андрон убил моего отца и пытался при помощи конфет отравить маму. Вот только он не знал про ее диабет, и шоколадки достались несчастной Фатиме.

— А что за конверт там был? — вспомнила я.

— Это вопрос, на который пока нет ответа, — протянул Юрий. — И, увы, он не один. Мне, например, непонятно, почему Леокадия и Андрон вдруг прикрыли лавочку.

## Глава 32

— Они перестали заниматься спиритизмом? — удивилась я.

Юрий покачал головой.

— Нет, перебрались в другое место, съехали с городской квартиры в небольшую подмосковную деревеньку, купили там дом на отшибе и основали некое общество под названием «Бессмертная душа». Но очень скоро им пришлось перебраться в другое место. С прежнего Леокадию выжил местный батюшка. А вот в Михиеве, где они обосновались позже, им никто не мешал. Там до сих пор работает тетка, которая общается с покойными, но не Леокадия. Она умерла, Андрон тоже покойник. Хотя были у меня сомнения, я считал, что они имитировали свою смерть, а сами смылись. В живых осталась лишь Юля. Она, кстати, была замужем, но овдовела.

— Ты с ней разговаривал?

Юрий закрыл окно и сел к столу.

— Пытался, но ничего не получилось. Сначала я представился ученым, который пишет книгу о спиритизме, так сказать, создает научный труд об уникальном явлении...

Но девушка даже не пустила Короткова на порог, говорила с ним через дверь, весьма нелюбезно, почти хамски заявила:

— Уходите, я ничего не знаю. Мачеха и отец уехали жить за город, а я с покойными не беседую. Прощайте.

Коротков решил не сдаваться и предпринял еще одну попытку, подстерег Юлю во дворе. Она шла от метро домой, тащила большой пакет с продуктами. За несколько метров до подъезда ручки у сумки лопнули, на тротуар посыпались свертки. Юра обрадовался — сама судьба подсовывала ему шанс познакомиться с девушкой. Молодой человек подбежал к Моргаловой и стал собирать йогурты, овощи и прочую снедь.

— Оставьте, — буркнула Юля.

— Давайте помогу, — предложил Юрий.

— Отвали! — рявкнула девушка.

— Ну зачем вы засунули столько продуктов в один пакет? — Детектив решил не обращать внимания на откровенную грубость. — Даже самый крепкий полиэтилен не выдержит, если в нем поднять слона. Донесу ваши продукты до дома. Далеко вы живете?

— Не ваше дело, — не пошла на контакт Юля. — Чего пристал?

— Вы мне понравились, — не отступал Юра. — Вы очень красивая девушка. Не хотите в кино сходить?

— Пошел на... — выругалась Моргалова, пытаясь собрать харчи.

Но Юра был настойчив.

— Вижу, вы обед затеяли, могу помочь, я повар, готов картошку чистить и лук резать.

— Уходи, — процедила Юля.

— Ну девушка... — не отчаивался Коротков. — А давайте я ваше имя угадаю? Сейчас, сейчас... Оля? Нет, оно вам определенно не подходит. Ира? Снова не то. Юля! Вот, точно. Вы Юлечка. Знаете, какое происхождение у этого самого красивого на земле имени: Юлия-Джулия-Джульетта. Значит, должен быть и Ромео. Я готов им стать!

Продолжая болтать чепуху, Коротков наклонился, чтобы поднять очередной кулек, и тут Моргалова со злостью пнула детектива. Юра, находившийся в согнутом положении, не удержался на ногах и упал. Когда он встал, падчерицы Леокадии и след простыл.

Коротков дошел до квартиры Юлии и начал звонить в дверь. Но за ней царила тишина, девушка не собиралась отзываться. Следовало уйти, но Короткова заело, и он упорно нажимал на звонок через равные промежутки времени.

Внезапно сверху спустился парень в спортивном костюме.

— Чего надо? — рявкнул он.

— Не твое дело, — отбрил Коротков.

— Еще как мое! — обозлился сосед. — Прекрати шуметь.

— Мне нужна Юля, — заявил Юрий, потеряв последнее терпение.

— Зачем тебе моя девушка? — заорал незнакомец. — Вали, пока я тебе голову не открутил, нечего к чужим бабам клеиться! Ща милицию позову!

И тут Юра совершил ошибку.

— Уже пришла милиция, — гаркнул он и вытащил удостоверение частного детектива. Вообще-то документ сотрудника МВД выглядит иначе, но Юлин защитник перепугался до икоты.

— Простите... — Он мигом стал вежливым. — Так чего вы хотите?

— Пусть ваша невеста меня впустит. Поговорить надо.

— Я Саша, — представился молодой человек, — сосед. Насчет жениха, извините, я соврал. Юлька мне позвонила и попросила: «Сань, помоги, тут какой-то нахал пристает. Сначала на улице примотался, теперь в дверь начал колотить, отпугни его». Ну я и пошел.

— Ясно, — кивнул Юра. — Попробуйте ее уговорить побеседовать со мной.

— А че она сделала? — поинтересовался Саша.

— Оперативная необходимость, — обтекаемо ответил Юрий, — вследствие проведенных мероприятий выяснился ряд обстоятельств немалой важности, требующих детального объяснения со стороны гражданки Моргаловой. Речь идет о преступлении.

Саша ошалело кивнул и вытащил мобильный.

— Слышь, Юляш, — сказал он в трубку, — ты это, не боись, он мент. Просто полялякать хочет...

Выслушав ответ, парень повернулся к Юрию:

— А она не хочет разговаривать.

— Но почему?

— Почему? — повторил Саша вопрос в трубку. И тут же сообщил ответ соседки: — По кочану. Говорит, пусть сначала санкцию прокурора получит. Она законы знает, на свою территорию никого не пустит, ни в чем плохом не замешана, и вообще, говорит, он на мента не похож, просто кретин и долдон.

И тут Юра потерял самообладание.

— Законы знает? — заорал он. — Будет ей и повестка, и бумага от прокурора! Очень скоро я вернусь с документами!

— Так че она сделала? — посерел Саша.

— Не твое дело! — Коротков пошел вразнос. — Хочешь совет? Держись от этой девки подальше. Сейчас ее арестуют и тебя за пособничество прихватят.

Последняя фраза была сказана Коротковым из чистой злобы. И Юра уже пожалел о ней, но Саша перепугался.

— Все! — замахал он руками. — Я тут ваще ни при чем! Я просто сосед! До свидания, разбирайтесь сами!

Высказавшись, Саша развернулся и сайгаком унесся наверх, а Коротков пошел домой...

— И ты к ней больше не приходил?

Юра почесал в затылке.

— Раз она так странно на меня реагировала, значит, чего-то боялась. Но вечером у меня наметился выгодный клиент. Работа предстояла ерундовая: нафоткать его жену, походить за ней две недели, пока муж в командировке. Заплатить обещал офигенную сумму. Кстати, он не обманул, выдал гонорар до копеечки, вот только времени ни на что другое у меня уже не осталось. Я брал объект в восемь утра у подъезда, а снимал наблюдение за полночь. Баба оказалась чумовая, носилась по Москве колбасой, словно у нее шило в заднице. Вот я и отложил личные дела. Расследованием гибели отца я мог заниматься только в свободное время, поэтому так долго и возился. Иначе хозяин мог обозлиться.

— Хозяин чего? — удивилась я.

Коротков сделал размашистый жест рукой.

— Ну, конторы, детективного агентства.

— Ты же сказал, что являешься владельцем!

— Я не один, — напомнил Юра, — у компаньона доля вложений больше, он отстегивает арендную плату...

Детектив замолчал, я деликатно опустила глаза. Основная масса мужчин хочет казаться круче и богаче, чем они есть. Юра не исключение. Но я пришла к Короткову не для того, чтобы ловить его на лжи.

— Вообще говоря, зря я к этой Юлии поперся, — неожиданно сказал Юрий. — Ей едва пять лет исполнилось, когда Андрон затеял убийство своей жены и одновременно пиар-акцию для Леокадии. Интересно, сама-то Лёка знала, что в кафе погибнут Люся и Зоя, или Андрон ей правды не сказал? Она соучастница или тоже в некотором роде жертва?

— Думаю, твой вопрос останется без ответа, основные участники событий мертвы.

— Меня интересовала только роль отца, — продолжал Коротков, — и я узнал правду: Андрон впутал его, соблазнил деньгами, потом столкнул с чердака, затем по непонятной причине ему понадобился конверт, и он его получил. Но зачем он подсунул моей матери отравленные конфеты?

— Чтобы ее убить!

— А смысл?

— Наверное, Андрон боялся, что Вера Павловна внимательно изучила конверт. Скорей всего, он мог стать ниточкой, ведущей к нему.

Юра кивнул:

— Я и сам так полагаю. Увы, возмездие запоздало,

Андрон умер до того, как я разобрался в ситуации, ушел на тот свет безнаказанным. Повторяю: одно время я сомневался в его кончине, но теперь уверен — мерзавец мертв.

Вручив Короткову чек, я вышла на улицу и села в машину. В голове проносились разные мысли. Хорошо, я теперь знаю о преступлении, которое совершил Андрон пятнадцать лет назад, но это ни на шаг не приблизило меня к раскрытию убийства Юлии и не объяснило, что делал в ее квартире Дегтярев!

Не успела я сосредоточиться на ситуации с Александром Михайловичем, как ожил телефон. Судя по номеру, высветившемуся на дисплее, меня искала Маша.

— Полковник... — зашептала она. — Ой, муся! Ну просто офигеть! Тут такое!

Я похолодела.

— Что с Дегтяревым? Заболел? Его парализовало? Лишился не только памяти, но и речи?

— Муся, ты чего? Наоборот, он слишком много разговаривает, — зашипела Машка. — Мы сейчас в «Кастораме».

— А почему ты тихо говоришь? — удивилась я.

— Чтобы не услышали, — пояснила Маруся. — Умоляю, приезжай сюда.

— Это необходимо?

— Ага. — Машкин голос почти совсем исчез. — Зайка с Кешей на работе, Ирка уехала с Тасей к колдунам, Иван...

— Куда отправилась Ирка? — перебила я дочку.

— Ой, муся, — вздохнула Маня, — дурдом на выезде. Эта Волкова хорошая тетка, конечно, милая и приветливая. Сегодня утром Хуч извозился в земле, так она его вымыла. Ирке постоянно по хозяйству помогает. Вот только у нее крыша протекла!

— Этого нам как раз и не хватало! — расстроилась я. — И сильно течет? Мансарду залило?

— До подвала дошло, — хихикнула Маня.

Я огорчилась еще больше. Тот, кто имеет свой дом, хорошо знает, какая это морока — протекающая кровля. Но через секунду я удивилась.

— Манюня, у нас же нет цокольного этажа.

— Муся, я говорю про Тасю, — развеселилась девочка, — аллегорически. У Волковой того, тю-тю с мозгами. Она Ирку в какую-то церковь возила... э... «Бессмертная душа»... И там...

— Пончики! — вырвалось у меня.

— Так ты знаешь! — обрадовалась девочка. — Ирка уже всем про рецепт рассказала, кстати, он самый простой. В общем, сегодня они опять туда подались, Ира снова с бабушкой захотела встретиться. Скажи, глупо?

— Ну да, — согласилась я. — Маловероятно, что старушка сама явится на встречу.

— Тася слишком доверчива, — хмыкнула Маня, — верит всем и хочет помочь. Только я из-за нее погибаю! Одна против всех! В «Кастораме» с полковником, Андреем и Диной. Вот уж гидра! Мусечка, умоляю, приезжай, она Александра Михайловича до обморока доведет.

— Кто? — не поняла я.

— Тут для ремонта есть все, — рассказывала Маня. — Красок — ряды. Обоев — горы. И всякие прибабахи прикольные... Ой, они сюда идут, я стою в сухих смесях, думала, здесь меня не найдут... Муся, немедленно приезжай!

Едва я вошла в строительный гипермаркет, как до слуха долетел вопль Динки:

— Зеленый!

— Красный, — ответил полковник.

— С ума сошел! Цвет агрессии!

— От травянистого оттенка меня стошнит!

— А красный взбесит!

— Меня нет!

— Так в доме Тёме жить!

Я завернула за стеллажи и увидела Дегтярева, Динку и Андрея. Троица, вспотевшая и всклокоченная, стояла возле унитазов.

— О чем спорите? — весело поинтересовалась я.

— Плитки тут миллион цветов, — мечтательно сказал полковник. — Пытаемся определиться.

Я оглядела ряды с керамической плиткой. Да уж, бывший советский человек теперь поставлен в тяжелые условия. Ну как мы раньше покупали, вернее, доставали, необходимые вещи? Прибегали в магазин, находили нужного продавца, подмигивали ему и шептали:

— Вы Сережа? Здрассти, я от Ады Марковны, тещи Владимира Петровича, дяди Леонида Михайловича, крестного отца вашего стоматолога Исаака Львовича. Мне очень нужна плитка, буду благодарна в необходимом размере.

Сергей внимательно изучал покупательницу, потом снисходительно говорил:

— Ща пусто, причапывайте в четверг ровно к восьми утра.

За час до назначенного времени вы уже прыгали под дверью. Сережа, как и положено важной персоне, опаздывал, появлялся лишь к полудню и милостиво сообщал:

— Ехай завтра к семи к Ивану на склад, это в Балашихе.

Стоит ли упоминать, что вышеупомянутый Ваня был в отпуске и приходилось вновь возвращаться к Сергею, который, закатив глаза, заявлял:

— Ну заколебала! Лады, помогу. Иначе от тебя, похоже, не избавиться. Есть наша и польская. Какую берешь?

— Польскую, — не веря собственному счастью, восклицали вы.

— Договорились, — кивал Сережа, — давай тугрики.

Получив сумму, парень исчезал, возвращался он через пару часов и давал вам грязную бумажку, нечто вроде чека.

Далее начиналось самое интересное. Вам надлежало ночью явиться к закрытому магазину. Ясное дело, к главному входу нельзя приближаться, путь лежал к маленькой дверке на заднем дворе. Постучав в нее и услышав вопрос: «Кто там?» — вы быстро отвечали: «Плитка от Сергея».

Дверь приоткрывалась, некто невидимый выставлял во двор упаковки в темно-коричневой бумаге. Цвет плитки вы узнавали только дома. Зато сколько радости испытывала семья, доставая на свет божий керамическое чудо. Это же было целым приключением! Потом о покупке плитки рассказывалось друзьям, соседям. И те и другие испытывали приступ зависти и говорили:

— Нам тоже пора ремонт затеять.

А какие рекорды ставили люди! Моя подруга, Кира Алентова, дама вовсе не богатырской комплекции, скорей даже хрупкого телосложения, ухитрилась унести одна здоровенную чугунную ванну. Ей выдали ее и строго приказали:

— Отползай быстрей, тут ОБХСС шастает, могут отнять.

Другая бы на ее месте спасовала и резонно сказала: «Ребята, как же мне, слабой женщине, стопудовую чушку переть?»

Но Кирка не такая, она встала на четвереньки, заползла под вожделенную чугунину и в образе гигантской черепахи весьма бойко поползла на проспект, где и поймала машину. Советская женщина легко на ходу останавливала автомобиль, элементарно справлялась с тяжестями, а уж про горящую избу и упоминать не стоит, пожар нам был — тьфу, мы за пять минут могли собрать вещи, деньги, мебель, документы, одежду, вытащить бебехи во двор, где уже стояли дети, муж и домашние животные. Советская женщина — это танк, не боящийся никаких трудностей, боевой слон, груженный продуктами. В правой лапе сумка, в левой ящик, парочка детей на горбу, за хобот уцепился супруг, за хвост мать со свекровью, но слон не сдается, он, между прочим, чувствует себя вполне довольным и, отдуваясь, басит: «Семья — это счастье. Я так рада, что могу отдать всю себя родным и близким. И на работе не подведу. Квартальный отчет сварганить за сутки? Легко. Не посплю ночь и сделаю».

Разве могут нас понять дети перестройки? Вон сколько видов керамической плитки представлено в «Кастораме»! Целые ряды, бери любую.

## *Глава 33*

— Красная, — настаивал полковник.

— Зеленая, — не сдавалась Дина.

— Лучше черная, — встрял Андрей.

— Послушайте, — постаралась я их примирить, — берите белую, не ошибетесь.

— Фу, банально, — скривилась Дина.

— Неоригинально, дизайнерски неинтересное, плоское решение, — раскритиковал мою идею Андрей.

— Хочу красную, — с упорством капризного дитятки тянул Александр Михайлович.

— А сколько у Тёмы в доме ванных комнат? — неожиданно спросила Машка.

Андрей начал загибать пальцы.

— Три на втором этаже, две на первом и баня. Значит, шесть.

Дегтярев крякнул, потом вытащил из кармана яркую коробочку, выудил оттуда пилюлю и сунул в рот.

— Ты что ешь? — поинтересовался Корундов.

— Ерунду, — поспешно ответил полковник, — от... э... дальнозоркости. Замечательные таблетки.

Я прикусила губу. Значит, он нашел лекарство, которое по его просьбе я купила на днях. «Кома мао» — пилюли, содержащие когти тигра и слюни бразильской черепахи. Извините, если я спутала состав, вполне вероятно, что в капсулах еще есть шерсть мартышки и сушеный навоз нильского крокодила. Наивный Александр Михайлович надеется, что это «Кома мао» сдует пыль с его памяти. Но пока оно не слишком помогало. Кстати, какое замечательное название для панацеи от беспамятства: «Кома мао»! Кома! Просто супер!

— Ой-ой-ой, — закричала Машка, — какая прелесть! Мусечка, можно я куплю?

— Ты тоже хочешь приобрести плитку? — не выдержала я.

— Муся, — запрыгала девочка, — ремонт такое прикольное занятие! Может, и мы сделаем?

— Лучше не надо, — быстро ответила я, — как-нибудь еще поживем в старых стенах.

— Ну почему считается, что это трудно? — кричала Маня. — Столько прибамбасиков! Мусик, глянь, картинки с собачками, самоклеящиеся! Пошли скорей!

Бесполезно бороться с обстоятельствами: если Маруська решила продемонстрировать мне замечательные штучки, ее ничто не остановит. С другой стороны, в каждой бочке дегтя непременно найдется ложка меда. Сейчас вместо того, чтобы таскаться с Дегтяревым и компанией, я отправлюсь с Машей.

— Эй, ты куда? — заорала Дина, заметив, что я пытаюсь слинять.

— Нельзя же ребенка обижать, — живо ответила я.

Спустя полчаса мы набили тележку кучей всякой, на мой взгляд, ерунды. Но, по мнению Машки, невероятно необходимыми вещами. Чего здесь только не было: два рулона обоев с героями мультфильмов, несколько электророзеток тигровой окраски, четыре куска мохнатого ковролина интенсивно-розового цвета, сиденье для унитаза, выполненное в виде собачки, дверные ручки, изображавшие кошек, пакет ядовито-зеленой затирки для кафеля и тому подобное. Зачем Маруська набрала все это, я не знала, но спорить с девочкой, демонстрировавшей крайний восторг, не стала.

В какой-то момент Маня с воплем: «С ума сойти, давно хотела эту красоту!» — рванула куда-то в недра — или лучше сказать «в дебри»? — «Касторамы».

Я в изнеможении села на первую попавшуюся деревяшку и внезапно увидела знакомый мешок — точь-в-точь такой стоял в гостиной у несчастной Юлии.

— «Вечная пломба», — неожиданно для себя произнесла я вслух.

— Абсолютно верно, — раздался рядом приятный баритон.

Я подняла голову и увидела симпатичного молодого продавца с именем «Егор» на бейджике.

— Неплохая вещь, — продолжал парень, — но уже не лучшая. Стройматериалы постоянно усовершенствуются. Вот, к примеру, краски. Раньше, если требовалось обновить ржавую поверхность, столько времени уходило... Пока, допустим, трубу подготовишь, поседеешь. А теперь! Взяли банку и прямо так, без зашкуривания, намазывайте. Или вот, например, недавно в продаже появился новый гидроизолятор. До него была «Вечная пломба», вы на нее смотрите. Но честно скажу, ее теперь почти не берут, она гарантий не дает. Хотя, с другой стороны, новинка подороже будет. Тут надо все учитывать.

— Вы, похоже, любите свою работу, — отметила я.

Егор улыбнулся во весь рот.

— Конечно. Люди к нам с радостью приезжают: квартиру купили, дом строят, ремонт затеяли... Хлопотно, конечно, только это приятные заботы.

— Поясните, зачем вообще нужна «Вечная пломба»? — спросила я.

— Для гидроизоляции подвалов, — пояснил парень, — грунтовые воды могут подтекать в дом.

— А зачем в квартире нужна «Вечная пломба»?

Егор с сомнением почесал ухо.

— В городской?

— Да.

— Ну, если подпол есть, то для гидроизоляции.

— Какие же в многоэтажках подполы? — засмеялась я.

— Тогда «Вечная пломба» без надобности. А почему вы интересуетесь?

— Недавно увидела у одной знакомой в гостиной такой мешок, початый, им явно пользовались. Странно, правда?

Егор замотал головой.

— А вот и нет. Может, у нее подвал течет!

— Дом обычный, ничем не примечательная пятиэтажка, — усмехнулась я.

— У меня бабушка в такой живет, — с готовностью подхватил продавец, — так у них домоуправление сделало в подвале кладовки, их жильцам раздали, чтобы там всякую ерунду хранить.

— Спасибо, — сказала я.

— Если понадобится консультация, — заулыбался Егор, — обращайтесь.

— Молодой человек! — закричал мужчина в красной кепке. — Где у вас плинтусы?

Продавец кинулся к покупателю, я осталась на месте, тупо разглядывая мешки.

— О! Вот так встреча! — воскликнул знакомый баритон.

Я подняла голову.

— Артурчик! Что делает в «Кастораме» газета «Жизнь»? Пишешь репортаж о красках?

Пищиков засмеялся.

— Даже журналист иногда ходит за покупками. Ричард мерзавец! Все обои сожрал, соскреб их лапами.

На моем лице, очевидно, отразилось недоумение, потому что Артур пояснил:

— Я же шарпея купил! Ты забыла?

— Ах да! Конечно! — Я вынырнула из размышлений о новых строительных материалах.

— Такой поганец! — с восторгом воскликнул Пищиков. — Сначала он тапки сжевал, а потом за квартиру принялся. Я купил один рулон обоев, подклеил в прихожей, на следующий день возвращаюсь с работы — мама миа! Почти до соседей догрызся. Так что ж мне теперь, сюда каждый вечер таскаться? Решил закупиться по полной, сделать запас! Заводчица сказала, что грызальный инстинкт скоро пройдет. Но я так считаю: если чем-то часто пользуешься, оно должно быть дома, вот я и прихватил обои, клей...

Внезапно я вздрогнула.

— Что ты сказал?

— Если чем-то часто пользуешься, оно должно быть дома, — растерянно повторил Пищиков. — Ты чего побледнела? Давай тебя на воздух выведу? У меня в больших магазинах всегда голова кружится.

— Все в порядке, — пробормотала я, — просто я задумалась!

— О чем можно размышлять с таким выражением лица? — изумился Пищиков.

— Артурчик! — радостно закричала Маня, выскакивая из-за стеллажей. — Привет! Муся, смотри, какие коврики — в виде собачек!

— Угу, — бормотнула я.

— Прикол! — оживился Пищиков.

— Там все породы есть! — ликовала Манюня, которая явно считала поездку в «Кастораму» более интересным развлечением, чем экскурсия в Диснейленд. — Я схватила мопса, пуделя, пита...

— А шарпеи есть? — занервничал Пищиков.

— Конечно, — деловито ответила Маня, — пошли.

Толкая перед собой груженные доверху тележки, девочка и корреспондент направились к вожделенным коврикам, я же по-прежнему пялилась на «Вечную пломбу». Потом в голове что-то щелкнуло. Ничего в нашей жизни не бывает случайно, любая, даже самая пустяковая мелочь может внезапно послужить толчком к озарению. Что мне сказал продавец Егор? «Вечная пломба» не особо хороший герметик. Несколько лет назад, правда, он считался лучшим, но теперь появились более современные средства. А я не отреагировала на помощь провидения, не зацепилась за эту фразу, и тогда некто, явно желая помочь Дашутке, столкнул ее с Артуром Пищиковым, у которого живет хулиганистый шарпей Ричард. И Артурчик произнес: «Если чем-то часто пользуешься, оно должно быть дома». Ему самому сейчас необходимы обои, их регулярно сдирает со стен шарпей. А Юля, по всей видимости, не могла жить без «Вечной пломбы». Иначе: зачем мешку маячить в гостиной?

Внезапно у меня зазвенело в ушах, в голове заметались обрывки фраз: «Строитель Федор был любовником Люси», «Народ ждал, что Андрон и сосед полаются, но муж ушел спокойный, а любовник появился через полчаса после него. Они чего, договорились?», «Она вызывала дух, он приходил. Сначала раздавался тихий скрип, сквозняк, затем ощущался запах сырости»...

Я быстро пошла к выходу. Полина Жукова вошла в квартиру Юлии и исчезла, причем через окна, забранные решетками, медсестра вылезти не могла, а под дверью караулила я. В гостиной стоял мешок «Вечная пломба». Зачем он девушке, проживающей в трешке на первом этаже? Что она гидроизолировала?

Я ускорила шаг. Вот они, ключевые слова: первый этаж, «Вечная пломба» и «если чем-то часто пользуешься, оно должно быть под рукой».

Ключа от апартаментов Юли под ковриком не было, я нажала на звонок.

— Кто там? — послышался голос Маргариты.

— Открой, пожалуйста, — попросила я.

Изотова выглянула в щелку.

— Ой! Это вы!

— Разреши войти?

— Конечно, — явно обрадовалась Рита. — Привыкаю тут помаленьку. Хотите чаю? Вот, думаю, как маму Марфу сюда перетащить, в шикарные условия, а то она простужаться часто стала. Пройдет из бани через двор, и готово, появляется кашель. И в городе веселей. А больных она себе и тут найдет, соседям пару раз поможет, и попрут косяком. Я учиться пойду...

Маргарита замолкла, потом, опустив глаза в пол, пробормотала:

— Наверное, нехорошо так радоваться — квартира-то мне после смерти Юли досталась. Не по-христински я сейчас себя веду.

— Ты не знала сводную сестру, — решила я успокоить Изотову. — Некоторое время, проведенное вместе в раннем детстве, не в счет. Ничего плохого ты не делаешь. Затеяла генеральную уборку?

— Ага, — кивнула Рита. — Тут грязи! Словно не женщина жила, а старый мужик вроде нашего деда Ильи. Тот никогда тарелку за собой не моет — съест обед и оставит на столе, вечером в ту же посуду кашу кладет.

— Можно мне кое-что в гостиной посмотреть? — в нетерпении перебила я Риту.

— Конечно. Но, уж извините, там совсем грязно, я еще не добралась до зала. Во всех комнатах жуть, но какая-то жилая, а в большую вроде никто и не заглядывал!

Я быстро вошла в гостиную и села на продавленный диван. Скорей всего, вход в подвал где-то здесь. Отчего я пришла к такому выводу? Именно здесь Леокадия проводила сеансы спиритизма, это в гостиной, словно ниоткуда, появлялся молчаливый дух, за которого вещала медиум. Опять же мешок! В подвале постоянно скапливалась вода, Юле приходилось регулярно гидроизолировать подпол, вот почему она купила «Вечную пломбу». Мешок тяжелый, а Моргалова, судя по грязи, царящей вокруг, крайне ленива. Зачем ей хранить упаковку с герметиком в комнате? Будь Юля аккуратна, она бы спрятала «Вечную пломбу» в шкаф с бытовой химией, но смесь находится в гостиной — Юле было элементарно лень таскать здоровенный пакет туда-сюда. Правда, в комнате такая пыль! Она покрывает и мешок. Похоже, сюда давно не заглядывали и «Вечной пломбой» не пользовались.

— Пойду кафель мыть, — сказала Рита. — Вам, наверное, лучше тут одной побыть. Позовите, если понадоблюсь.

Я забыла поблагодарить девушку за проявленную деликатность, так углубилась в свои мысли. Значит, любовник погибшей Люси, строитель Федор, сделал в этой квартире подвал. Ему нельзя отказать в творческом мышлении. Если Андрон раньше времени возвращался с работы, то Федя тихо спускался в подпол и сидел там до тех пор, пока Люся не сообщала: опасность миновала. Куда прячется основная часть мужиков, если их застают с чужой женой? Выбор укрытий в городской квартире крайне ограничен: балкон, кладовка, шкаф... Ну, еще можно залезть под кровать или на антресоли. Но большинство законных мужей, придя в ярость, легко обнаружат соперника. А вот подвал с тщательно замаскированным входом — это, знаете ли, круто.

Но, судя по всему, Андрон в конце концов обнаружил тайное убежище и ничего не сказал Люсе. Он просто решил убить двух зайцев: избавиться от неверной жены и девочки Зои, которую ему повесили на шею, а затем жениться на Леокадии, сделав ее знаменитой ясновидящей, зарабатывающей большие деньги. Вам кажется странным, что Андрон, имея связь с Лёкой, ревновал супругу, спавшую с Федором? А мне нет. Мужчины считают жен своей собственностью и весьма толерантно относятся к своим походам налево. То есть муж вроде как пописать сбегал, а вот жена, которая привела в семейную спальню другого мужика, достойна смерти.

Я встала и начала кружить по гостиной. Где может быть вход в подвал? Думай, Дашутка, включи вечно спящее логическое мышление. Очевидно, люк или дверка расположены удобно, чтобы подобраться к ним, не снимая со стены ковер. Федор наверняка сделал все так, чтобы за пару секунд успеть юркнуть в убежище.

Я встала на четвереньки и принялась осматривать пол, покрытый старым, протертым линолеумом. Пятиэтажка была из самой первой серии, а в этих домах ради экономии не стелили паркет.

Нет, не похоже, что люк в полу. Кстати, видно, семья в свое время сделала ремонт, в других комнатах и коридоре на полу отциклеванные доски. И мебель там другая, более новая, легкая. Здесь же обстановка не менялась лет двадцать. Один буфет чего стоит, он словно выпал из конца сороковых годов. Ну зачем его тут поставили, он занимает много места и...

Я подошла к монстру советской мебельной промышленности. Вход где-то тут. Почему я так решила? Но это же элементарно, Ватсон. Где стоит «Вечная пломба»? Прямо около хранилища посуды. Есть теперь и ответ на вопрос, почему в гостиной не делали ремонт. В старом интерьере жуткий, похожий на перевернутый гроб буфет не бросается в глаза, он здесь к месту. А если обновить мебель, купить сюда иную обстановку, гости начнут обращать на буфет внимание...

— Рита, — позвала я.

— Тут я, — откликнулась девушка, входя в комнату. — Может, все-таки чайку?

— Ты рылась в буфете? — с нетерпением перебила ее.

— Не-а. Руки пока не дошли.

— В нем есть вход в подвал! — азартно воскликнула я. — Там скорей всего Юлия хранила деньги, которые достались ей после смерти Леокадии и Андрона.

— Господи... — перекрестилась Рита.

Я распахнула нижние дверцы и сказала:

— Точно! Я права. Смотри, здесь нет ни полок, ни каких-либо вещей, зато лежит фонарик!

— И чего? — разинула рот Маргарита.

— Верхняя часть, та, что застеклена, набита всякой ерундой, дешевой посудой и грошовыми безделушками, а внизу ничего нет. Так не делают. Отчего отсутствуют полки?

— Отчего? — эхом повторила Изотова.

— Да чтобы легко открыть вход в подвал! — воскликнула я. — Давай его искать.

Целый час мы с Ритой нажимали на все завитушки, дергали за торчащие снаружи шпенечки, стучали по днищу... но ничего не добились.

— Может, ты ошибаешься? — устало спросила Рита, отбросившая в процессе поисков церемонное «вы».

— Нет, — помотала я головой, — все говорит о том, что вход в подвал есть, и я очень хочу посмотреть, что там. Обрати внимание, в гостиную, похоже, заходили крайне редко, тут пыль чуть не в метр толщиной.

— Во всей квартире грязно, — возразила Рита.

— Верно, — согласилась я. — В кухне брызги жира на кафеле, закопченные кастрюли, в ванной повсюду остатки зубной пасты, в одной спальне неубрана кровать, а белье на ней просто черное. Но в гостиной нежилая грязь! Вопрос — почему Юля не пользовалась гостиной?

— Ей хватало спален и кухни, — пожала плечами Рита.

— Давай попытаемся отодвинуть буфет, — предложила я, — может, за ним чего увидим?

Не дожидаясь ее согласия, я схватилась за верхнюю часть монстра, дернула...

— Мама! — заорала Маргарита.

Послышался скрип, потом пахнуло сыростью, по

комнате пробежал ветерок. Задняя стенка буфета сдвинулась, за ней открылся черный проход.

— И фонарик к месту! Если он, конечно, работает, — засмеялась я. — Кто первый полезет вниз?

Рита опасливо посмотрела на вход в подвал.

— Я лучше тут останусь, постерегу.

— Хорошо. — Я сделала вид, что не замечаю откровенного испуга девушки. — Но если я обнаружу там чемоданы с деньгами, тебе все же придется мне помочь.

## Глава 34

Фонарь не подвел. Слабый луч света озарил узкую железную лестницу. Неожиданно мне стало жутко.

— Рита! — заорала я. — Ты помнишь, как открывается лаз в подвал?

— Надо дернуть за верх буфета, — успокоила меня Изотова.

Я шагнула на залитый бетоном пол, и в ту же секунду задняя стенка шкафа с легким щелчком вернулась на место. Очевидно, Федор придумал автоматически закрывающийся люк.

Я увидела едва ли трехметровое пространство, этакий бетонный мешок. Да еще воняло тут, как в выгребной яме. Я машинально посмотрела на стены, по которым сочились капли воды, потом перевела взгляд на пол и заорала:

— Кто это?

Никаких мешков с деньгами или чемоданов с золотом. На бетоне, скрючившись, лежали два тела.

— Рита! — заорала я. — Ритуля! Скорей открывай! Ой! Мамочка! Выпусти меня! Ритка! Живее!

Внезапно один «труп» чуть приподнял голову и простонал:

— Нет отсюда выхода, мы подохнем...

Я в полнейшем ужасе прижалась к стене. Голосовые связки парализовало. И тут ухо уловило скрип, который показался мне приятнее музыки Моцарта.

— Что там такое? — донеслось сверху.

— Только не спускайся! — завизжала я, цепляясь за лестницу. — Оно само закрывается. Тут люди! Живые!

Через пару часов в квартире Юлии орудовало много людей. Распоряжался ими Дегтярев. Похоже, Александр Михайлович так и не вспомнил, кто и зачем пригласил его к Моргаловой, но посторонний человек ничего странного в поведении полковника заметить не мог.

Первой из-под земли извлекли Полину Жукову. Сначала девушка беспомощно щурилась, потом бросилась ко мне и закричала:

— Я все расскажу! Все! Все! Прямо сейчас!

Похоже, несколько дней пребывания в подвале не нанесли большого урона физическому состоянию медсестры, но вот в ее психике явно произошел надлом. Лицо Жуковой кривилось, левый угол рта подергивался, из глаз лились слезы, а из груди несся смех вперемежку со стонами.

— Слушайте! Слушайте!

— Вам лучше отдохнуть, — опрометчиво сказала я и тем самым вызвала новую вспышку истерики.

— Нет! — вцепилась в меня Полина. — Не хочу в подвал! Нет! Нет! Слушайте!

Мы с Дегтяревым подхватили ее, отвели на кухню, где Рита уже приготовила чай, и уставились на медсестру.

— Лучше арестуйте меня... — прошептала Жукова, горбясь на стуле. — Я думала, умру там. Слушайте!

Из уст девушки полился рассказ. Я тише мыши затаилась на табуретке. Кое-что из озвученного Жуковой мне уже было известно, но о некоторых деталях я даже не догадывалась.

У Полины, провинциальной девушки, решившей покорить Москву, была заветная мечта: она хотела иметь много денег. Но она понимала, что не сумеет сама заработать на все свои желания, значит, надо найти человека, способного их осуществить. Ну и как поступают в подобном случае обычные девушки? Они выходят замуж и садятся супругу на шею. Но Полина не хотела расплачиваться за богатство собственной свободой. Она придумала лучший план — решила удачно женить брата Сашу.

Александр во всем подчинялся авторитарной Полине. Парень был инфантилен, несамостоятелен, с раннего детства привык играть даже не вторую, а двадцатую скрипку. И он тоже хотел разбогатеть. План Поли показался ему удачным, вот только осуществить его оказалось непросто — обеспеченные невесты не роились в тех местах, которые были доступны Филимонову. Друзей брат с сестрой в Москве не завели, своих коллег по работе Полина считала нищими и корешиться с ними не собиралась, а как проникнуть в круг богачей, ведущих красивую жизнь, не знала. Хорошие отношения завязались у Жуковой только с соседкой по дому, Юлией Моргаловой — по непонятной причине Полина испытывала расположение к девушке с первого этажа.

Потом алчной парочке повезло. Полина с огромным удивлением узнала, что работающая вместе с ней в отделении толстуха Ирина Зайцева — дочь крупного хирурга, единственная наследница приличного состояния. Полина приказала Саше ухаживать за Ирой, и роман начал потихоньку развиваться. Вот только родители Зайцевой были начеку. Услыхав от матери Иры, что профессор спустил все средства в казино, Полина пришла в негодование и приказала Саше:

— Посылай дуру на ...! Ищем другой объект.

Но в отличие от жестокой «сестрицы Аленушки», «братец Иванушка» был нежным и жалостливым. Он не мог сразу оторвать кошке хвост, предпочел отрезать его маленькими кусочками, наивно надеясь, что их отношения с Ирой тихо-тихо сойдут на нет. Саша боялся скандала.

Полина тем временем усиленно ищет новый объект. И тут к ней приходит Юля и просит:

— Будь добра, принеси из больницы немного снотворного и антидепрессантов. Мне без рецепта никто лекарства не отпустит.

— Сходи к врачу, — резонно советует Полина, — с успокаивающими препаратами шутить нельзя.

— Нет! — шарахается Юля. — Он же попросит рассказать, почему я плохо себя чувствую!

— Так объясни, — пожала плечами Жукова. — Не надо стесняться доктора, вероятно, он кучу ерунды до тебя слышал.

— У меня не ерунда, — прошептала Юля и, внезапно разрыдавшись, выложила такую историю, что на Полину временно напал столбняк.

Юлечку воспитывала мачеха Леокадия, очень добрая женщина. Но был у нее один пунктик — Лёка считала себя прорицательницей, ясновидящей, экстрасенсом, целительницей — все в одном флаконе.

— В нашей семье я одна такая, — гордо говорила Лёка, — остальные только прикидывались ведуньями, изображали из себя особенных. А мне Господь дал дар, молнией ударил! Видишь следы на ноге?

Маленькая Юлечка верила мачехе, она ее очень любила. Да и было за что: Лёка заботилась о девочке, старалась ее баловать. А еще Юля заметила, что всем, кто просил у Леокадии пророчеств, та обещала одно хорошее. Ну, допустим, сообщала: «Тебе обязательно повезет, через десять лет ты разбогатеешь».

Даже став взрослой и разобравшись, чем занимается Лёка, поняв, что мачеха ни на что не способна и просто дурачит легковерных людей, Юля не переставала удивляться ее доброте и какой-то детской наивности. Самое забавное было в том, что Лёка верила: она помогает окружающим, дает им надежду. Лишь один раз Леокадия Бланк накаркала смерть, сказала коллеге Светлане: «Не продавай квартиру, муж все равно умрет, врач тебя обманывает, эффекта от лечения не будет».

— Зачем ты ее напугала? — спросила Юля у мачехи, когда рыдающая Светлана убежала из их квартиры.

— Понимаешь, — с тяжелым вздохом ответила Лёка, — доктора не могут лечить таких, как ее муж, я хотела уберечь Светлану от совсем уж ужасной жизни. Супруг умрет, а она очутится на улице.

Юля закивала. Она была в курсе многих дел, в том числе знала про подвал, вход в который вел из буфета. Кто и зачем оборудовал укрытие, Юлечка не интересовалась, но, когда к Леокадии приходили клиенты, девочка частенько спускалась в бетонный мешок и ждала своего часа. Через некоторое время Лёка незаметно для посетителя открывала дверь (у убежища имелся крупный недостаток — вход в него закрывался автоматически, едва нога ступала на пол, и освободить человека, находящегося в укрытии, можно было только снаружи). Услыхав тихий скрип, Юля выходила и замирала посередине комнаты. В гостиной мерцала одна свеча, спрятанный на подоконнике вентилятор колыхал белую ночнушку, в которую была облачена Юля, Леокадия заводила речь («медиум» вещала по необходимости то мужским, то женским голосом). Некоторые очень впечатлительные клиенты падали в обморок...

— Лёка с детства ловко имитировала чужую речь, об этом мне сказала Марфа, — шепнула я Дегтяреву.

— Это кто? — тихо спросил полковник.

Я махнула рукой:

— Потом, не мешай слушать!

Полина не обращала на нас внимания. Было ощущение, что вызволенная узница впала в гипнотический транс — она покачивалась из стороны в сторону, прижав к груди стиснутые кулаки, и вещала ровным, монотонным голосом...

Юле нравилось помогать людям, и она знала, что посторонним ничего о сеансах рассказывать нельзя. Леокадия с заработанных денег всегда хотела сделать девочке подарок, но все рубли у нее отнимал Андрон. Чем старше становилась Юля, тем меньше нравился ей родной отец. При чужих он был вежлив, а на самом деле жадный, грубый, жестокий, настоящий хам и мерзавец.

Шли годы, Андрон становился все нетерпимее, он часто устраивал Леокадии скандалы, обвинял ее во всех неприятностях и неудачах, а самое главное — постоянно упрекал в отсутствии денег. Андрон, кстати, приносил в дом копейки (он служил декоратором в театре, расписывал задники, рисовал на картоне замки, деревья, всякие интерьеры для спектаклей), но не забывал пару раз в неделю заявить супруге:

— Если бы не ты, я сумел бы создать великую картину. У меня таланта на пять Леонардо да Винчи! Только быт заел, ребенок есть хочет, и ты на шее сидишь.

Леокадия никогда не спорила с Андроном. Наверное, ей было неприятно слышать несправедливые упреки, но она не хотела раздувать скандал. Лишь один раз она потеряла самообладание и крикнула:

— Я работаю на износ, руки трястись начали! Все для тебя сделала, родную дочь вон из дома вышвырнула, и что взамен?

Андрон ударил жену по лицу и заорал:

— Кто из тебя великую пророчицу сделал? Забыла? А насчет девчонки... Сама была рада от нее избавиться. Кто постоянно ныл, что она слишком на отца своего похожа и поэтому вызывает у тебя тошноту?

Когда он ушел, Юля подбежала к рыдающей мачехе и сказала:

— Не плачь! Хочешь, я разобью свою копилку и куплю тебе торт?

Леокадия обняла девочку.

— Не надо, прости меня, нервы не выдержали. Наверное, я старею.

— О какой девочке говорил папа? — спросила Юля.

Лёка покрепче прижала к себе падчерицу.

— Не помнишь? Хотя вы же очень мало общались... У меня была дочь, ее пришлось отправить жить в деревню. Она родилась очень больная, могла умереть в городе. Больше ни о чем не спрашивай. Потом как-нибудь расскажу тебе, не сейчас.

— Получается, я про тебя не все знаю! — наивно воскликнула Юля.

Лёка усмехнулась:

— И хорошо. Лучше не рыться в прошлом близких, иногда можно ужасное узнать!

Вот таким странным человеком была Леокадия: с одной стороны, вроде мошенница, зарабатывающая липовыми предсказаниями, с другой — искренне хотевшая помогать людям женщина; мать, бросившая своего ребенка, и мачеха, ставшая для падчерицы лучшим другом и опорой; безоглядно любящая мужа жена, готовая ради него на любой подвиг, и порой ненавидящая Андрона. В Леокадии как бы уживались два человека. Наверное, в душе у нее не было покоя и гармонии, но внешне Лёка держалась безупречно, производила впечатление счастливой женщины.

Потом случилась неприятность — на Андрона, который служил у жены менеджером, подыскивал клиентов, наехал некто Олег Тверской, богатый человек, общавшийся с криминальными кругами. Случилась беда, когда Юля заканчивала школу. Она пришла домой после занятий и застала Андрона с синяками на лице, в разгромленной кухне. На все вопросы испуганной девочки отец рявкал:

— Отстань! Я упал!

Но она не поверила папе. Вокруг валялись поломанные табуретки, разбитая посуда и осколки телефонного аппарата.

Когда домой пришла Лёка, Андрон налетел на нее с воплем:

— Дура!

Юля, как всегда, юркнула в туалет, из которого было великолепно слышно, что происходит в кухоньке, и стала незримым свидетелем беседы родителей.

Оказывается, жена Олега Лариса повадилась чуть ли не каждый день бегать к Лёке, чтобы поговорить со своей умершей мамой. Леокадия не считала Лару випклиенткой, поэтому Юля в действе не участвовала (поскольку Тверская приходила в первой половине дня, когда Юля была в школе, девочка ничего не знала об этой клиентке).

Олег сначала заподозрил жену в измене. Ну как же, супруга через день куда-то укатывает, потом возвращается страшно счастливая, а с кредитки испаряются немалые деньги. Решив расправиться с Ларисой, Олег приказал своей службе безопасности выяснить адрес и все данные бойфренда женушки. Бывшие фэсбешники не подвели. Через некоторое время доложили хозяину:

— Она ездит на Кирсарскую улицу, но не на любовные свидания. Она общается с прорицательницей, та вызывает дух ее матери.

Олег возмутился и нагрянул к Андрону (по счастью, Лёки в квартире не оказалось). Разборка была короткой — парни Тверского поломали мебель на кухне, приложили Андрона мордой о подоконник, и Олег сказал:

— Сваливай из Москвы. Сам прослежу, чтоб ты убрался прочь. Сегодня мы тебя просто предупредили, пыль с ушей сдули. Если не послушаешься, получишь по полной.

Андрон перепугался до смерти, и через пару дней они с Леокадией уехали в Подмосковье. Избавлению

Юли от отца предшествовал дикий скандал. Андрон велел дочери собирать вещи, но девочка уперлась.

— Мне надо школу закончить! — заявила она. — Хочу потом пойти учиться и работать. С чего бы мне в колхоз ехать?

Андрон отвесил дочери пощечину, но Юля заявила:

— А вот сейчас пойду в милицию и расскажу, чем вы тут занимаетесь. Все выложу, и про подвал, и про остальное.

Отец схватил ремень, но Лёка повисла на руке мужа.

— Не тронь ее.

— Заговор? — заревел Андрон. — Сейчас разберемся, кто тут главный!

И вдруг случилась невероятная вещь. Лёка швырнула на пол чудом уцелевший от рук охраны Тверского чайник и прошипела:

— Кто главный? Да я! У кого дар? У меня. Кто с людьми работает! Я! Кто деньги зарабатывает? Я! Тебе лучше молчать, иначе от «Одуванчика» пух полетит. Кто мне велел в кафе идти? Отвечай! Обещал, что всех уведешь! Сказал: люди уйдут, я прослежу. Ага, как же... Я обо всем давно догадалась! Поэтому всю жизнь перед Юлей грех искупаю. Риту в жертву принесла! Ты забыл? Я нет!

Андрон ударил жену, а та неожиданно дала ему сдачи, завязалась драка, Юля попыталась разнять взрослых, и ей в пылу борьбы подбили глаз...

Утром отец сказал дочери:

— Понервничали вчера... У Лёки плохо со здоровьем, ей необходим свежий воздух, мы уезжаем в Подмосковье. У меня есть дом, от тетки достался. А тебе лучше одной пожить, ты уже взрослая, справишься.

Юля с радостью согласилась.

Андрон более с дочерью не общался, а вот Леокадия частенько звонила падчерице, и Юлечка была в курсе ее проблем. Общество «Бессмертная душа», которое создал Андрон, работало на всю катушку. Правда, из деревни, где находился дом покойной тетки, супругов выгнал священник, им пришлось перебраться в Михиево, и там работа закипела. Леокадия очень уставала, изредка она тайком встречалась с Юлей, подсовывала ей немного денег и жаловалась на состояние своего здоровья. На последнюю встречу Лёка привезла с собой портфель, отдала его падчерице.

— Я скоро умру. Хоть я далеко не старая, да сердце никуда, — сказала она. — Здесь много денег, очень много, тебе на всю жизнь хватит. Спрячь их в подвале и трать потихоньку, выйди замуж и забудь нас!

— Лёка, — испугалась Юля, — отец тебя прибьет! Обнаружит пропажу денег и вмиг поймет, кто их украл!

Леокадия тихо засмеялась.

— Уж не такая я дура, как многим кажется. Подожгу избу, где Андрон хованку держал, пусть считает, что все в пожаре погибло. Я всем вокруг врала, оттого и сердце надорвала. Мне недолго до смерти осталось. Прощай, Юлечка. Если бы ты только знала, какой грех я перед тобой искупала, почему лучше родной мамы стала... Эх!

Так и не объяснив смысл последней фразы, Леокадия ушла.

Вскоре Юлии сообщили о смерти мачехи, а потом, спустя некоторое время, о кончине отца. Подробностей ей узнать не удалось. В Михиеве случился пожар, Андрон вроде не успел выскочить из избы, на него рухнула крыша. Общество «Бессмертная душа» лишилось за короткое время и медиума, и руководителя, но выжило, вместо Леокадии там стала пророчествовать другая женщина, к ней тоже потек ручеек клиентов, но более скудный, чем к Лёке. Леокадия была признанным мэтром, о ней, спасшей людские жизни, писали в газетах, все иные пророчицы на ее фоне выглядели бледно. Но Юлию не волновала судьба «Бессмертной души», она попыталась следовать совету мачехи: начала жить, осторожно тратя деньги. Устроилась на работу и...

— Эй, погоди! — остановила я Полину. — Зачем ей надо было работать? Она имела солидный капитал.

Жукова презрительно поморщилась.

— Даже слишком солидный. Люди за разговор с умершими родственниками столько платили! А работать она пошла, чтобы ей вопросов не задавали, на что она живет. Юлька сначала в официантках бегала, потом, после замужества, учиться пошла. Когда мы с ней познакомились, она уже на службу не ходила, в лом ей это было. Врала людям разное. Мне, например, про библиотеку набрехала, будто там книги выдает.

— Понятно, — кивнула я. — В НИИ некогда работала Леокадия, поэтому Юля вспоминала про книгохранилище. А меня ты зачем обманула? Тоже ведь про библиотеку сказала.

— Чтобы ты отстала, — буркнула Полина. — Какой с меня спрос? Ну назвала неправильное место работы...

— Спасибо тебе, — усмехнулась я, — по очень нужному адресу отправила, Кранц мне много интересного сообщила.

— Полина, продолжай, — велел Дегтярев и сурово посмотрел на меня.

— Все! Молчу! — поклялась я.

— Чемодан с кладом был спрятан под землей, в подвале, — зачастила Жукова, — через некоторое время Юля вышла замуж за, как ей показалось, любящего ее Колю Моргалова. Но очень скоро этот брак начал разваливаться. Через некоторое время после свадьбы Николай принялся спрашивать жену: «Где твои деньги? Мама уверяла, что у тебя миллионы!»

Тут только Юлечка припомнила, как она, всегда старательно изображавшая из себя нуждающуюся девушку, один раз дала слабину и позвала мать Моргалова, подрабатывающую поломойкой, привести в порядок окна в квартире. Они были забраны решетками, мыть их было трудно, вот Юля и обратилась за помощью. Та охотно спустилась на первый этаж и принялась за работу.

Юлечка так и не сделала ремонт в квартире. С одной стороны, ей было наплевать на интерьер (окна девушка собралась помыть только после того, как они практически перестали пропускать свет). Две спальни, кухню и места общего пользования родители в свое время обновили и даже купили недорогую, но приличную мебель. А вот гостиную не тронули — из-за буфета, который служил входом в подвал. Юлия, по примеру родственников, не хотела, чтобы по дому поползли слухи, — одевалась скромно, но вот в еде, косметике и шикарном белье себе не отказывала. Полки ее холодильника были забиты роскошными деликатесами, в ванной рядами стояли французские духи и косметика лучших мировых фирм, а под скромной одеждой девушка носила белье от самых известных модельеров.

## Глава 35

Очевидно, мать Моргалова не только помыла стекла — она ухитрилась везде сунуть свой нос, сделала выводы и доложила о них холостому сыну. Николай начал проявлять к Юлии знаки внимания вскоре после того, как мамочка посетила ее квартиру. А потом молодые люди поженились, и он принялся выкачивать из супруги деньги. Сначала Николай действовал словами, но, ничего не добившись уговорами, принялся колотить жену. А Юля, поняв, как к ней относится муж, не выдавала тайны. Коля не знал ни о чемодане, ни о подвале. Следовало развестись с Моргаловым, но он сказал жене:

— Убью, если подашь заявление на развод.

От отчаяния Юлечка решила попросить помощи у своей учительницы и соседки Нины Ивановны. Естественно, девушка не рассказала пожилой даме всю правду, сообщила лишь про побои. И вот в очередной раз, когда Коля стал колотить жену, она ухитрилась вызвать преподавательницу. Юля рассчитывала, что появление такой свидетельницы, как всеми уважаемая Нина Ивановна, заставит Колю испугаться и он побоится в дальнейшем орудовать кулаками. Но Моргалов неожиданно выложил Нине Ивановне совсем уж интимную информацию об их личной жизни. Кое-что он придумал на ходу, испугавшись, что учительница позовет милицию, но ведь некоторые сведения о Юлиных похождениях были правдой! Да, Моргалова, разочаровавшись в муже, завела себе любовника, обеспеченного женатого человека. Почему она не порвала с Колей, который ее избивал? Ну, во-первых, Коля не собирался уходить от жены, а во-вторых, любовные отношения с «папиком» продлились недолго. А еще ситуацию усугубляла глупость, которую совершила Юля. В свое время она прописала Колю у себя в квартире, а родительские хоромы после смерти матери Николай продал и деньги вложил в свой бизнес. Дела вести Коля не умел, поэтому быстро прогорел. При разводе пришлось бы делить «трешку».

В общем, Юле со всех сторон было плохо, она ощущала себя мышью, которую загнала в угол жирная наглая кошка. Наверное, она сдалась бы, отдала мужу накопления, но где-то в глубине души Юля понимала: Коля ее не любит, получит вожделенные бабки и постарается избавиться от супруги. Неизвестно, как бы сложились обстоятельства, но тут Юле, можно сказать, повезло — Николай отправился на реку и утонул. Нашли его удочку, палатку, ведро, пустые бутылки из-под водки. Менты заявили:

— Может, тело найдут, а может, оно и не всплывет. Обычный случай — хватил лишнего, наклонился над рекой и — кувырк... Сколько их, пьяных, тонет!

Юля осталась одна. Никто больше не пытался ее обидеть — Андрон сгорел, Коля утонул. Некоторое время Моргалова наслаждалась свободой, но потом ее начали мучить кошмары, бессонница...

— Скажи, Поля, — заламывала Юля руки, — ну неужели я не заслужила счастья? В детстве отец тиранил, я жила без друзей, потом Николай насел... Где найти хорошего любящего парня? У меня денег на семью хватит! Поверь, я обеспечу и мужа, и детей.

Полина мигом просекла шанс, предоставленный ей судьбой. Она утешила Юлю и приказала Саше заняться соседкой.

Брат попытался сопротивляться.

— А Ирина? — напомнил он.

— Идиот, — зашипела Жукова, — не нужна нам нищая уродина... Не смей спорить, твоя цель — Юлия!

И Саша начал «окучивать» девушку. Все вроде шло хорошо, но некоторое время назад Юлия вдруг стала нервничать. Пару раз она показалась Поле заплаканной, но на все вопросы отмахивалась:

— Все нормально, просто голова болит.

— Ты от меня что-то скрываешь, — прикидывалась озабоченной Полина.

— Нет, нет, — твердила Юля, — ничего.

И тут пропал Саша. Брат не пришел ночевать, не позвонил — исчез в неведомом направлении. Сначала Поля решила, что он остался у Юли, но на следующий день выяснилось: парня нигде нет. Встревоженная Поля кинулась к Юле и попыталась навести справки. Но подруга лишь повторяла:

— Понятия не имею, куда он подевался, мне ничего не известно...

Полина вдруг замолчала. Потом обхватила голову обеими руками и воскликнула, глядя на Дегтярева:

— Вы уж меня простите!

— За что? — удивился Александр Михайлович.

Жукова снова уставилась в одну точку, затем прошептала:

— Только поверьте мне! Понимаете, я решила выяснить, где Юлька прячет тот самый чемодан с деньгами. Велела Сашке разведать про него, но брат смылся неведомо куда. Честное слово, я не понимала, куда он подевался, ведь денег у него совсем не было.

Я кашлянула. Насчет последнего Полина ошибается. Саша взял у Ирины Зайцевой хорошую сумму, наплел ей какую-то ерунду и исчез — уехал в Ригу с Комсомольской площади, а наивная толстушка не заметила обмана.

— Я очень нервничала, — вытирая рукой вспотевший лоб, продолжала Полина, — и пошла к Юле. Она на мой звонок не отреагировала, тогда я отперла дверь.

— Зачем же вы вошли в чужую квартиру без спроса? — оживился Дегтярев. — И откуда у вас ключ?

— Из заботы о Юле, у нее сердце больное, аритмия, вдруг ей плохо стало... А ключ... Случайно вышло... Я взяла его у Юли и сделала дубликат... хотела как лучше... она ключик потеряет, а у меня есть лишний. — Жукова выдала две глупости подряд. Тут же забыла о них и неожиданно для себя сказала правду: — Я хотела деньги поискать, думала, ее нет... Но она там была! Сидела в углу... между буфетом и столом... неживая.

— И вы сразу поняли, что подруга мертва? — деловито уточнил полковник.

— Я же медсестра, насмотрелась на покойников! — справедливо заметила Полина. — Ой, вы не сердитесь? Пожалуйста, простите, я не хотела, честное слово! Случайно вышло, машинально...

— Не думаю, что вам инкриминируют взлом, — мягко сказал Дегтярев.

Полина заморгала.

— Нет, — я медленно повернулась к полковнику, — ты не понял. Она за другое прощение вымаливает. Это Жукова тебя по башке треснула. Ведь так?

Медсестра умоляюще вытянула вперед руки.

— Я вошла, а дверь не заперла, крикнула: «Юля!» — и пошла по квартире. Я довольно долго рылась в спальнях и на кухне, но ничего не нашла. И тогда решила заглянуть в гостиную. Понимаете, Юля никогда в большую комнату не заходила и никого туда не впускала. Я один раз хотела войти, так у нее истерика началась! Встала у двери, как завопит: «Нет! Только не туда!»

— Очень странно, — бормотнул Дегтярев.

— С людьми разная шиза приключается, — вздохнула Полина. — В общем, заглянула я в гостиную и прифигела — там мертвая Юля! Мне так плохо стало! Кинулась под стол, села и рот рукой зажала. Почему я так поступила? Понятия не имею! Едва в себя пришла, слышу мужской голос: «Юля! Это я. Пришел, как договаривались. О черт!»...

Полина осторожно высунулась из-под скатерти и увидела, что к ней спиной стоит полный лысоватый дядечка. И тут Жукову охватила паника! Оцените ее положение: в комнате труп, она сидит под столом... Что должен подумать незнакомец? Следовало смываться как можно скорее. Но как уйти? Толстяк заорет, вызовет милицию. И тут Полине попалась на глаза кукла, которая валялась на полу.

Жукова схватила игрушку, выскользнула из укрытия и со всей дури ударила мужика. Тот упал как подкошенный, причем, вопреки всякой логике, оказался на полу лицом вверх. Полина быстро унеслась, не заперев дверь — забыла в панике про замок.

— Дегтярев потерял сознание от удара пупсом? — усомнилась я.

— Сейчас покажу, — подскочила Жукова и, с быстротой молнии смотавшись туда-сюда, приволокла жуткого монстра с отвратительной щекастой фарфоровой головой.

— Во! — Она протянула уродку полковнику. — Кукла из ткани, а ноги и попа набиты песком, чтобы хорошо сидела, не падала на бок. Это коллекционный экземпляр.

— Интересно... — протянул Александр Михайлович, — небольшой мешок, куда насыпан песок, является отличным орудием для битья, и он, как правило, не оставляет следов. И каким же манером вы меня стукнули?

— А вот так! — живо откликнулась Полина.

Прежде чем я успела ахнуть, девушка вырвала у полковника из рук чудище и долбанула им толстяка по затылку. Дегтярев всхлипнул и рухнул со стула. На полу он опять оказался, вопреки всем законам физики, лицом вверх.

— Ой! Дура! — заорала я. — Миша, скорей сюда!

Эксперт заглянул в кухню.

— Что происходит?

— Полковнику плохо! — закричала я.

Полина, съежившись в комочек, принялась истерически рыдать.

— Дай валерьянки, — простонал Александр Михайлович и сел, держась рукой за затылок.

Миша беззвучно исчез, потом появился вновь и сунул полковнику в руки пластиковый стаканчик.

— На, пей, — сказал криминалист. — Но должен тебя предупредить: валерьянка не скоропомощное средство, ее надо принимать некоторое время, чтобы накопилась в организме и начала действовать.

— Слишком ты умный! — фыркнул Дегтярев. — Только капли нужны не мне, а Полине. В нее влей и иди занимайся делом.

— Ты как? — осторожно спросила я.

— Замечательно! — отрезал полковник. — Лучше некуда! Полина, как вы оказались в подвале рядом с мумифицированным трупом?

— С кем? — отшатнулась я.

Дегтярев пересел на диван, поближе к Жуковой.

— А ты не заметила, что в бетонном мешке на полу лежало еще одно тело? — спросил он у меня.

— Тело видела, — пролепетала я. — Такое длинное, в костюме, но... я подумала... он спит... А кто это?

— Жуть! — взвизгнула Полина. — Вы только послушайте! Сашка мне позвонил. Я вечером пошла в супермаркет, тут брат и объявился, сказал: «Не ищи меня, без тебя жить буду, я уехал в Алма-Ату, за границу».

Я судорожно вздохнула. Это уже новое место, куда якобы уехал Саша. Парень, похоже, никому не сказал правды.

— «Уехал, — говорит, — продолжала между тем Полина, — и не ищи меня. Я ничего общего с Юлькой иметь не хочу и тебе не советую. Ко мне приходил детектив, из ментовки, они нас посадят...» В общем, истерил Сашка ужасно. Я хотела ему про смерть Юльки сказать, но он мне и слова вставить не дал, я так и не поняла, кто к нему приходил...

— Частный детектив Юрий, — ляпнула я. — Он хотел разобраться в деталях смерти своего отца. Дело давнее, Владимир Коротков совершил преступление более пятнадцати лет назад.

— А еще Сашка сказал, — не обращая внимания на мое «выступление», продолжала Полина, — что знает, где находятся деньги, — в квартире есть подвал. Ему-то, мол, самому они не нужны, а я могу забрать тот чемодан с бабками. Ему Юлька сама рассказала! Она в тот день, когда мент приходил, так нажралась! Сашка сказал, наклюкалась до белых глаз, позвала его, на шею бросилась и завыла: «Милый, я больше не могу! Боюсь, сойду с ума». А дальше и вовсе хрень понесла: в квартире есть подвал, вход в него через буфет, его надо за верх дернуть, тогда и лаз откроется... внизу тайна страшная... там все... Рыдала и стенала, совсем ее развезло, а потом в агрессию впала, Сашку выгнала, орала на него: «Если кому расскажешь, убью, мне терять нечего, сама я уже умерла! Впрочем, мне скоро заплатят, я убегу, уеду! За границу! Денег у меня много!» В общем, крышу ей снесло, вот и проболталась, где клад спрятан. Представляете феньку? Подвал!

Жукова снова скрючилась в комочек и затряслась, видимо, вспомнив свое пребывание в том подвале-склепе.

— И ты сразу понеслась к Моргаловой! — воскликнула я. — Сказала брату: «Спокойно, сейчас возьму».

— Откуда ты знаешь? — разинула рот Жукова.

— Неважно, — откликнулась я. — Ты вошла в квартиру, сумела открыть вход в подпол, спустилась вниз, но механизм — уж не знаю, почему Федор, любовник Люси, так сделал, — моментально закрывается, едва становишься на пол. А открыть его можно только снаружи. Ты попала в западню, сидела возле трупа. А кто это был? Вот на этот вопрос я не знаю ответа!

Полину снова заколотило, а полковник бесстрастно сообщил:

— В подполье находились останки Николая Моргалова.

— А как они туда попали? — подскочила я. — Он же погиб во время рыбалки, утонул.

— Между прочим, — Дегтярев резко встал с дивана, — труп Моргалова не нашли. Думаю, дело было так. Николай измучил Юлию, он требовал выдать ему деньги, но девушка не собиралась с ними расставаться. Моргалов бил жену, и та некоторое время все терпела, но потом придумала, как избавиться от садиста. Наверное, она ему открыла секрет буфета и сказала: «Иди, забирай клад, деньги твои. Надеюсь, ты оставишь наконец меня в покое». А что происходит, когда человек встает на пол подвала?

— Дверь захлопывается, — прошептала я.

— Молодец, возьми с полки пирожок, — кивнул Дегтярев. — Юля оставила супруга умирать от голода, жажды и отсутствия кислорода. Неплохая месть для регулярно битой супруги.

— Жесть! — завизжала Полина. — Я чуть с ума не сошла! Думала, навсегда там останусь. Спасибо, спасибо, спасибо!!!

Продолжая кричать, медсестра кинулась ко мне.

Я не успела отпрянуть, Жукова вцепилась в мои плечи обеими руками и начала покрывать мое лицо и шею поцелуями.

— А вдруг это не Николай? — воскликнула я, с трудом отцепив от себя обезумевшую девицу.

— В кармане пиджака мумии обнаружен бумажник, — пояснил Дегтярев, — в нем права на имя Николая Моргалова, счет из стоматологической поликлиники. Конечно, теоретически можно предположить, что эти документы попали к другому человеку. Ясное дело, будет экспертиза, но я думаю, что не ошибся в установлении личности покойного. Надо же, я и не подозревал, что Юлия совершила убийство. Милая девочка, она... она... она...

Лицо Александра Михайловича приняло странное выражение, он заморгал.

— Она... — растерянно продолжил он, — хорошая знакомая Александра, брата Витьки Кондратьева. Заместитель свел меня с Александром, тот пообещал мне очень хорошую сумму, если сумею помочь девушке. Этот Александр женат на богатой женщине, которая содержит не только его, но отстегивает денег и Витьке, правда, немного. Александр супругу не любит, но, по понятным причинам, никогда ее не бросит. Он часто изменяет жене с молодыми девицами, одной из них была Юля. Она крутила роман с Александром до свадьбы, потом вышла замуж и порвала с ним отношения, но спустя некоторое время девушка решила возобновить роман и встретилась с Александром, попросила у него большую сумму денег. Пришлось мужику признаться: сам он ничего не имеет, состояние принадлежит жене. Чтобы Юля не шумела, бывший любовник подарил ей колечко. И девушка спокойно ушла. Александр вздохнул свободно и постарался забыть о ней. Но тут Юля появилась вновь, была в истерике, заявила: «Мне теперь нужна реальная помощь! Ерундой не отделаешься. Твой брат служит в милиции, пусть он найдет спеца, который займется моей проблемой, или сам поработает, а ты оплатишь его услуги. Мне плевать, что у тебя нет денег. Если мне откажешь, я поеду к твоей жене и открою всю правду про тебя. Я в опасности!» Дело в том, что на Юлю... Черт!

— Ты все вспомнил! — запрыгала я. — Только не говори, что тебе помогли жуткие «Кома мао», таблеточки из сушеных соплей аллигатора. Скорей всего, второй удар куклой вернул твои мозги на место.

— Ну и дура же ты, — прошипел Дегтярев и схватился за телефон.

Прежде чем я успела обидеться на несвойственную полковнику пещерную грубость, Александр Михайлович бойко зачирикал:

— Андрюша, привет! Слушай, я тут нашел нужную краску. Ту самую, из журнала. Абсолютно случайно. Сколько брать? Точно она. Ну я же не идиот! Да, конечно, очень дорогая. Ладно, приезжай и сам глянь. Записывай адрес, Петровка, сорок два, там в подвале жилого дома есть лавка. Я шел мимо нее на работу, решил заглянуть. Ха-ха-ха, верно. Такси из Ложкина за мой счет. Ну конечно, приезжайте вместе.

— Похоже, от второй плюхи по затылку ты обрел память, но потерял ум! — взвилась я. — Это как прикажешь понимать? Здесь в подвале мумия и почти невменяемая Полина, а ты едешь с дизайнером за краской?

Александр Михайлович молча повернулся и пошел к двери, я кинулась за ним.

— Эй, а что со мной будет? — занервничала Жукова.

— Вам окажут нужную помощь в полном объеме, — бросил на ходу полковник, — запишут показания и все такое прочее. Не волнуйтесь, сейчас вами займутся.

Полина зарыдала, я вцепилась Дегтяреву в рукав.

— Немедленно объясни, в чем дело!

Полковник сказал на ходу.

— В машине побеседуем, пока до Петровки доедем, время будет.

Очутившись в салоне, Дегтярев неожиданно сказал:

— Мы с Юлей первый раз встретились в ее квартире. Она откровенно рассказала мне про Леокадию и Андрона, раскрыла весь механизм их обмана, не скрыла, что имеет некую сумму денег, оставленную ей мачехой. Юлечка оказалась умна, она понимала, что деньги растратит быстро, поэтому положила их в банк под хорошие проценты, открыла депозитный счет, которым нельзя пользоваться в течение оговоренного времени: два, три, четыре года. Чем дольше срок, тем жирнее проценты. Вот их-то, проценты, можно транжирить, что Юля и делала.

— Она не побоялась проблем с налоговой инспекцией? — изумилась я.

— Умная девушка проконсультировалась у юриста, — усмехнулся полковник. — Если сам кладешь деньги на счет, а не получаешь безналом перевод от некоей организации, то претензий нет. В крайнем случае можно сказать: мне их подарил человек, имя которого называть не хочу. И все!

— Так просто?

— Да, — кивнул Дегтярев.

— Значит, чемодана с кладом не было?

— Был счет в банке, — повторил полковник. — Еще Юля сказала мне, что ее муж погиб. Я машинально отметил, что тело не нашли, но поскольку речь у нас шла об отце Юлии, Андроне, то я не стал размышлять на тему кончины Николая. И потом, меня же наняли частным образом, я не как мент к ней явился...

Юля казалась очень встревоженной.

— Мне сказали, что вам можно доверять, — нервно заявила она, — я заплачу вам хорошую сумму, только узнайте, под каким именем скрывается мой отец Андрон.

— Он умер, — напомнил Дегтярев.

— Нет! — воскликнула Юлия. — Он испугался Тверского и прикинулся мертвым, но Андрон жив! Был здесь, я знаю точно. А теперь шантажирует меня. Хочет, чтобы я отдала ему деньги, которые подарила мне Леокадия.

Ситуация складывалась так: Андрон оказался на мели — он потерял «медиума», попытался найти другого и даже договорился с какой-то теткой, но та не сумела стать второй Леокадией. А отец Юли привык жить на широкую ногу, вот он и взял в долг у бабы-барыги под процент, а отдать не смог. Кредиторша потребовала у него всю сумму плюс проценты, но у Андрона ничего не было. В общем, эта барыга придумала план. У нее есть знакомая, богатая до неприличия, Андрон окрутит идиотку, ведь все женщины хотят замуж, сыграет с ней свадьбу и начнет качать деньги из новобрачной...

— Старая, как мир, уловка, — усмехнулась я, прервав рассказ полковника, — неоднократно описанная в литературе. Почитай пьесы Островского, например.

— Однако метод срабатывает, — парировал Дегтярев. — Вот только Андрон, загнанный предприимчивой барыгой в угол, не хотел ни с кем связывать свою судьбу, поэтому он помчался к Юле.

— Рискнул ей открыться? — изумилась я. — Перестал бояться справедливого возмездия?

— Думаю, первый раз он явился в момент, когда Юлия отсутствовала, — протянул Дегтярев. — Девушка замки не меняла, а у Андрона сохранился старый ключ. Но в квартире он денег не нашел и решил заглянуть в подвал. Кстати, ведь если продавать жилплощадь, наличие подвала могло поднять ее цену. Только в отличие от Николая Андрон знал о самозахлопывающемся механизме, поэтому он не спустился с лестницы на пол, просто осветил подвал и увидел... мумию.

— Думаю, Андрон обрадовался.

— Верно думаешь, — кивнул полковник. — Теперь он мог шантажировать дочь сколько угодно, требовать от нее всех денег за свое молчание или приказать продать квартиру, чтобы вернуть долг барыге. Только сейчас мне стала понятна суть дела. Юлия-то, естественно, ничего мне про убийство Николая и про подвал не рассказала. Она наняла меня лишь для одной услуги: выяснить, под каким именем живет Андрон. Отец дочери правду о себе не сообщил. Когда я попытался у нее узнать, почему он прикинулся покойным, девушка обтекаемо ответила: «Ничего криминального, наделал долгов и решил скрыться от кредиторов».

— И ты согласился, потому что хотел помочь Тёме! Дать денег торговцу брильянтами! — зашипела я.

— Мой сын был лишен отцовской ласки, — загудел полковник. — И потом, клиентка ведь пришла от Кондратьева. Я решил подзаработать впервые в жизни... Не знал же, что Андрон сделал с Люсей и Зоей, про Владимира Короткова слыхом не слыхивал и не предполагал, что из элементарной работы вырастет такое дело!

— Вот почему Витька так странно вел себя... — протянула я. — Просил меня не лезть в это дело, потом вдруг начал звонить, интересоваться... Тут замешан его брат! Что его связывало с Юлией?

Дегтярев поморщился.

— Ну я же говорил. Чем ты слушаешь? У Юли с ним был короткий роман, ничего не значащая интрижка. Потом, когда Андрон воскрес, Юля позвонила бывшему любовнику и сказала: «У тебя брат служит в милиции, не может ли он мне помочь?» Александр сначала ей отказал, тогда Юлия пригрозила рассказать его жене об измене и добилась своего.

— Вот почему Витька хотел отстранить меня от

расследования — боялся, что до его невестки дойдет слух о шалостях ее мужа! А та может позвонить его жене и все выложить. А как женщины думают: мужики друг друга покрывают, и если у одного брата совесть нечиста, то и у второго тоже. И супруга устроит Витьке бенц. — Я рассмеялась. Вот ведь как все просто! И тут же перешла к делу: — Ты нашел Андрона?

— Ага, — по-детски ответил Дегтярев. — Приехал к Юле на квартиру, договорившись с ней накануне, — хотел отчитаться и получить гонорар. Позвонил — никто не ответил, толкнул дверь, она открылась, я вошел, побрел по комнатам. А тут хрясь! В голове стало темно. Пришел в себя — стоять не могу, ничего не помню. Полина сказала, что огрела меня по голове в гостиной, но очнулся я на кухне. Как туда попал? Не спрашивай, не знаю. Вообще ничего не помнил. Квартира чужая, что я в ней делаю? Башка кружится, болит, на ноги встал с трудом, идти не способен. Решил, что инсульт меня разбил, вот и начал тебе звонить.

— Так ты нашел Андрона? — повторила я.

— Да, потратил целую неделю.

— Думаю, личность убийцы Юлии нам известна. Это ее отец! Но по какой причине он зарезал дочь? Хотел заполучить ее счет в банке? Узнал про накопления? Родители — наследники детей... Но он живет под другим именем!

— Зарезал? — удивился Дегтярев. — С чего ты взяла? Юля умерла не насильственной смертью — скончалась от обширного инфаркта. Тебе следовало потрясти Кондратьева или попросить вездесущего Пищикова, чтобы он выяснил результаты вскрытия Моргаловой. Твоему приятелю из «Жизни» ничего не стоит разузнать подробности.

Я прикусила язык.

— Сейчас я понимаю, что девушка была очень напугана, — тихо сказал полковник. — Скорей всего, события развивались так. Юлия, по свидетельству Полины, никогда не пользовалась гостиной, давно туда не заходила. Да это было заметно невооруженным глазом — пыль ровным слоем покрывала всю комнату. Моргалова элементарно боялась, она-то знала, что в подполе лежит покойник. «Вечная пломба» старое средство для гидроизоляции, им пользовались давно, сейчас придумали новые, более качественные...

— А ты откуда знаешь? — удивилась я.

Дегтярев заморгал.

— Обладаю хорошей памятью, вот и запоминаю всякие мелочи. Когда мы ездили в «Кастораму», я увидел мешок и спросил у консультанта, зачем нужно это средство. И мне объяснили: для гидроизоляции подвалов, но оно не слишком хорошее. Раньше все покупали «Вечную пломбу», потому что не было альтернативы, сейчас придумали другие составы, а старый материал не снимают с продажи из-за его дешевизны, берут его в основном дачники-пенсионеры, для которых даже десятикопеечная разница в цене имеет значение.

— Спорю, с тобой беседовал парень по имени Егор, — улыбнулась я. — Честный юноша, подробно объясняет людям, в чем плюсы и минусы материалов.

— Нет, я с девочкой говорил, очень миленькая, такая пампушечка. А какая разница? — спросил Дегтярев. — Это принципиально, с кем я общался в магазине?

Я покачала головой. Нет, конечно! Просто, похоже, там действительно работают люди, которым, как сказал Егор, «нравится участвовать в празднике». Впрочем, я воспринимаю ремонт не как праздник, а как пикник в сумасшедшем доме. Для меня затеять ремонт — это все равно что прорыть метро до Африки. Но, оказывается, вокруг полно людей, которые приходят в восторг от перспективы покраски стен или перекладки паркета.

— Конечно, криминалисты уточнят, когда был куплен мешок, но, думаю, он там стоит с того времени, когда Николая заманили в ловушку, — продолжал

Дегтярев. — Юля тщательно подготовила акцию, промазала как следует подтекающие места, оставила мешок у буфета и больше не входила в большую комнату. Вот почему тебя поразила старая обстановка гостиной и нежилой запах.

— Но ее тело было у буфета!

— Верно, — кивнул Дегтярев. — Думаю, Андрон пришел внезапно, застал дочь врасплох, начал требовать квартиру, Юля пошла на отца в атаку. Уж не знаю, чем она ему пригрозила, но добрый папенька рассвирепел, отволок непокорную в гостиную и пообещал запихнуть ее в подвал, оставив там до тех пор, пока девица не подпишет нужные документы. Сердце Моргаловой не выдержало, и она умерла. Андрон испугался и убежал, на следующий день пришла Полина, за ней к оговоренному с Юлей часу явился я. Кстати, Андрон, естественно, ничего не рассказал тетке-барыге о своих поисках денег, и та работала по своему плану, готовила встречу с богатой дамой! Думаю, Андрон, получив от Юли деньги, удрал бы тайком, не видать бы кредиторше возврата долга. Но дело сорвалось. Моргалова умерла. Знаешь, сколько служу, столько удивляюсь — в жизни бывают такие коллизии!

— Какие? — навострила я уши.

— Ответь спокойно на мои вопросы, — вдруг сказал Дегтярев.

— Пожалуйста, задавай, — согласилась я, — сообщу все, кроме своего веса. Это моя тайна.

— Как и курение в саду, — неожиданно усмехнулся полковник. — Хорошо. Тебя не удивил звонок Дины? Она же не общалась с тобой много лет и вдруг пригласила на выставку.

— В принципе, нет. А что?

— Ты сразу согласилась пойти на тусовку?

— Нет, сначала отказала, но Дина передала трубку Тасе, а той я очень благодарна — Волкова мне в свое время помогла, нашла хорошего врача для заболевшего Кеши.

— Значит, ничего странного?

— Ну, за исключением скандала, который Дина закатила, потчуя меня тарталеткой с гадостным салатом.

— Она просто нервничала, — махнул рукой полковник. — Ну неужели ты не сообразила? Дина зовет тебя в гости после презентации, ты отказываешься, потому что позвонил я и позвал на помощь. Но через некоторое время с тобой связывается Тася, сообщает о несчастье с Андреем, ты едешь в Глухово. И — опля — они все у нас в Ложкине. Андрей очаровывает окружающих, находит повод, чтобы задержаться в поселке, начинает помогать с ремонтом. Тася тоже старается изо всех сил, она везет Ирку в Михиево, к «медиуму». Домработница общается с бабушкой, получает рецепт пончиков и начинает склонять хозяйку к разговору с потусторонним миром. Как ты думаешь, что бы тебе посоветовала Фася? «Внученька, выходи замуж за Андрея, он самый лучший». Я думаю, план был именно таков. Вот только судьба сплела все в один клубок.

— Ты просто фантазируешь на пустом месте... Ничего не знаешь точно... — ошарашенно прошептала я.

Александр Михайлович усмехнулся и сказал:

— Тормози, вон он, Андрон! Идет себе, довольный. Хорошо я придумал назначить ему встречу на Петровке? Удобно будет доставить мужика в мой служебный кабинет, машина не нужна. У нас же вечные проблемы с транспортом — то сломался, то бензина нет.

Я прищурилась и увидела около входа в сад «Эрмитаж» бойко семенящую группу. Впереди, как всегда улыбаясь, шагал Андрей Корундов, за ним торопились Таисия и Дина.

## *Эпилог*

Корундов дал подробные показания. Предположения Дегтярева оказались верными. Для начала прояснилась давняя ситуация с конвертом.

— Понимаете, — частил Андрей, — этот Коротков подлец и идиот. Да, честно признаю, я просил его въехать в кафе. Но мы договаривались, что грузовик врежется в ту стену, где расположены служебные помещения, там стоят бачки с отбросами. Никто не должен был пострадать! Я не планировал ни смерть жены Люси, ни кончину крохотной Зоечки! А шофер перепутал, влетел в окно не справа, а слева. Поймите, это трагическая случайность! И потом он начал шантажировать меня. Приехал ко мне домой, представляете? Открываю дверь, а мерзавец стоит и орет: «Гони еще бабки, иначе все расскажу следователю!»

— Откуда же он узнал ваш адрес? — спросил полковник. — Вы ведь не давали ему визитку.

Корундов схватился за голову.

— Такая глупость вышла! Когда я платил идиоту за въезд в «Одуванчик», положил деньги в конверт из-под письма, которое Люсе прислала подруга. Там, естественно, имелся адрес. Представляете последствия моей оплошности? Я до сих пор не понимаю, как такое могло произойти. Почему я не заметил, что взял не новый конверт! Не понимаю!

— На все Божья воля, — вздохнул атеист Дегтярев. — Иногда Господь делает так, чтобы преступника разоблачили. Я сталкивался с подобными, абсолютно необъяснимыми событиями. Значит, вы после удачно выполненного убийства успокоились, и тут является Коротков...

— Дурак! — завопил Андрей. — Он пугал меня милицией! Я попытался втолковать кретину: мы в одной связке, надо молчать. Но он словно с цепи сорвался: «Давай деньги, и точка. Неси доллары, да побольше, меня сегодня после обеда ждут в ментовке, я им все и расскажу». Впервые я встретил человека, у которого жадность затмила страх перед арестом. Коротков лишился разума! И себя бы погубил, и меня! Я действовал исключительно в целях самообороны!

— А конфеты? — поинтересовался полковник. —

Зачем вы отправили их Вере Павловне? Думали, попьет чайку со сладким и навсегда забудет, как к ней приходил бородатый, усатый? Только про ее диабет вы не знали.

— Она с квартиры съехала! — завизжал Корундов. — Вообще исчезла!

Потом художник спохватился, замолчал и, обретя спокойствие, ответил:

— Какой шоколадный набор? Первый раз о нем слышу.

— Почему вы уверены, что был именно шоколадный набор? — живо спросил Александр Михайлович. — Я сказал «конфеты». Это могли быть карамельки, мармелад, зефир, просто кулек, а не коробка.

Вот таким образом шел допрос. В конце концов все предположения полковника подтвердились. Выяснилось, и каким образом в это дело вмешали меня.

Дегтярев вновь оказался прав. Корундов взял в долг большую сумму у... своей бывшей жены Дины. Она живет тем, что ссуживает людям деньги под проценты, и для того, кто когда-то был ее мужем, не собиралась делать исключение. Вовремя вернуть сумму Андрей не смог. Дина начала преследовать бывшего супруга. Вцепилась в него мертвой хваткой, ходила с ним по тусовкам и даже, используя свои многочисленные связи, устроила Корундову презентацию его жуткой картины. Ясно, почему старалась бывшая жена — хотела продать полотно и вернуть свои средства. Вот только Дина ничего не понимает в искусстве, а Корундов всю жизнь жил за чужой счет, эксплуатировал Леокадию, сам не зарабатывал. Кстати, еще в те годы, когда он носил имя Андрон Яценко, этот тип считал себя великим художником, и уже тогда брал деньги в долг, а потом бегал от кредиторов. После смерти Леокадии материальное положение Андрона сильно ухудшилось, на него начали охоту те, кому он был должен. Желая скрыться от заимодавцев, прохиндей прикинулся жертвой пожара, приобрел паспорт на имя Андрея Корундова и попытался снова жить за чужой счет. Ему, хаму, наглецу и убийце, удалось в свое время подчинить себе Леокадию, заставить ее плясать под свою дудку, с другими этот номер не проходил.

Андрей, правда, женился на Дине, но та быстро разобралась, что к чему, выгнала муженька в садовый домик и потребовала возврата всех денег, которые он потратил. Сумма оказалась очень большой. Дина наложила лапу на картину, и тут она случайно встретилась с Лёней Вяльцевым, который предложил Тёме неудачный дизайн дома. Леня начал жаловаться на жизнь, ругать богачей, которые вечно всем недовольны — заказали проект, а потом не приняли работу, — упомянул вскользь имя Дарьи Васильевой. Дина вспомнила, что читала о бывшей однокурснице в газетах...

Вот так и родился план: Дашу позовут на презентацию, скажут, что Дина двоюродная сестра Андрея, Корундов закрутит с ней роман. Если дружба сразу не сложится, организаторы шоу подожгут садовый домик и вынудят богатую бабу пригласить к себе несчастного погорельца. Что им и удалось! Из глупой Дарьи можно выкачать столько денег! Она всему поверила и совершенно спокойно впустила в дом Андрея. А как иначе? Он близкий родственник ее студенческой подруги. Все должно было завершиться свадьбой.

Только Дина не знала о собственных планах Андрея. А тот хотел навсегда избавиться от цепкой бывшей жены и поэтому начал атаку на Юлию. Андрей намеревался заставить дочь переписать на него жилплощадь, затем быстро продать «трешку», снова поменять паспорт и исчезнуть, оставив всех с носом (папочка не уточнил, какую судьбу он уготовил дочери). Но его план сорвался. Юля оказала сопротивление и даже наняла Дегтярева, а потом ее больное сердце не выдержало стресса, и Корундов остался у разбитого корыта.

Зато в Ложкине все катилось как по маслу: Андрей стал почти своим, давал советы по ремонту... Но ему мешала Дина. Грубая, хамоватая, авторитарная, она от всей души, почти не скрываясь, ненавидела Дашу. За что? А за все! У госпожи Васильевой имелось то, чего лишена Емельянова: дети, уютный дом, хорошая семья...

— С одной стороны, Дина хотела иметь под рукой щедрую скатерть-самобранку, с другой — бесилась при одной мысли о ней. Вот почему она так нахамила тебе на презентации и стала буквально засовывать тебе в рот тарталетку с салатом, — вздохнул полковник.

С Диной и Корундовым я больше не общалась, и как сложилась их дальнейшая жизнь, не знаю. Емельянову нельзя ни в чем обвинить. Давать деньги в долг не запрещено. План в отношении меня не был криминальным, Дина просто хотела счастья бывшему мужу и однокурснице. Все. С точки зрения закона, мадам бела, как свежевыпавший снег.

Андрею Корундову можно вменить в вину только проживание по чужим документам, но большой срок за такое не дают, а еще художник попал под амнистию и был освобожден в зале суда. Убийство Люси и Зои доказать невозможно, нет улик. Останки несчастной Фатимы, полакомившейся отравленными конфетами, давно превратились в прах, умерла и Леокадия. А Юлия погибла от инфаркта. Виновных нет. Вернее, есть, но доказать причастность Андрея к этим преступлениям нельзя. Корундов растворился на просторах России, где он — никому не ведомо.

Рита продала квартиру Юлии, подвал замуровали, думаю, новые владельцы и не представляют, какие трагедии разыгрывались в самой обычной московской «трешке».

Полина Жукова поменяла место жительства, ее тоже никак не наказали — в Уголовном кодексе не предусмотрено статьи за подлость. Я не знаю, куда делась медсестра и какова судьба ее брата Саши. Вот Таисии я позвонила. И, когда та взяла трубку, воскликнула:

— Знаешь, я, конечно, дура! Сейчас вспомнила,

как в день презентации отвратительного полотна «Русь Великая» ко мне в туалете подошла дама и бросила вскользь фразу: «Бедный Андрюша! Говорит, он мечтал избавиться от своей напористой женушки и сумел развестись, но Дина-то его не бросила...» Мне бы обратить внимание на ее слова, понять, что Корундов и Дина ранее были супружеской парой, может, тогда бы я не стала выполнять твою просьбу, не поехала в Глухово спасать несчастного погорельца. Но почему ты решила участвовать в обмане? Как ты могла!

— Я хотела помочь Андрюше, — ответила Тася. — Он не понятый людьми гений, удивительный человек, тонкий, ранимый, нежный. Мой долг подставить ему плечо...

Я не дослушала Волкову и бесцеремонно отсоединилась. Увы, очень часто из благих побуждений люди делают редкостные гадости.

В начале июля к нам вместе с шарпеем Ричардом приехал Артур Пищиков.

— Что это с Хучем? — изумился приятель, разглядывая мопса. — Он не болен? Очень странно выглядит! Попа худая, грудь большая, и ходит боком. Эй, Риччи, сиди с папой!

— Не кричи на пса, — вздохнула я, — у нас безопасно, пусть носится по дому.

— Безопасно для кого? — засмеялся Артурчик. — Риччи настоящий разбойник! Везде пролезет, моргнуть не успеешь, как что-нибудь слопает! Вчера сожрал у меня всю подшивку газеты «Жизнь». Убил архив!

— Он просто еще маленький, — пояснила Маня. — А Хуч ходит боком потому, что у него центр тяжести сместился. Мопса протащили по всем врачам. Вердикт — здоровее не бывает! Все ветеринары только руками разводят. А на пузе у него какое-то раздражение появилось.

— Эх, жаль, крем закончился, — подала голос Ирка.

— Какой? — спросила Маня.

— Дарь Иванна велела им мопсу живот мазать, — зачастила домработница. — У него раздражение и раньше было. А это средство такое хорошее... Правда, подействовало не сразу, я две упаковки извела. А сейчас оно закончилось, и кожа снова шелушится.

— Ты использовала какую-то мазь? — насторожилась Машка. — Почему мне не сказала?

— Так Дарь Иванна велела. — Ирка мигом свалила на меня ответственность.

— Мусечка не ветеринар! Она могла посоветовать совсем не то средство, — твердо заявила Машка.

— Погоди, Манюня, — улыбнулся Пищиков, — думаю, Дашута ничего плохого не сделала.

— Один раз она перепутала пузырьки, — ожила Зайка, — и налила мне на порез не перекись, а борный спирт!

— Ерунда, — защищал меня журналист.

Я с благодарностью посмотрела на Артурчика. Завтра же, чтобы сделать ему приятное, оформлю годовую подписку на газету «Жизнь».

— Жаль, мы не знаем, чем мазали Хуча, — вздохнула Маня.

— Эт-та почему? — заорала Ирка. — Вот банка, я из помойки вынула.

— Франция, — констатировала Маня, вертя упаковку, — крем для тела.

— Вот видишь! — обрадовался Артур. — Ничего особенного, гормонов там нет.

— «Попа-грудь, — читала девочка вслух текст на банке, — уникальная разработка. Втирайте каждый день небольшое количество средства в бедра, живот и ягодицы. Через две недели ваш бюст прибавит как минимум два размера». Это что?

— Где? — заорала Зайка и выхватила у Маруськи баночку. — Откуда взяли? На телестудии только и разговоров о нем, наши тетки записываются на новинку! Откуда она у нас? Почему ею мопса мазали? Зачем ему шикарный бюст?

— А как же жир перетекает? — заинтересовалась Маня.

— У Дарь Иванны взяла! — переорала ее Ирка. — В ванной стояло, две штуки! Она мне велела им Хуча мазать!

Зайка стала медленно разворачиваться в мою сторону. Понимая, что сейчас разгорится невероятный скандал, я, опустив уши и поджав хвост, кинулась вон из столовой.

Так вот почему Хучик приобрел большой объем в верхней части тела... Невероятно, но крем действует! Надеюсь, что мопсу не придется всю жизнь передвигаться боком. Хотя хитрые производители, как правило, не делают ничего вечного — если перестать пользоваться средством, жир, наверное, вновь стечет в попу.

Влетев в свою спальню, я быстро закрыла дверь и рухнула на кровать.

Слава богу, теперь есть ответы на все вопросы. Хотя нет! Мне так и не удалось узнать, что сказал собаке пассажир Сергей. Почему офицер счел его высказывание оскорбительным для четвероногого сотрудника и вызвал патруль? Ни одной догадки в моей голове нет. Надеюсь, Дегтярев сменит гнев на милость и сообщит все-таки отгадку.

И вдруг прямо под собой я услышала шорох.

— Кто там? — подскочила я. — Вылезай немедленно!

Из-под кровати выполз Ричард, в зубах шарпей держал баночку.

— Дай сюда! — испугалась я. — Что ты нашел?

Пес покорно выплюнул яркую упаковку. «Кома мао»! Каким образом средство для улучшения памяти очутилось в моей спальне? Думаю, на этот вопрос мне не найти ответа. Ричард начал скулить, я погладила его по голове.

— Молодец, ты настоящий пес журналиста, умеешь нарыть нужное. Знаешь, у нас полно сгинувших без следа вещей. Я сама где-то посеяла новый детектив Устиновой, Кеша давно не видел правый ботинок из пары к смокингу, Зайка намедни орала, не найдя купальник розового цвета. Давай, Риччи, вперед! Ищи!

Шарпей взвизгнул и понесся в коридор, я вытянулась на кровати. Ни за что не верну «Кома мао» полковнику, вдруг пилюли окажутся столь же действенными, как крем «Попа-грудь», и Александр Михайлович припомнит кучу вещей? Ну, например, то, что я обещала ему бросить курить? Впрочем, может быть и иной эффект — полковник станет полосатым, как тигр, чьи когти входят в состав «Кома мао», или у него появятся копыта, как у антилопы. Еще хуже будет, если он приобретет привычки скунса...

Из груди вырвался смешок.

— Вот ты где! — закричала Зайка. — Спряталась и ржет... Тут плакать надо! Извели на мопса крем, который мне жизненно необходим! Зачем Хучу бюст?

Я постаралась навесить на лицо серьезное выражение, но ничего не получилось. Шикарная грудь мопсу ни к чему, в этом Ольга совершенно права. Но в другом она ошибается: плакать нельзя ни по какому поводу. В любой ситуации нужно искать смешное, нельзя терять чувство юмора.

— Ты слышишь? — затрясла меня Зайка. — Нет, просто кошмар! А что это на столе?

— Сигареты, — призналась я.

Заюшка схватила пачку.

— Безобразие! Неужели нельзя избавиться от пагубной привычки? Ты убиваешь себя! Я не дам тебе подрывать свое здоровье!

Наманикюренные пальчики Зайки смяли сигареты, я вздохнула. Ольга права. Необходимо бороться с курением, пьянством и прочими нехорошими пристрастиями. Но вот вопрос: после победы над своими пороками что делать с пленными?

*Загадка от Дарьи Донцовой!*

Дорогие мои читатели! Из текста книги вы так и не узнали, что за короткое слово пассажир Сергей адресовал собаке, которая искала наркотики в его багаже. Офицер, хозяин пса, вызвал патруль, и Сергея задержали за то, что он помешал четвероногому сотруднику выполнять служебные обязанности. Таможенник посчитал, что Сергей оскорбил пса, и добился осуждения мужчины на пятнадцать суток. Так что за слово Сергей сказал собаке? На этот вопрос вам предстоит ответить самим.

Жду ваших звонков по телефону (495) 967-90-77 до 26 декабря 2007 года. Правильный ответ вы сможете прочитать в моей следующей книге, а также в газете «ЖИЗНЬ за всю неделю» от 26 декабря 2007 г.

*Ответ на загадку из книги*
*«Хеппи-энд для Дездемоны»*

На самом деле отгадка крайне проста. В гостинице каждый месяц наемные актеры разыгрывают спектакль. Постояльцев предупреждают, что они могут поучаствовать в игре под названием «Убийство»: поискать улики, изучить место преступления, сделать выводы и найти того, кто нарушил закон. Таким образом хозяин гостиницы привлекает постояльцев. И его выдумка себя оправдывает, у отеля нет отбоя от клиентов.

# Фанера Милосская

*главы из нового романа*

## Глава 1

Человек всегда верит в чудеса, в особенности когда нажимает на банкомате кнопку «запрос баланса».

Внимательно изучив бумажку, которую железный агрегат выплюнул через прорезь, я горестно вздохнула и пошла к своей машине.

Тяжела и незавидна жизнь частного детектива — любой клиент может обмануть его с оплатой. Конечно, перед началом работы я всегда оформляю договор с заказчиком, а в нем четко указана сумма, которую мне, Евлампии Романовой, предстоит получить за работу. Но если клиент человек непорядочный или попросту мошенник, то он не даст ни копейки и деньги с него стребовать практически невозможно. Ну как поступить с обманщиком? Подать на него в суд? Ой, не смешите меня! Даже если представить, что делом займутся со всей серьезностью, то в лучшем случае у должника будут вычитать из зарплаты некую — смехотворную! — сумму. Авось за триста лет он мне все выплатит.

Впрочем, некоторые обиженные заимодавцы обращаются к так называемым посредникам, которые «уговаривают» мошенника отдать долг, положив себе в карман четвертую его часть. Вот только я не одобряю применяемые «группой помощи» методы — всякие там горячие утюги, паяльники... Лучше уж фиг с ними, с деньгами, я еще заработаю!

Хотя если честно, мне очень обидно еще и потому, что нечистоплотная клиентка выглядела милой, интеллигентной, растерянной женщиной. Ее история была весьма банальна: двадцать пять лет прожила в законном, вполне счастливом браке, родила двоих детей, а сейчас, после того как отпрыски выросли, она осталась вроде как не у дел. Муж за ту же четверть века сделал карьеру, успешно занимался бизнесом и весьма преуспел (не олигарх, конечно, но семья имеет загородный дом, приличный счет в банке, несколько иномарок). Жить бы даме и радоваться, но у нее зародились некие подозрения в отношении супруга, и она пришла в наше детективное агентство с просьбой проследить за ним.

Я не люблю дел об измене, потому что уверена: от хорошей жены муж налево не свильнет. Все эти песни: «Я отдала ему всю жизнь, хлопотала по дому, сидела с его детьми, а он, гад и мерзавец, завел молодую любовницу», — на самом деле одно лукавство. У меня сразу возникает вопрос: а кто, собственно, вас просил жертвовать карьерой ради быта? Сотни тысяч баб, родив детей, выходят на службу и уверенно поднимаются по служебной лестнице. Скорее всего, вы сами захотели остаться в четырех стенах. Что же касается ЕГО детей, то они ведь и ваши тоже. И, думаю, вы перестали интересовать мужа как личность, приелись ему с вечными, однообразными разговорами об успехах и неудачах отпрысков. Мир у неработающих женщин сужается до размера рублевой монетки, большое значение приобретают мелочи: муж не поставил на место чашку — жена устраивает скандал, задержался на работе — опять вопль, забыл про очередную дату свадьбы — истерика. А некоторые любящие женушки обожают рыться у супруга в карманах, изучать смс-сообщения в его телефоне.

В конце концов мужчина чувствует себя как затравленная мышь. А что делает грызун, которого загнали в угол? Думаете, он бросается на шею к кошке и, держа в одной лапке букет, а в другой коробочку с бриллиантовым кольцом, вопит: «Прости, милая, я тебя обожаю!»? Ан нет, он начинает кусаться, а потом живо прогрызает стену и ушмыгивает прочь через крошечную дырку, в которую не пролезает длинная когтистая кошачья лапа. Девяноста девяти процентам мужиков глубоко наплевать на чистоту в квартире и количество пятерок в дневниках у детей. Главное, чтобы жена занималась им, любимым, а уж потом всем остальным. Конечно, хорошо, когда быт налажен, но если вкусный ужин постоянно сопровождается «концертом» без заказа, вы в зоне риска: скорее всего, ваш муж со скоростью света исчезнет из вашей жизни.

Дама, прибежавшая в наше агентство, не исключение. Мне хватило двух суток, чтобы предоставить клиентке необходимые доказательства измены мужа. Светлана, так звали тетку, не изменилась в лице, но было понятно — она шокирована. Я долго утешала бедняжку, и в конце концов она засобиралась домой.

Когда обманутая жена дошла до двери, я спохватилась:

— Минуточку! Вы не расплатились!

Светлана слегка порозовела.

— Видите ли, я не хочу говорить Павлу о том, что обращалась к ищейке. Мы двадцать пять лет вместе! Краминов не рискнет уйти от меня. Понимаете... тут... Впрочем, это неважно. Погуляет мужик и вернется, никуда не денется! Я буду вести себя как обычно, перестану его ругать, пойду в салон красоты, сменю имидж, одежду...

— Мудрое решение, — кивнула я, — но это вообще-то ваши проблемы, а мне хотелось бы получить вознаграждение за проделанную работу.

О том, что слово «ищейка» прозвучало в данной ситуации оскорбительно, я говорить не стала: в конце концов, не все люди задумываются о том, что болтают.

— Ах да! — спохватилась Светлана. — Надеюсь, у вас есть счет в банке?

— Конечно. Наше агентство ведет белую бухгалтерию, мы с Юрием Лисицей, моим хозяином, аккуратно платим налоги, — заверила я.

— Я переведу гонорар вам на карточку, — царственно кивнула госпожа Краминова.

— Лучше все-таки наличными, — настаивала я.

— У меня при себе таких денег нет, — честно призналась Светлана. — Не волнуйтесь, я прямо сейчас отдам распоряжение клерку.

Ну и что же случилось потом? От клиентки так ничего и не поступило, я в напрасной надежде запросила банкомат и получила замечательный ответ: на счету как было, так и осталось тысяча двести рублей. Других средств у госпожи Романовой нет.

Скомкав квитанцию, я бросила ее в пепельницу. Хорошо хоть, что Юрка ничего не знает о деле Краминовой. Лисица заболел свинкой и не высовывается из дома. Инфекцию со смешным названием Юра подцепил от сынишки своей очередной любовницы. Не страшная для ребенка болезнь оказалась очень тяжелой для взрослого человека. А еще «добрый» доктор до полусмерти напугал моего работодателя — взял да и ляпнул:

— Свинка очень губительно действует на мужчин, у них нарушается функция деторождения.

Юрка немедленно впал в панику и позвонил мне. Я помчалась к Лисице и попыталась его успокоить:

— Дорогой, мужик не способен потерять, как выразился твой Гиппократ, функцию деторождения. Еще ни одному парню не удалось родить ребенка, — улыбнулась я. Действительно, иногда свинка дает осложнения, и мужчина становится бесплодным, но...

— Катастрофа! — прошептал Лисица, серея. — Мне грозит импотенция! Господи! Какого черта связался с Ленкой, зачем играл с ее сопливым ребенком!

Почему меня так наказали за доброе сердце! Я превращусь в евнуха, скопца!

Полдня мне понадобилось, чтобы объяснить почти впавшему в истерику начальнику простую истину: у него ничего не отвалится, импотенция и бесплодие совершенно разные вещи.

В конце концов Юрка воспрял духом и перестал стенать.

— Смотри не наделай без меня глупостей! — велел он мне напоследок. — Тщательно изучай клиентов, сразу отказывай тем, кто похож на мошенника, и никогда не сообщай заказчику результаты расследования, пока не получишь деньги.

Я заверила Юрку, что буду предельно внимательна, и занялась проблемой Светланы, которая при знакомстве произвела на меня весьма положительное впечатление. А затем, начисто забыв о втором предостережении босса, я преспокойно вручила Краминовой пакет с фотографиями, не взяв с нее гонорар. Представляете, какой ушат упреков выльется на голову несчастной Лампы, если Юрка узнает правду? В моих интересах крепко держать язык за зубами. Лучше уж я совру хозяину, что за время его болезни в делах был полнейший застой. Юра не удивится отсутствию клиентов. Если честно, люди не особенно торопятся в нашу контору, а сейчас и подавно штиль — на дворе конец мая, все предвкушают отпуск, а выходные проводят на дачах, жарят шашлыки и пьют вино. Даже поиск доказательств неверности своих вторых половин народ отложил до начала осенней депрессии.

Продолжая ругать себя за глупость и доверчивость, я доехала до дома, вошла в подъезд и обнаружила, что лифт не работает. День явно складывался неудачно.

Подхватив сумку с продуктами, я пошла вверх по лестнице. Ладно, не стоит расстраиваться, будем воспринимать мелкие неприятности как... удачу. Я понятно выражаюсь? Сейчас поясню. Многие горожане платят большие деньги в фитнес-центрах, чтобы с гантелями в руках бегать по тренажеру, имитирующему эскалатор, я же имею абсолютно бесплатную возможность потренировать сердечно-сосудистую систему. Давай, Лампа, раз, два, левой, правой...

Подбадривая себя, я ползла вверх, чувствуя, что сердце колотится уже не в груди, а в горле. Может, и впрямь записаться в спортклуб? Вон как я устала, преодолев всего четыре пролета.

— Сукин сын! — полетел над головой визг. — Сейчас тебе мало не покажется! Опять нажрался! Ну погоди!

Почти падая от усталости, я доковыляла до своего этажа и увидела за трубой мусоропровода... черта.

Моя правая рука машинально сотворила крестное знамение, тело прижалось к стене, сердце из горла провалилось в желудок, ноги прилипли к полу, по спине покатились ежи озноба. Прислужник дьявола выглядел до отвращения натурально: черное гибкое тело украшал длинный хвост с кокетливой ярко-красной кисточкой, на голове торчали острые рога, морда была цвета горького шоколада, и на ней очень странно смотрелись ярко-голубые глаза и розовые губы.

— Мерзавец! — возмущался чертяка, тыча большим трезубцем в распростертого на полу мужчину. — Сволочь! Ханурик! Имей в виду, если еще раз набухаешься, утяну тебя с собой в преисподнюю. Усек?

Оружие выпало из руки дьявола и неожиданно тихо, без стука, свалилось на поверженного. Жертва села и обалдело потрясла головой, и я узнала нашего соседа Костю Якобинца.

— Ты кто? — пьяно ухмыляясь, спросил монстра Константин.

— Черт из ада, — немедленно ответил тот.

Я продолжала тихо стоять, стараясь слиться со

стенкой в отчаянной надежде, что меня не заметят. Совершенно не хотелось обращать на себя внимание представителя преисподней.

— Черт? — растерянно повторил, как всегда, сильно поддатый Костя. — То есть дьявол?

— Он самый, — заверила черная фигура. — Достал ты, Якобинец, всех! Потому я и пришел!

Алкоголик икнул.

— И че? — неожиданно спокойно поинтересовался он.

Я ощущала себя героиней очередного глупого сериала. С одной стороны, я отлично знаю, что никакой преисподней нет, это сказки, придуманные для устрашения детей. С другой... Вот же он! С красной кисточкой на хвосте! Стоит в паре шагов от меня! Слава богу, пока черт занят беседой с Костей и меня не видит.

— Значит, так, — гневно продолжало дьявольское отродье, — или ты, Якобинец, прямо сейчас навсегда бросаешь квасить, или я забираю тебя с собой. Посажу в котел, буду варить в кипятке, заставлю лизать раскаленную сковородку. Выбирай!

— Во блин... — заплетающимся языком сказал Костя и ткнул корявым, грязным пальцем в кнопку вызова лифта. — Ну напугал! Я прямо весь дрожу! Идиот! У меня дома теща, Елена Сергеевна, она похуже тебя будет. А еще я женат на Верке, твоей сестре, так что, считай, мы родственники.

— Нет у меня сестер, — неожиданно обиделся черт, — думай, что говоришь.

— Есть! — заржал Костя. — Моя Верка точно дочка твоего папки. Круче сатаны, зараза! Ну, прощай, меня люди у метро ждут...

С этими словами Якобинец вошел в подъехавший лифт, кабина закрылась и ухнула вниз. Черт неожиданно сел на пол, обхватил голову лапами и зарыдал.

— С ума сойти, лифт-то, оказывается, работает! — не удержалась я от комментария. — Какого черта он меня не повез? Вот оно, Лампино счастье, во всей его красе!

Черная фигура перестала рыдать и подняла голову.

— Кто тут? — жалобно спросил посланец ада.

Я прикусила язык, но поздно.

— Романова, ты? — уточнил дьявол.

— Нет, — живо откликнулась я, потом сообразила, что в такой ситуации врать глупо, и поправилась: — В смысле, да. Вы извините, что я упомянула вас, у меня это случайно вылетело, я ничего дурного в виду не имела...

— Ты меня не узнала? — тоненьким голоском перебил чертяка.

— Нет, то есть да. Вернее, лично с вами я не знакома, но понимаю, из какой семьи вы происходите, — вежливо ответила я. — Ничего против вас не имею, кстати, практически не употребляю алкоголь, правда, курю, но мало, и вообще...

Слова закончились. Я ущипнула себя за бедро — наверное, я сплю и все это мне снится.

Черт поднял руки и... снял голову. В тот момент, когда его шея начала медленно отрываться от ключиц, я зажмурилась и попыталась вспомнить хоть одну молитву, но, увы, безуспешно. На ум пришла песенка «В лесу родилась елочка», но она никак не могла быть полезна в этой ужасной ситуации.

— Эй, Лампа, ты правда, что ли, меня не узнала? — вновь поинтересовался чертяка.

В ту же секунду я ощутила мягкое прикосновение к своему плечу и, заорав: «Спасите!» — открыла глаза.

Около меня стояла жена Кости — Вера Якобинец. Ее тело было упаковано в костюм черта, морду с рогами она держала в правой руке.

— Извини. Напугала? Ей-богу, не хотела! — зачастила соседка.

Я с шумом втянула в себя воздух, пошевелила лопатками, чтобы от спины отклеилась прилипшая к ней блузка, и промямлила:

— Ничего, все нормально. А что, разве уже Хеллоуин на дворе? Вроде праздник осенью.

Верка шмыгнула носом.

— Костик, сволочь, меня довел. Каждый день бухой, сил нет терпеть. Никаких! Нахлебается, орет, визжит, да еще и руки распускает. Перед людьми стыдно, небось весь подъезд в меня пальцем тычет: любуйтесь, люди, жена хануриками пошла...

Слезы градом покатились по круглощекому личику Веры.

— Ты преувеличиваешь, — начала я ее утешать. — Посмотри вокруг: Олег Клоков каждый месяц уходит на неделю в запой, а его семья сматывается на дачу, чтобы спокойно пережить зигзаг отца семейства; у Андреевых со второго этажа вообще все алкоголики, включая бабушку. А Ермиловы? Там Сергей давно перешел на какие-то растворители.

Верка вытерла нос тыльной стороной ладони.

— Зато Лешка Королев пить бросил. Знаешь, чего Ритка придумала? Ее мужик теперь капли в рот не берет! Даже нюхать проклятую водку боится!

— Нет, — устало ответила я и покосилась на сумку с продуктами. Сейчас Вера заведет длинный рассказ, перебивать ее неприлично, а мне еще надо готовить ужин.

— Ты же в курсе, я в театре работаю, костюмершей, за одеждой для спектаклей слежу, — нудно завела соседка. — Вот Ритка и попросила ей принести прикид черта.

— Зачем? — удивилась я.

— Она его нацепила, за мусорником спряталась, дождалась, пока Лешка из квартиры вышел, и налетела на него: «Здрасти, я дьявол, пришел за тобой, ща утащу тебя в ад. Выбирай: либо на тот свет сейчас отправишься, либо от водки отказываешься!» Алексей перепугался и вот уже месяц ни-ни.

— Прикольно, — засмеялась я. — И ты решила воспользоваться ее опытом?

— Угу, — мрачно кивнула Верка. — Только Костю на испуг не взять. Слышала, что он ответил? Мамочка моя хуже сатаны, оказывается, а я ваще родная сестра дьяволу. Сволочь!

Слезы вновь посыпались из глаз соседки.

— Ты, наверное, выбрала неправильный образ, — вздохнула я. — Какие костюмы у вас еще есть на складе?

— Всего до фига, — перестала рыдать Вера, — даже обмундирование Гитлера есть. Недавно пьесу ставили «Карьера Артуро Уи», так Адольфа одели — натуральный нацист!

— Найди кого-то пострашнее, — посоветовала я. — Черт не подошел, значит, надо поэкспериментировать. Сопли лить абсолютно бесперспективное занятие, делу это не поможет. Один раз не вышло, попытайся во второй, вода камень точит.

— При чем тут вода-то? — разинула рот соседка.

— Кап, кап, кап... медленно, методично, глядишь — получается дырка, — пояснила я. — Поэкспериментируй и найди нужный образ, всякий человек чего-нибудь да боится. Лешка при виде черта струхнул, а Косте, выходит, надо иное узреть, чтобы испугаться. Вытри лицо и начинай действовать.

— Спасибо, — кивнула Верка, — теперь я всегда буду с тобой советоваться. Лампа, ты очень умная!

— Скорей я оптимистично настроенная, — улыбнулась я и подхватила сумку.

Верка пошла к своей квартире, длинный хвост с красной кисточкой уныло тащился за ней по полу. Я невольно вздохнула: слава богу, в нашей семье пьянчуг нет, лечить от алкоголизма никого не надо.

## Глава 2

Не успела я втянуть вещички в прихожую, как собаки со всех лап ринулись в холл. Думаете, псы спешили приветствовать добрую хозяйку? Вовсе нет, меня они даже не заметили, их манила сумка с продуктами.

Муля бесцеремонно сунула морду туда, где лежала сырая курица, Ада начала ковырять лапой упаковку с сухофруктами, Феня и Капа затеяли драку около свертка с конфетами, Рамик тихо подвывал, уставясь на коробку с булочками. Одна Рейчел интеллигентно сидела в некотором отдалении и делала вид, что еда ей абсолютно безразлична.

— Эй, эй! — возмутилась я, стаскивая туфли. — Отойдите-ка подальше! Ну это ж откровенное хамство! Мульяна, кому говорю!

Старшая мопсиха обиженно засопела и села около кульков. Весь ее вид говорил: «А я что? Я ничего. Это все наглые малолетки! Хотела их остановить и случайно наткнулась на курицу! Между прочим, сырую птицу я не ем».

Ада, опустив уши и прижав хвост, юркнула за Рейчел, Рамик перестал ныть, только Капа и Феня не обратили ни малейшего внимания на гнев хозяйки и продолжали возиться в мешках. Крак... Капа раздавила пару яиц! Я схватила Кирюшкин шарф, невесть зачем висящий в мае на вешалке, и шлепнула им Капенделя.

— А ну, все по местам!

— Лампудель! — заорал Кирюша, влетая в холл. — Слушай, скажи...

Крак! Теперь Феня села на куриные яйца.

— Так говорить или слушать? — сердито уточнила я, расшвыривая в разные стороны обнаглевших мопсов.

— И то, и другое! — ажитированно воскликнул Кирюша. — Иди сюда скорей.

— Можно сначала продукты на кухню отнести? — ехидно поинтересовалась я.

— Тут такое дело, а тебя всякая ерунда волнует, — подпрыгнул мальчик и потащил меня в свою комнату. — Вот, смотри. Хочешь такой дом?

Я уставилась на экран компьютера, где красовалось изображение симпатичного двухэтажного здания под черепичной крышей, и ощутила зависть к тому, кто владеет этим особнячком. Мы с Катюшей давно мечтаем перебраться за город, нам надоело жить рядом с шумным проспектом и гулять с собаками на крохотном грязном пятачке. Еще раздражает постоянный ремонт, который ведут соседи сверху, — они уже два года долбят по вечерам стены, и похоже, этот процесс продлится вечно. Я давно подыскивала коттедж в лесу, один раз мы даже переехали в поселок, но, увы, все закончилось совсем не так, как хотелось[1]. А потом цены на недвижимость стремительно взлетели, и стало понятно, что с мечтой придется расстаться. Мы планировали устроиться в двадцати-тридцати километрах от столицы, ведь работать нам приходится в Москве, но за накопленную нами сумму теперь можно приобрести лишь сарайчик под Волоколамском. Так что сейчас Кирюша наступил сапогом на больное место.

— Приятный домик, — сказала я.

— Два этажа и мансарда, — потер руки мальчик. — Внизу кухня-столовая, гостиная с выходом на веранду и две гостевые спальни. На втором этаже четыре комнаты, холл-библиотека и гардеробная, под крышей студия. Мы там здорово устроимся. Чур, я поселюсь в мансарде. Ты, мама, Лизка и Костин на втором этаже. Юлька с Серегой займут комнаты на первом. Ну за фигом нам гостевые?

---

[1] Читайте книгу Дарьи Донцовой «Принцесса на Кириешках», издательство «Эксмо».

— А вдруг кто с ночевкой приедет? — я вступила в игру.

— Смотри, — подпрыгнул Кирюша и щелкнул мышкой, — тут еще баня есть. Сам дом из кирпича, а она из бруса, там большой зал для отдыха. В случае чего приятелей поселим туда.

— Здорово, — вздохнула я.

— Участок тридцать пять соток.

— Ну и ну!

— Расположен в двадцати километрах от МКАД, — добавил Кирик.

— Замечательное, наверное, место.

— Газ, электричество, отопление, канализация, вода горячая и холодная, городской телефон, — методично перечислял мальчик. — И знаешь, как называется деревня, в которой стоит наш дом?

— Нет, — грустно ответила я.

— Мопсино, — засмеялся Кирюшка. — Вот где самый прикол.

Из моей груди вырвался тяжелый вздох. Да уж, особнячок подходит нам по всем статьям, даже название у села восхитительное, хотя я согласилась бы жить в таком доме, находись он даже в поселке под названием Гадюкино.

— Здание новое, его построил богатый дедушка для своей внучки, которая училась в Лондоне, — Кирюшка излагал тем временем историю дома. — Старичок решил, что она вернется в Москву, и приготовил коттедж. Только внучка в Англии вышла замуж, дедулю к себе увезла, соответственно ей особняк в Мопсине на фиг не нужен, потому что девчонка стала теперь тамошней леди и обитает в собственном замке. Чуешь, как нам повезло?

— Не хочется тебя разочаровывать, — я попыталась спустить ребенка с небес на землю, — но ты хоть понимаешь, какую цену заломит за элитную недвижимость эта мадам?

Кирюшка прищурился.

— Дом не выставлен на продажу. Он стоит на сайте «Шило-мыло»[1].

— Извини, не понимаю.

— Деньги хозяйке не нужны. Ее муж лорд Мортман собирает старые автомобили, вот жена и хочет получить машину «Чайка». Особняк идет за колеса! Усекла? — запрыгал Кирюшка. — Его и выставили на сайте обменщиков. На-ка вот, почитай объявления.

Монитор моргнул, я уставилась на возникший текст.

«Люди! Имею почти новую детскую коляску «Принцесса», розовую с золотом. Нужен пуховый комбинезон для девочки, рост 1 м 20 см».

«С удовольствием поменяю полное собрание Ф. Достоевского на бензопилу».

«Пять коробок лекарства от ожирения. Хочу чайный сервиз в красный горошек».

«Мерседес», год выпуска 2000, в хорошем состоянии, ездила женщина, меняется на комнату в ближайшем Подмосковье, желательно в пятиэтажке, предназначенной к сносу».

— Поняла? — спросил Кирюша.

— Да, — кивнула я. — Ты забыл о маленькой детали — у нас нет машины «Чайка».

Кирюша снова схватился за мышку.

— «Шило-мыло» — российский сайт, — объяснял он, — но есть импортные аналоги. Любуйся, это Америка. Джордж Радкоф выменял яхту за... пакет имбирного печенья.

— Такого просто не может быть! — отрезала я. — Это какой-то обман!

— Эх, Лампудель... — Кирюшка укоризненно по-

---

[1] Сайт придуман автором книги. Здесь и далее любые совпадения названий и имен случайны.

качал головой. — Чудеса бывают, надо только в них верить. Вот у Джорджа есть бабушка, которая печет шикарное печенье. Радкоф нашел в Сети предложение: некто хотел имбирное печенье и предлагал за него книгу «Лекарственные травы», выпущенную в середине прошлого века. Но одновременно Джордж наткнулся на другое сообщение: один фармацевт мечтал о том самом издании и давал в обмен брошь работы ювелира Корлова, бабочка из черной эмали. Сечешь цепочку?

— Ну?

— Печенье — книга — бабочка! Ясно?

— Пока да. Но где же яхта?

— Погоди, не спеши, — махнул рукой Кирюша, — быстро только неприятности валятся на голову. Слушай дальше. Бабочку Радкоф поменял на картину, ее махнул на старое авто, его — на старинный рояль, который потом ушел в обмен на небольшой катер, его Джордж весьма выгодно толкнул за домик в Алабаме, а затем отдал особняк за бейсбольную карточку.

— Это что такое?

— Ну типа открытки, — пояснил Кирюшка. — Америкосы на них сдвинулись, собирают сериями, и если одной карточки не хватает, коллекция считается неполной. Короче, один долбанутый псих отдал ему за эту самую карточку яхту. Если сократить цепочку, то получится: печенье — яхта. Супер?

— Ясно, — протянула я, — ты намерен повторить подвиг Джорджа. Найдешь путем цепочки ходов «Чайку», и дом твой?

— Приятно общаться с понятливым человеком, — кивнул Кирюшка. — Времени мало, и я уже начал действовать.

— Дом выставлен на короткий срок?

— Нет. Но его могут перехватить, — занервничал

мальчик. — Поэтому я отправил этой Марии Мортман письмо, а она прислала ответ. Хочешь почитать?

— С удовольствием.

— Айн момент! Ща, почту открою... Во, изучай, — со счастливой улыбкой сказал он.

И я принялась изучать письмо.

«Уважаемый господин Кирилл Романов! Примите благодарность за отправленное вами на мой адрес сообщение. Имеющаяся у вас машина целиком и полностью соответствует экземпляру, который давно мечтает приобрести для своей коллекции лорд Мортман. Если вы подпишете предварительный договор, то для решения формальностей в Москву прилетит наш поверенный Майкл Рочестер. О времени прибытия адвоката я сообщу вам сразу после того, как получу заверенный вами экземпляр договора. Когда я увижу бумагу, дом будет снят с обмена. Особо хочу отметить, что машина «Чайка» — это мой подарок на юбилей лорда Мортмана, который будет отмечаться десятого августа. Я искренне надеюсь, что мы успеем оперативно утрясти все вопросы с законом. Примите мои искренние заверения в дружбе и поймите, какую радость я испытываю при мысли, что могу подарить мужу редкий экземпляр для его коллекции. Надеюсь, что вы и ваша семья проведете много безоблачных дней в Мопсине. С глубоким уважением леди Мария Мортман, замок Морт, Великобритания».

Перечитав несколько раз послание, я решила задать Кирюше ряд уточняющих вопросов.

— Ты обманул даму? Сказал, что обладаешь «Чайкой»?

— Вовсе нет, — надулся Кирюшка. — Просто я поторопил события. Я непременно выменяю машину.

— На что?

— Посмотрим, — загадочно ответил он. — Есть задумки!

— По-моему, некрасиво обнадеживать женщину, которая так хочет порадовать супруга, — покачала я головой. — Мария верит, что у тебя есть «Чайка».

— И она у меня будет! — рявкнул Кирюша. — Я подписал договор, дом удален из обменного сайта, скоро он будет наш.

— Ты с ума сошел! — возмутилась я.

— Вот так всегда, — обозлился Кирюшка, — стараешься, ночей не спишь, а в результате — одна неблагодарность. Я такой особнячок нашел! И мы получим его бесплатно!

— Послушай, — я сбавила тон, — разве ты имеешь право заверять документы?

— Здрассти, пожалуйста! Я давно получил паспорт.

— Но возраст! Ты ж еще мальчик.

— О боже! — Кирюша закатил глаза. — Прилетит из Англии юрист и все решит. В крайнем случае сделку оформят на тебя.

— Ясно, — бормотнула я. — А что, «Чайка» и дом сто́ят одинаково?

— Понятия не имею, — фыркнул Кирюшка. — При обменах типа «шило-мыло» никто не ведет речи о цене. Имеешь пентхаус и желаешь махнуть его на канцелярскую скрепку? Пжалста! В общем, так... Отвечай, хочешь дом в Мопсине?

— Да, — кивнула я. — Но честным путем, без обмана.

— Все будут довольны! — заорал Кирюша. — Лампудель, очень тебя прошу, никому из наших ни слова. Если уж ты кислую рожу скорчила, то представляю, как Серега отреагирует. И Юлька. Пусть им будет сюрприз.

Очевидно, на моем лице отразилась вся гамма переживаний, потому что Кирюша заныл:

— Лампуша! Поверь! Все срастется!

— Ладно, — кивнула я, — промолчу. Но ты в свою

очередь пообещай мне: если у тебя до середины июня ничего не выйдет, ты честно признаешься Марии Мортман в обмане и попросишь прощения.

— По рукам! — возликовал Кирюшка. — Начинаю работу.

— И еще... — Я хотела продолжить беседу, но мальчик воскликнул:

— Слышишь шорох? Пока мы тут ля-ля разводим, собаки продукты хомячат!

Я моментально забыла про дурацкую игру в обмен и понеслась на кухню. На что угодно готова поспорить: Капа с Феней передавили оставшиеся куриные яйца, а Муля добралась до тушки цыпы и сейчас в полном восторге грызет белое мясо (окорочка мопсиха не тронет, она у нас фанатка здорового питания). Холестериновые лапы поглощает в себя малоразборчивая Ада, ей абсолютно все равно, чем подкрепляться, она способна, не чихнув, проглотить пару головок чеснока и закусить их нечищеным грейпфрутом...

Где-то около восьми вечера раздался телефонный звонок. Я швырнула в мойку шумовку, которой снимала пену с супа, и схватила трубку.

— Позовите Евздрапию Андреевну Романову, — услышала я вежливый женский голос и тяжело вздохнула. Если у вас в паспорте в графе «Имя» стоит «Евлампия», будьте готовы к тому, что окружающие будут перевирать его самым диким образом.

— Евлампия у телефона, — ответила я, ожидая, что незнакомка воскликнет: «Ой, простите». Но на другом конце провода заявили с негодованием:

— Мне нужна Евздрапия.

— Простите, такой здесь нет.

— Зачем тогда берете ее телефон?

— Я взяла свой сотовый!

— Вы Евздрапия?

— Я Евлампия!

— Но мне нужна Евздрапия Андреевна, частный детектив.

— Это я, вы просто неправильно произносите мое имя.

— Да? — с легким сомнением спросила тетка. — Вы уверены, что вас зовут не Евздрапия?

— Стопроцентно, — заверила я. — Что вы хотите? Если вам нужен специалист по деликатным проблемам, то приезжайте завтра в офис.

— У вас была клиентка Светлана Краминова? — бесцеремонно перебила меня незнакомка.

— Не помню.

— Придется освежить память! Отвечайте немедленно!

Я моментально отсоединилась. Я не люблю, когда люди разговаривают со мной, употребляя глаголы повелительного наклонения и забывая про волшебное слово «пожалуйста».

Аппарат незамедлительно заработал вновь.

— Позовите Евздрапию Андреевну Романову.

— Евлампия слушает! — рявкнула я. — Кстати, если вы намерены и дальше хулиганить, то советую запомнить: у меня есть определитель, я вижу ваш номер и сообщу его в милицию.

— Я сама оттуда, — обиделась баба. А затем представилась: — Майор Косарь.

— Здравствуйте, — удивленно пролопотала я.

— Вы работали со Светланой Краминовой?

— Извините, сведения о клиентах не разглашаются.

— Я из милиции! — возмутилась Косарь.

— Этак любой человек позвонит и представится кем угодно, — фыркнула я. — Почему я должна верить вам на слово?

— Я никогда не вру!

— Может, оно и так, но я ваших документов не вижу.

Косарь помолчала, потом другим, почти человеческим голосом сказала:

— Светлана убита, ваш долг помочь мне.

— Как убита? — ахнула я. — Кем? За что? Такая милая женщина, тихая, интеллигентная... Кому она могла помешать?

— Можете сейчас приехать? — теперь весьма любезно осведомилась собеседница. — В отделение.

— Давайте адрес, — сказала я, — уже несусь.

*письма*

# Советы *от безумной оптимистки* Дарьи Донцовой

*рецепты*

# Обращение к читателям

***Дорогие мои**, я очень люблю вас, но, увы, не имею возможности сказать о своих чувствах лично каждому читателю. В издательство «Эксмо» на имя Дарьи Донцовой ежедневно приходят письма. Я не способна ответить на все послания, их слишком много, но обязательно внимательно изучаю почту и заметила, что мои читатели, как правило, либо просят у Дарьи Донцовой новый кулинарный рецепт, либо хотят получить совет. Но как поговорить с каждым из вас?*

*Поломав голову, сотрудники «Эксмо» нашли выход из трудной ситуации. Теперь в каждой моей книге будет мини-журнал, где я буду отвечать на вопросы и подтверждать получение ваших писем. Не скрою, мне очень приятно читать такие теплые строки.*

## Совет № раз
## Рецепт «Пальчики оближешь»

### *Говядина по-венски с соусом из хрена*

***Что нужно:***

*800 г говядины без костей,*
*1 пучок зелени,*
*1 небольшая луковица,*
*лавровый лист,*
*3 гвоздики,*
*2 дольки чеснока,*
*1 ч. ложка сахара,*
*4 ст. ложки сливок высокой жирности или сметаны,*
*сливочное масло, мука, хрен, соль по вкусу.*

***Что делать:***

*Мясо положить в горячую воду, добавить зелень, луковицу, лавровый лист, лук, гвоздику, чеснок, сахар и соль. Затем довести до кипения, снять пену. Варить до готовности.*

***Соус из хрена:*** *растопить масло, поджарить на нем муку. Постоянно помешивая, чтобы не получились комки, добавить мясной бульон, сливки (или сметану). Потом все смешать с хреном.*

*Готовое мясо разделить на порции и подать с соусом из хрена. Отварной картофель – изумительный гарнир к этому блюду. Бульон можно подать на первое или использовать его для приготовления супа.*

***Приятного аппетита!***

# Совет № два

## *Красивые и ухоженные руки – это просто*

- *Смягчить кожу рук можно, опустив на 5 – 10 минут руки в воду, где варилась картошка.*
- *Устранить трещинки на руках поможет маска, приготовленная из 200 г нежирного творога, 1 ст. ложки оливкового масла и 1 яичного желтка. Маску равномерно распределите по полиэтилену и оберните им руки. Через 15 – 20 минут смойте маску прохладной водой и нанесите на кожу рук питательный крем.*
- *Если кожа рук обветрилась, то сделайте такую маску: смешайте 5 ст. ложек меда с 5 ст. ложками миндального масла. Маску нанесите на кожу рук на 10 – 15 минут, затем смойте. После этого смажьте руки питательным кремом.*

# Письма читателей

*Дорогие мои, писательнице Дарье Донцовой приходит много писем, в них читатели сообщают о своих проблемах, просят совета. Я по мере сил и возможностей стараюсь ответить всем. Но есть в почте особые послания, прочитав которые понимаю, что живу не зря, надо работать еще больше, такие письма вдохновляют, окрыляют и очень, очень, очень радуют. Пишите мне, пожалуйста, чаще.*

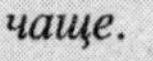

**Здравствуйте, уважаемая и обожаемая Дарья!**

*Наконец-то решилась написать Вам письмо. Это крик души в хорошем смысле.*

*Постоянно читаю Ваши книги, и, наверное, читаю быстрее, чем Вы пишете. То, что я испытываю, когда читаю, словами трудно передать. Я в восторге от Вашего ума (сравнимого лишь с Путиным В.В. и т.д.), от Вашего чувства юмора или иронии, от доброты, от интереса, от всего хорошего, чем может обладать человек.*

*Мне хочется Вам сказать, что Вы лучшая из лучших! И это не лесть, это искренне. От всей души и чистого сердца. Каждое слово, каждое предложение трогает меня настолько сильно, ну, в общем, не нахожу нужных слов, наверное, волнуюсь или еще чего-нибудь.*

*Пыталась читать многих авторов – Устинову, Куликову, Смолякову и т.д. Ни в коем случае не хочу их обидеть, но, на мой взгляд и вкус (жизненный), не то! Не мое!*

*Мне настолько близко Ваше чувство и понимание всей происходящей нашей жизни, что я пришла к выводу: Ваши мысли, т.е. книги, – это мое! Больше не читаю никого и ничего! Неинтересно, одним словом.*

*Вообще-то я человек, лишенный чувства юмора и т.д., но читаю все Ваши книги и нахожу их и смешными, и умными, и интересными. В общем, не хватит тетради, чтобы перечислить все.*

*В общем, не чтение, а сплошной кайф! Не знаю, но почему-то хотелось бы Вас увидеть, поговорить и сказать все лучшее глаза в глаза! Но возможности не имею приехать, нет даже денег на книгу. Все книги беру в прокате книг. Спасибо, что хоть это доступно.*

*Как-то смотрела по телику спор с Ксенией Собчак (« К барьеру»). Как говорится, и душой и телом за Вас. Равных Вам нет, я даже не понимала, почему К. Собчак, да она, наверно, «отдыхает» с Вашим умом и т.д. Мне кажется, мало людей есть (во всяком случае, в бывшем СНГ), которые могут сравниться с Вами!*

*Вы, наверное, не поверите, но для меня было бы сравнимо со счастьем хотя бы получить от Вас письмо. Мое письмо не очень удалось, и Вы сочтете его глупым и лишенным смысла.*

*Я восхищаюсь Вами как человеком с большой буквы, как писательницей, как женщиной. Хочется пожелать Вам всего самого, самого прекрасного в жизни. Вы умничка! Здоровья Вам. Счастья Вам. В душе буду надеяться получить от Вас письмо. Не нужно никаких подарков, ничего такого (призов и т.п.).*

*Еще раз повторюсь, при всем моем уважении к президенту Путину В.В. или многим другим выдающимся личностям, он и они не сравнимы с Вами. Вот очень интересно, Вы родились такая талантливая по жизни или стали такой?*

*Я искренне Ваша поклонница. Если бы был какой-нибудь фан-клуб Ваш, наверное, я была бы там частым гостем, потому что каждая строчка в Вашей книге трогает до глубин души. Вы для меня какой-то кумир своего рода или даже, я бы сказала, наркотик, от Вас у меня существует прямо-таки зависимость лучшая, какая только может быть!*

*Если вдруг у Вас будет свободная минутка или вдруг Вы будете случайно в Харькове, я была бы очень безумно рада встрече с Вами!*

*Я понимаю, что шансов на встречу с Вами нет, но пусть будет надежда! Я никогда никому не пишу писем, а Вам хочу написать после первой прочитанной книги.*

*Будьте такой талантливой умницей всегда и везде! И вообще мне хотелось бы, чтобы Вы стали президентом страны, у Вас бы получилось! Ну, политику мы пока опустим!*

*Все, остановлюсь! Либо буду писать и писать, потому что складывается чувство, что вроде бы общаюсь с Вами. Извините за хаос мыслей. Буду рада, если хотя бы прочитаете мое письмо.*

*С уважением, Виктория*

## СОДЕРЖАНИЕ

МЕТРО ДО АФРИКИ. *Роман* . . . . . . . . . . . . . . . . 7

ФАНЕРА МИЛОССКАЯ.
*Главы из нового романа* . . . . . . . . . . . . . . . 349

СОВЕТЫ ОТ БЕЗУМНОЙ ОПТИМИСТКИ
ДАРЬИ ДОНЦОВОЙ . . . . . . . . . . . . . . . . . 371

**Донцова Д. А.**

Д 67 Метро до Африки: Роман. Фанера Милосская: Главы из нового романа. Советы от безумной оптимистки Дарьи Донцовой: Советы / Дарья Донцова. — М.: Эксмо, 2007. — 384 с. — (Иронический детектив).

Даша Васильева опять попала в переплет! Ее друг, полковник Дегтярев, потерял память! Целая неделя выпала из его жизни! И эта неделя оказалась полна неожиданностей — он, оказывается, занимался частным расследованием. Но что бравый милиционер делал в квартире, где, кроме него, Даша обнаружила еще и труп хозяйки, Юлии Моргаловой, он не помнит. Придется любительнице частного сыска самой браться за это дело. А, как известно, Даша из тех женщин, что «коня на скаку остановит» и «в горящую избу войдет»...

**УДК 82-3**
**ББК 84(2Рос-Рус)6-4**

**ISBN 978-5-699-24939-8**


Оформление серии *В. Щербакова*

Литературно-художественное издание

**Дарья Донцова**

**МЕТРО ДО АФРИКИ**

Ответственный редактор *О. Рубис*
Редакторы *И. Шведова, Т. Семенова*
Художественный редактор *В. Щербаков*
Технический редактор *О. Куликова*
Компьютерная верстка *И. Ковалева*
Корректор *З. Харитонова*

В оформлении переплета использована иллюстрация *Е. Шуваловой*

ООО «Издательство «Эксмо»
127299, Москва, ул. Клары Цеткин, д. 18/5. Тел. 411-68-86, 956-39-21.
Home page: **www.eksmo.ru** E-mail: **info@eksmo.ru**

Подписано в печать 30.10.2007.
Формат 84×108 1/32. Гарнитура «Таймс». Печать офсетная.
Бумага Classic. Усл. печ. л. 20,16.
Тираж 250 000 (1 завод — 165 000) экз. Заказ № 0728570.

Отпечатано в полном соответствии с качеством предоставленного электронного оригинал-макета в ОАО «Ярославский полиграфкомбинат»
150049, Ярославль, ул. Свободы, 97